HEILIGE STEEN

Clive Cussler

met Craig Dirgo

HEILIGE STEEN

the house of books

Eerste druk, april 2007
Tweede druk, mei 2007

Oorspronkelijke titel
Sacred Stone
Uitgave
Berkley Books, New York

Vertaling
Pieter Cramer
Omslagontwerp
Jan Weijman
Omslagillustratie
Edwin Herder
Foto auteur
Tom Story

ISBN 978 90 443 1734 3
D/2007/8899/103
NUR 332

Lijst van personen

Juan Cabrillo:	president-directeur van de Corporation
Max Hanley:	directeur van de Corporation
Richard Truitt:	onderdirecteur van de Corporation

Het personeel van de Corporation
(in alfabetische volgorde)

George Adams:	helikopterpiloot
Rick Barrett:	assistent-kok
Monica Crabtree:	coördinatie bevoorrading en logistick
Carl Gannon:	operationele eenheid
Chuck 'Tiny' Gunderson:	eerste piloot
Michael Halpert:	financiële administratie
Cliff Hornsby:	operationele eenheid
Julia Huxley:	arts
Pete Jones:	operationele eenheid
Hali Kasim:	operationele eenheid
Larry King:	scherpschutter
Franklin Lincoln:	operationele eenheid
Bob Meadows:	operationele eenheid

Judy Michaels:	piloot
Mark Murphy:	operationele eenheid
Kevin Nixon:	specialist Magic Shop
Tracy Pilston:	piloot
Sam Pryor:	werktuigkundig ingenieur
Gunther Reinholt:	werktuigkundig ingenieur
Tom Reyes:	operationele eenheid
Linda Ross:	veiligheid en verkenning/operationele eenheid
Eddie Seng:	hoofd landoperaties/operationele eenheid
Eric Stone:	vluchtleiding/operationele eenheid

Overigen

Langston Overholt IV:	CIA-agent (opdrachtgever van de Corporation)
Halifax Hickman:	schatrijke industrieel
Chris Hunt:	Amerikaanse legerofficier (gesneuveld in Afghanistan)
Michelle Hunt:	moeder van Chris
Eric de Rode:	legendarische ontdekkingsreiziger
de emir van Qatar:	staatshoofd van Qatar
John Ackerman:	archeoloog (vindt de meteoriet in Groenland)
Clay Hughes:	huurmoordenaar (met opdracht de meteoriet te kapen)
Pieter Vanderwald:	Zuid-Afrikaanse handelaar des doods
Mike Neilsen:	piloot (brengt Hughes naar Mount Forel)
Woody Campbell:	dronkaard in Groenland (van wie Cabrillo een snowcat huurt)
Aleimein Al-Khalifa:	terrorist (beraamt bomaanslag in Londen)

Scott Thompson:	leider van het team op de *Free Enterprise*
Thomas 'TD' Dwyer:	CIA-wetenschapper (ontdekt het gevaar van de meteoriet)
Miko 'Mike' Nasuki:	astronoom van de NOAA (assistent van Dwyer)
Saud Al-Sheik:	Saoedische inkoopambtenaar voor de hadj
James Bennett:	piloot (vervoert de meteoriet van de Faerøereilanden naar Engeland)
Nebile Lababiti:	terrorist (betrokken bij aanslag in Londen)
Milos Coustas:	kapitein van de *Larissa* (het schip waarmee de bom naar Engeland wordt gebracht)
Billy Joe Shea:	eigenaar van de MG TC uit 1947 (die Cabrillo leent voor achtervolging)
Roger Lassiter:	oneervol ontslagen CIA-agent (brengt de meteoriet naar Maidenhead)
Elton John:	beroemde popster
Amad:	jongeman uit Jemen (uitvoerder bomaanslag)
Derek Goodlin:	eigenaar Londens bordeel
John Fleming:	hoofd van MI5
dr. Jack Berg:	CIA-arts (dwingt Thompson tot praten)
William Skutter:	luchtmachtofficier (leider van het team in Medina)
Patrick Colgan:	onderofficier (leider van het team dat de bidkleedjes uit Ar-Riaad weghaalt)

Proloog

Vijftigduizend jaar geleden pulseerde een talloze miljoenen kilometers van de aarde verwijderde planeet; heftige stuiptrekkingen als aankondiging van een spoedig naderend einde. De planeet was oud, maar haar eventuele vernietiging was al vanaf haar ontstaan onvermijdelijk. Ze was een onstabiele bol met een voortdurend verschuivende polariteit tussen de polen.

De planeet bestond uit gesteente en magma met een metalen kern. In de talloze eonen waarin ze zich had gevormd en was afgekoeld, was er een dampkring ontstaan. De gasvormige lagen waren een mengsel van argon, helium en wat zuurstof. Er was leven ontstaan op het oppervlak van de planeet; een primitieve basisvorm van bacteriën.

Maar er hadden zich nooit gecompliceerdere levensvormen kunnen ontwikkelen. De bacteriën consumeerden zuurstofmoleculen voor hun voortplanting en hielden het oppervlak daardoor vrij van cellen die konden evolueren. Het oppervlaktegesteente van de planeet veranderde geleidelijk in een oververhitte vloeibare brij omdat de planeet met iedere omwenteling rond haar zon die vurige oven steeds iets dichter naderde. De planeet ontwikkelde geen rotatie rond haar as zoals de aarde, maar kwam door de verschuivende polen in een steeds variërende kurkentrekkerachtige draaiing terecht en het gesmolten gesteente vloeide als de lavastromen uit een vulkaan over het oppervlak.

Ieder uur, iedere minuut, iedere seconde kwam de planeet dichter bij haar zon en verloor geleidelijk haar korst alsof de hand van God haar huid met een staalborstel bewerkte.

De stellaire huidschilfers die in de atmosfeer geraakten, bereikten de buitenste rand van de gasachtige dampkring, waar ze door de zonnehitte witgloeiend opvlamden en met de kracht van duizenden atoombommen uiteenspatten. De door de zwaartekracht naar het oppervlak terugvallende brokstukken sloegen op hun beurt scherven van de toch al fragiele korst af. Zo erodeerde de korst in hoog tempo.

De verdoemde planeet was geen lang leven beschoren.

Terwijl de beschermende oppervlaktelaag in de ruimte verdween, bleef de temperatuur van de metalen kern stijgen en begon deze binnenbol bovendien te draaien. In het oppervlak ontstonden barsten die zich tot breuken verbreedden waaruit steeds heftigere erupties van gesmolten gesteente vrijkwamen. En al die tijd zorgden onvoorstelbare krachten voor een onstuitbare groei van de metalen kern van de planeet. Tot plotseling het einde kwam. Aan de naar de zon gekeerde kant van de planeet spatte een gigantisch brok smeltend gesteente van de korst. Er volgde nog een laatste verschuiving van de polen, waarop de planeet met een razende zwieper begon te tollen.

En ontplofte.

Er spatten miljoenen metalen bollen de ruimte in. Bij het smelten herschikten de moleculen zich op de manier zoals ook soldeersel door de hitte van een soldeerbout verandert. Een gering aantal ontsnapte aan het gravitatieveld van de zon, waarna ze aan een lange reis naar de verste uithoeken van het heelal begonnen.

Sinds het uiteenspatten van de onbekende planeet waren vele tienduizenden jaren verstreken. Vanaf grote afstand leken de naderende brokstukken blauw van kleur. Eén ervan ontwikkelde zich tot een redelijk gelijkmatige bol. Veel van de brokstukken waren naar de oppervlakte van andere planeten in de ruimte gezogen, maar dit raakte verder verwijdord dan de rest en kwam ten slotte in het gravitatieveld van de planeet aarde terecht.

De metalen bol kwam in een lage baan van west naar oost de dampkring binnen. In de ionosfeer spleet hij uiteen en er brak een kleinere bol van zuiver metaal af. De moedermeteoor sloeg in op 35 graden noorderbreedte. Dit was een droge en onvruchtbare streek. De baby, die aanzienlijk lichter en kleiner was, kwam op 62 graden noorderbreedte veel verder naar het noordwesten terecht in een omgeving waar het aardoppervlak met een laag sneeuw en ijs was bedekt.

Twee verschillende klimatologische omstandigheden op dezelfde planeet zorgden voor twee zeer van elkaar afwijkende ontwikkelingen.

Het gesmolten metaal van de moeder vervormde zich na het afwerpen van haar jong opnieuw tot een gloeiende bol. Ze vloog over een kustlijn en raasde in een snel dalende baan op een kale woestijn af. Het projectiel, dat met een doorsnede van ruim honderd meter uit 63.000 ton nikkel en ijzer bestond, explodeerde hoog boven de zandvlakte, rotsen en cactussen, en sloeg een krater van zo'n anderhalve kilometer in de droge grond. Enorme stofwolken kolkten de lucht in en waaierden over de hele aarde uit. Het zou maanden duren voordat al het opgewaaide stof op het aardoppervlak was teruggevallen.

Het kind was zuiver en zilvergrijs. Door de oorspronkelijke explosie en de moleculaire herschikking gedurende de reis door de ruimte had het zich tot een perfecte bol gevormd die eruitzag als twee aaneengeklonken geodetische koepels. Terwijl de bol verder langs de planeet trok, gleed hij rustig door de ruimte, waarbij zijn gladde oppervlak in de aardse dampkring weinig weerstand ondervond, met als gevolg dat de heftige reacties die zijn moeder te verwerken kreeg achterwege bleven. Als een met topspin geslagen golfbal boog zijn baan slechts geleidelijk omlaag.

Terwijl hij over de kust van een met ijs bedekt eiland scheerde, leek het alsof de bol plotseling door een magneet naar het aardoppervlak werd getrokken. Met een doorsnede van nog geen halve meter en een gewicht van zo'n vijfenveertig kilo zakte hij omlaag tot hij op drie meter boven de sneeuw door de zwaartekracht zijn voorwaartse snelheid verloor en neerstortte. Zijn hete metalen oppervlak smolt een spoor door de sneeuw en het ijs, net als de sneeuwballen die de kinderen rollen als ze een sneeuwpop willen maken.

Nadat zijn energie en de hitte vervlogen waren, kwam hij tot stilstand aan de voet van een met ijs bedekte berg.

'Wat duivekater is dit nou weer?' zei de man in het IJslands, terwijl hij met een stok tegen het vreemde voorwerp sloeg.

Het was een kleine man met een gespierd lichaam dat op een leven duidde waarin veel en hard was gewerkt. De haren op zijn hoofd en de dichte baard die zijn kin en wangen bedekte, waren vlammend rood als het vuur in de Hades. Zijn stevige torso ging in een dikke witte bontjas gehuld en zijn broek was gemaakt van met schapenwol gevoerde zeehondenhuid. De man was nogal driftig aangelegd en onder ons gezegd eigenlijk niet veel minder dan een barbaar. Nadat hij in 982 wegens moord van IJsland was verbannen, was hij met een groep trawanten het koude zeewater overgestoken naar het volledig met ijs bedekte eiland waar hij nu woonde. In de afgelopen achttien jaar had hij op de rotsachtige kust een nederzetting gebouwd en zijn kolonie had zich daar met jagen en vissen in leven gehouden. In de loop van de tijd was hij zich gaan vervelen. Deze man, Eric de Rode, koesterde een groeiend verlangen om op pad te gaan, om iets nieuws te zoeken, nieuwe landen te veroveren.

In het jaar 1000 na Chr. trok hij landinwaarts naar het westen.

Elf mannen vergezelden hem daarbij en vijf maanden later bij het aanbreken van het voorjaar waren er nog maar vijf man van over. Twee waren er in ijsspleten gevallen en hun gegil klonk Eric in zijn slaap nog altijd in de oren. Een van hen was op het ijs uitgegleden en met zijn hoofd tegen een rotspunt geslagen. Kronkelend van helse pijnen had hij nog dagenlang geleefd, blind en van zijn spraak beroofd, tot hij godzijdank op een nacht was gestorven. Een ander was door een grote ijsbeer gepakt toen hij zich op een avond iets te ver van het kampvuur had gewaagd op zoek naar zoetwater dat hij, naar hij beweerde, vlakbij hoorde stromen.

Er waren er ook twee door een ziekte geveld die met zware hoestbuien en koortsaanvallen gepaard ging, wat de overlevenden in hun mening sterkte dat er boze machten op de loer lagen en hen belaagden. Naarmate het gezelschap uitdunde, veranderde de stemming onder de expeditieleden drastisch. Het enthousiasme en gevoel van verwondering bij het begin van de tocht was omgeslagen in een neerslachtig fatalisme.

Het was alsof er een vloek op de expeditie rustte en de mannen daar de dupe van waren.

'Til die bal 's op,' beval Eric het jongste lid van de expeditie, de enige die op dit eiland was geboren.

De tiener, Olaf de Fin, zoon van Olaf de Visser, was op zijn hoede. De vreemde grijze bol lag op een uitstekende rotspunt alsof God hem daar persoonlijk had neergelegd. Hij kon onmogelijk weten dat dit voorwerp hier zo'n 48.000 jaar eerder uit de lucht was neergestort. Olaf benaderde de bol uiterst voorzichtig. Iedereen in het gezelschap kende Erics gewelddadige uitvallen; sterker nog, alle bewoners van het ijzige eiland kenden zijn legendarische voorgeschiedenis. Eric vroeg nooit – hij eiste – dus maakte Olaf geen tegenwerpingen. Hij haalde diep adem en boog voorover.

Met zijn hand betastte Olaf het voorwerp en het oppervlak voelde koud en glad aan. Het hart bonkte hem in de keel, sloeg een slag over, maar hij ging door. Hij probeerde de bol op te tillen, maar die bleek te zwaar voor zijn door de expeditie verzwakte armen.

'Dat kan ik niet alleen,' zei Olaf.

'Jij,' reageerde Eric, met zijn stok een van de anderen aanwijzend.

Gro de Slachter, een langere man met geelblond haar en lichtblauwe ogen, kwam drie stappen naar voren en greep de bol van opzij vast. Met inzet van hun rugspieren tilden beide mannen de bol tot heuphoogte op en keken Eric aan.

'Maak een strop van het vel van het slagtandbeest,' sprak Eric. 'We brengen hem naar de grot en maken er een altaar van.'

Zonder verder nog een woord te zeggen liep Eric door de sneeuw weg en liet het aan de anderen over zijn bevelen uit te voeren. Twee uur later lag de bol veilig in de grot. Onmiddellijk zette Eric zich aan de uitwerking van zijn plannen voor een uitvoerige ommanteling van het voorwerp, waarvan hij nu heilig geloofde dat het rechtstreeks van de goden in de hemelen afkomstig was.

Eric liet Olaf en Gro achter om het hemelse voorwerp te bewaken, terwijl hij naar de nederzetting aan de kust terugkeerde om er meer mensen en materiaal te halen. Toen hij er aankwam, hoorde hij dat zijn vrouw hem in zijn afwezigheid een zoon had geschonken. Hij noemde hem Leif, als eerbetoon aan de lente, en liet het kind vervolgens aan de zorgen van zijn moeder over. Met tachtig extra mannen en de gereedschappen om de grot waarin de bol verborgen lag te vergroten, vertrok hij opnieuw naar de verre berg. Het zou spoedig zomer zijn, een tijd waarin de zon het hele etmaal aan de hemel zichtbaar bleef.

Gro de Slachter draaide zich op zijn bed van dierenhuiden om en spuugde wat losse haren uit zijn mond.

Terwijl hij met zijn hand over het berenvel wreef, zag hij tot zijn verbazing dat de haren zich in zijn handpalm tot een bal vormden. Vervolgens keek hij in het flakkerende licht van een aan de muur bevestigde toorts naar de bol.

'Olaf,' zei hij tegen de tiener die een paar meter verderop lag te slapen, 'het is tijd om op te staan. De dag wacht.'

Olaf rolde op zijn zij en keek naar Gro. Zijn ogen waren rood en bloeddoorlopen en zijn gezicht vlekkerig en schilferig. Hij hoestte lichtjes, kwam half overeind en tuurde in het schemerlicht naar zijn metgezel. Gro's haren vielen uit en zijn huid was verontrustend grauw.

'Gro,' zei Olaf, 'je neus.'

Gro wreef met de rug van zijn hand langs zijn neus en zag het rood van bloed. Steeds vaker had hij ongemerkt een bloedneus. Hij tastte in zijn mond en voelde aan een pijnlijke tand. Met zijn vingers trok hij de tand er zonder moeite uit. Hij gooide hem van zich af en krabbelde overeind.

'Ik zal de bessen koken,' zei hij.

Nadat hij het vuur had opgepookt, gooide hij er een paar takken van hun slinkende voorraad op. Vervolgens pakte hij de zak van zeehondenhuid met de rode bessen waarvan ze een bitter ochtenddrankje kookten. Daarna liep hij de grot uit en vulde een gedeukte ijzeren ketel met water uit een beekje dat smeltwater van een nabijgelegen gletsjer afvoerde. Ten slotte staarde hij naar de strepen die ze aan de buitenkant van de grot in de rotswand hadden gekerfd.

Nog twee of drie strepen erbij en dan zou Eric de Rode moeten terugkomen.

Toen Gro de grot weer inliep, stond Olaf rechtop in zijn dunne leren broek. Hij had zijn hemd uitgetrokken en op een rots naast hem gelegd. Hij krabde zich met een stok op zijn rug, waarvan de huid vervelde en de schilfers als een eerste sneeuwbui van een nieuwe winter op de grond dwarrelden. Zodra de jeuk was afgenomen, trok hij zijn leren hemd weer aan.

'Er is iets helemaal fout,' zei Olaf. 'We worden allebei met de dag zieker.'

'Misschien is het de slechte lucht hier in de grot,' zei Gro rustig, terwijl hij de ketel op het vuur zette.

'Volgens mij komt het daardoor,' zei Olaf, op de bol wijzend. 'Volgens mij is dat ding betoverd.'

'We kunnen ook buiten de grot gaan slapen,' zei Gro, 'dan zetten we een tent op.'

'Eric heeft ons bevolen in de grot te blijven. Ik ben bang voor zijn woede die zeker genadeloos zal zijn als hij ons bij zijn terugkomst buiten de grot aantreft.'

'Ik heb de strepen geteld,' zei Gro. 'Nog drie nachten slapen, dan komt hij terug – meer niet.'

'Als we elkaar aflossen, kunnen we in de gaten houden of hij er aankomt,' zei Olaf rustig, 'dan gaan we snel naar binnen voordat hij ons betrapt.'

Gro roerde de bessen in het kokende water. 'Een snelle dood of een slopende ziekte... het lijkt me slimmer om iets te vermijden waarvan we zeker weten dat het gebeurt dan iets dat misschien wel of misschien niet gebeurt.'

'Nog maar een paar dagen,' zei Olaf.

'Nog maar een paar dagen,' herhaalde Gro, terwijl hij een ijzeren scheplepel in de ketel liet zakken. Hij vulde een paar ijzeren kommen met het bessenvocht en gaf er een aan Olaf.

Vier strepen op de rots bij de ingang van de grot later keerde Eric de Rode terug.

'Jullie hebben de scheurende hoest,' zei hij zodra hij de toestand zag waarin de beide mannen verkeerden. 'Ik wil niet dat jullie de anderen aansteken. Ga terug naar de nederzetting en ga daar in de blokhut aan de noordkant wonen.'

Olaf en Gro vertrokken de volgende morgen naar het zuiden, maar die reis zouden ze nooit voltooien.

Olaf bezweek als eerste, drie dagen na het begin van hun tocht begaf zijn verzwakte hart het gewoon. Gro was er niet veel beter aan toe, en toen hij niet meer op zijn benen kon staan, legde hij zich ter ruste. De harige beesten kwamen al snel daarna. Wat ze niet meteen opaten, werd door de vleeseters verspreid tot er niets meer van Gro over was, alsof hij nooit had bestaan.

Nadat Eric zijn beide mannen in de verte had zien verdwijnen, riep hij de mijnwerkers, constructeurs en arbeiders die hij van de nederzetting had meegebracht bijeen. Op de vloer van de grot veegde hij in het stof een plek schoon en tekende met een stok in de aarde wat hij had uitgedacht.

Zijn plannen waren ambitieus, maar met een geschenk uit de hemel mocht je niet lichtzinnig omgaan.

Die dag begonnen de eerste groepjes met het in kaart brengen van de grot. Zo ontdekten ze geleidelijk dat de grot zich tot zeker anderhalve kilometer in de berg uitstrekte en dat de temperatuur steeg naarmate men er dieper in doordrong. Diep in het binnenste van de berg bevond zich een grote met zoetwater gevulde poel in een ruimte waar stalactieten aan het plafond hingen en stalagmieten van de grond oprezen.

Andere groepjes werden naar de kust gestuurd om er aangespoeld hout te verzamelen voor de constructie van ladders in de steile stukken van het gangenstelsel, terwijl weer anderen treden in de rotswanden uithakten. Van rotsblokken werden ingewikkelde deuren gemaakt met ingenieus uitgebalanceerde draaisystemen om het voorwerp verborgen te houden voor eventuele anderen die er geheime krachten in zouden zoeken. In de rotsen werden runen gebeiteld en standbeelden uitgehakt, en licht reflecteerde er uitsluitend uit de paar openingen waardoor ook frisse lucht tot in de grot doordrong. Eric leidde de werkzaamheden vanuit de nederzetting aan de kust. De plek zelf bezocht hij maar zelden; hij liet zich leiden door de beelden die zich in zijn hoofd hadden gevormd.

Wie ernaartoe gingen en er werkten, werden ziek en stierven, waarna ze door anderen werden vervangen.

Tegen de tijd dat de grot klaar was, had Eric de Rode zijn volk zodanig uitgedund dat de nederzetting zich daar nooit meer van zou herstellen. Zijn zoon Leif kreeg het glorieuze monument slechts één keer te zien. Eric gaf opdracht de ingang te verzegelen, waarna het voorwerp werd achtergelaten voor wie het ooit zou mogen vinden.

DEEL EEN

1

Luitenant Chris Hunt sprak zelden over zijn verleden, maar de mannen met wie hij samenwerkte, hadden van zijn manier van doen wel het een en ander afgeleid. Om te beginnen dat Hunt niet was opgegroeid in een of ander achterlijk provincieplaatsje en het leger gebruikte om meer van de wereld te zien. Hij kwam uit het zuiden van Californië. En na enig aandringen wilde Hunt wel kwijt dat hij uit de omgeving van Los Angeles afkomstig was, waarbij hij zelfs niet verhulde dat hij in Beverly Hills was opgegroeid. Het tweede wat de mannen opviel, was dat Hunt een geboren leider was; hij deed niet uit de hoogte en hij straalde ook geen superioriteitsgevoel uit, integendeel, het feit dat hij goed opgeleid en intelligent was, probeerde hij juist te verbergen.

Het derde wat ze van hem wisten, ontdekten ze pas vandaag.

Er waaide een koude wind van de bergen in de Afghaanse vallei waar het peloton onder Hunts commando het kampement opbrak. Hunt en drie andere soldaten worstelden met een tent die ze voor opslag gereedmaakten. Terwijl de mannen de uiteinden van het doek in de lengte naar elkaar toe vouwden, achtte sergeant Tom Agnes de tijd rijp om naar een gerucht te vragen dat hij had opgevangen. Hunt gaf hem de zijkant van de tent aan, zodat Agnes het doek kon omslaan.

'Luit,' zei Agnes, 'ze zeggen dat u aan de Yale University bent afgestudeerd. Klopt dat?'

Alle mannen droegen donkergetinte skibrillen, maar Agnes was zo dichtbij dat hij Hunts ogen kon zien. Er was een korte flikkering van verbazing gevolgd door een glans van berusting. Hunt glimlachte.

'Aha,' zei hij kalm, 'jullie hebben dat afschuwelijke geheim van mij ontdekt.'

Agnes knikte, terwijl hij het doek dubbelsloeg. 'Niet bepaald een broeinest van gegadigden voor een carrière in het leger.'

'George Bush is er ook geweest,' zei Hunt. 'Hij was piloot bij de marine.'

'Ik dacht dat hij bij de Nationale Garde zat,' zei Jesus Herrara, terwijl hij de tent van Agnes overnam.

'George Bush senior,' reageerde Hunt. 'Onze president heeft ook Yale gedaan en inderdaad: hij was straaljagerpiloot bij de Nationale Garde.'

'Yale,' zei Agnes. 'Maar, als ik zo vrij mag zijn, hoe bent u dan hier terechtgekomen?'

Hunt veegde wat sneeuw van zijn handschoenen. 'Als vrijwilliger,' zei hij, 'net zoals jullie.'

Agnes knikte.

'Maar goed, laten we doorgaan met inpakken,' zei Hunt, op de dichtstbijzijnde berg wijzend, 'en daar omhooggaan om die klootzak te zoeken die de VS heeft aangevallen.'

'Oké, luit,' zeiden de mannen in koor.

Tien minuten later begonnen ze met vijfentwintig kilo op hun rug aan hun tocht de bergen in.

In een stad waar mooie vrouwen geen zeldzaamheid zijn, was de 49-jarige Michelle Hunt nog altijd een verschijning voor wie mannen hun hoofd omdraaiden. De lange vrouw met roodbruine haren en blauwgroene ogen was gezegend met een figuur dat slank bleef zonder dat ze daar eindeloze fitnessoefeningen voor moest doen of voortdurend voor op dieet moest. Ze had volle lippen en een regelmatig gebit, maar het waren vooral haar levendige ogen en gladde gezichtshuid die haar sterkste visuele aantrekkingskracht vormden. En omdat ze een mooie vrouw was, terwijl die in zuidelijk Californië toch net zo alomtegenwoordig zijn als de zon en aardbevingen.

Maar wat de mensen zo tot Michelle aantrok, was iets wat niet door een chirurgische ingreep kon worden toegevoegd, niet door kleding of manicure kon worden geaccentueerd of door ambitie kon worden aangekweekt. Michelle had iets speciaals waardoor zowel mannen als vrouwen haar mochten en graag in haar omgeving verkeerden: ze was blij, tevreden en positief. Michelle Hunt was zichzelf. En de mensen omzwermden haar als bijen rond de bloesem van een kersenboom.

'Sam,' zei ze tegen de schilder die net klaar was met het witten van de muren van haar kunstgalerie, 'dat heb je heel netjes gedaan.'

Sam was een vent van achtendertig en bloosde.

'Voor u is alleen het beste goed genoeg, mevrouw Hunt,' zei hij.

Sam had haar galerie geschilderd toen ze die vijf jaar eerder had geopend, daarna haar huis in Beverly Hills, haar flat in Lake Tahoe en nu deze opknapbeurt. En iedere keer had ze zijn werk geprezen en hem het gevoel gegeven dat hij werd gewaardeerd.

'Wil je nog een fles water of een cola of zoiets?' vroeg ze.

'Nee hoor, dank u wel.'

Op dat moment riep een medewerker uit het voorste deel van de galerie dat er telefoon voor haar was, waarop ze glimlachte, naar hem zwaaide en wegliep.

'Wat een vrouw,' zei Sam onhoorbaar, 'een echte dame.'

Terwijl ze naar de voorkant van haar galerie liep, waar ze vanachter haar bureau op Rodeo Drive uitkeek, zag Michelle dat een van de kunstenaars die ze vertegenwoordigde door de voordeur naar binnen stapte. Ook op dat punt had haar beminnelijke optreden haar geen windeieren gelegd. Kunstenaars zijn een wispelturig en temperamentvol volk, maar Michelles kunstenaars adoreerden haar en stapten zelden over naar andere galeries. Dat, plus het feit dat ze haar zaak volledig uit eigen middelen had gefinancierd, waren de belangrijkste oorzaken geweest voor die zo succesvol verlopen eerste jaren.

'Ik wist dat het een goede dag zou worden,' zei ze tegen de man met baard. 'Alleen wist ik nog niet dat dat kwam omdat mijn absolute favoriet me met een bezoekje kwam vereren.'

De man glimlachte.

'Laat me eerst even dit telefoontje afhandelen,' zei ze, 'daarna heb ik alle tijd voor je.'

Haar assistent ontfermde zich over de kunstenaar en begeleidde hem naar een afgeschermde zithoek met banken en een goedgevulde bar. Terwijl Michelle zich op haar bureaustoel liet zakken en de telefoonhoorn oppakte, vroeg de assistente wat de man wilde drinken, waarna ze wat melk in de koffiemachine schonk om voor hem een cappuccino te maken.

'Michelle Hunt.'

'Met mij,' zei een knerpende stem.

Het was een stem die geen verdere introductie behoefde. Hij had een diepe indruk op haar gemaakt toen ze in de jaren tachtig als jonge vrouw van eenentwintig net uit Minnesota, op zoek naar een nieuw leven vol zon en zaligheid, in Zuid-Californië was gearriveerd. Na een voortdurend aan en weer uit rakende relatie, wat voornamelijk het gevolg was van zijn onvermogen een vaste relatie aan te gaan en zijn frequente afwezigheid door zakelijke bezigheden, had ze op haar vierentwintigste zijn zoon ter wereld gebracht. En hoewel zijn naam niet op het geboortebewijs voorkomt – Michelle en hij hebben daarvoor noch nadien ooit echt samengewoond – is het stel altijd hecht bevriend gebleven. Althans zo hecht als de man een ander toestond met hem te zijn.

'Hoe gaat het met je?' vroeg ze.

'Met mij is alles prima.'

'Waar ben je?'

Dit was de standaardvraag die ze hem stelde om het ijs te

breken. In de loop van de jaren hadden de antwoorden gevarieerd van Osaka, Peru en Parijs tot Tahiti.

'Momentje,' antwoordde de man op zijn gemak. Hij keek naar een bewegende kaart op de zijwand van de cockpit van zijn vliegtuig. 'Elfhonderd en vijf kilometer van Honolulu, op weg naar Vancouver, British Columbia.'

'Ga je skiën?' vroeg ze. Het was een sport die ze ook wel samen hadden gedaan.

'Ik ga een wolkenkrabber bouwen,' luidde het antwoord.

'Je hebt altijd wel weer wat nieuws.'

'Klopt,' reageerde hij. 'Michelle, ik bel je omdat ik hoorde dat onze jongen naar Afghanistan is gestuurd.'

Michelle wist dat niet. Deze troepenzending was nog geheim en Chris had zijn bestemming niet kenbaar mogen maken toen hij werd uitgezonden.

'Ojee,' flapte ze eruit, 'wat vreselijk!'

'Ik had wel gedacht dat je dat zou zeggen.'

'Hoe ben je daarachter gekomen?' vroeg Michelle. 'Ik sta steeds weer versteld van jouw talent om dingen aan de weet te komen.'

'Dat zijn geen toverkunsten, hoor,' zei de man. 'Ik heb zoveel senatoren en politici in mijn zak dat ik een grotere broek heb moeten kopen.'

'Al iets gehoord hoe het met hem is?'

'Ik vrees dat deze missie moeilijker zal blijken te zijn dan de president heeft voorzien,' antwoordde hij. 'Chris schijnt een van de doodseskaders aan te voeren die op jacht zijn naar die rotzakken. Voorlopig is er heel beperkt contact, maar mijn bronnen beweren dat het kil en smerig werk is. Maak je geen zorgen als hij enige tijd geen contact met je opneemt.'

'Ik maak me wel zorgen,' zei Michelle zachtjes.

'Wil je dat ik ingrijp?' vroeg de man. 'En dat ik hem daaruit haal en thuisbreng?'

'Ik dacht dat jullie hadden afgesproken dat je dat nooit zou doen?'

'Dat is zo,' gaf de man toe.

'Doe het dan ook niet.'

'Ik bel je zodra ik meer weet.'

'Kom je binnenkort nog eens deze kant op?' vroeg Michelle.

'In dat geval bel ik je meteen,' zei de man. 'Nu kan ik beter ophangen, deze satellietverbinding stoort nogal. Komt door de zonnevlekken denk ik.'

'Laten we maar bidden dat onze jongen veilig is,' zei ze.

'Misschien doe ik wel meer dan dat,' zei de man voordat hij ophing.

Michelle legde de hoorn op de haak en leunde naar achteren. Haar ex was niet iemand die snel zijn bezorgdheid of angst toonde. Toch had ze gemerkt dat hij zich zorgen over zijn zoon maakte. Ze kon alleen maar hopen dat zijn bezorgdheid onterecht was en dat Chris spoedig weer thuis zou zijn.

Ze stond vanachter haar bureau op en liep naar de kunstenaar. 'Zeg me alsjeblieft dat je iets moois voor me hebt,' zei ze kalm.

'Buiten, in de bestelwagen,' zei de kunstenaar, 'en ik denk dat je het heel mooi vindt.'

Vier uur na zonsopkomst en zo'n driehonderd meter hoger op de kam dan het kamp waarin ze de nacht hadden doorgebracht, stuitte Hunts peloton op een verbeten vijand. De schoten kwamen uit enkele grotten die net iets hoger in oostelijke richting lagen. En er kwam van alles tegelijk. Er barstte een spervuur van granaten, mortieren en automatische handwapens los. De vijand blies met dynamiet delen van de berg op, waardoor er steenlawines neerkletterden, en in de grond waar Hunts mannen een veilig heenkomen zochten, hadden ze mijnen verstopt.

De vijandelijke actie had tot doel de groep van Hunt in één klap weg te vagen, en daar slaagden ze haast volledig in.

Hunt had achter een paar rotsblokken dekking gezocht. De kogels ketsten tegen het ruwe gesteente af, en de in alle richtingen van de rotsen afspattende scherven verwondden een groot deel van zijn mannen. Er was geen ontkomen aan, ze konden niet verder en de terugtocht was door een aardverschuiving versperd.

'Radio,' riep Hunt.

De helft van zijn groep bevond zich zo'n twintig meter voor hem en een kwart lag iets verder naar links. Gelukkig was de radiotelegrafist bij de luitenant in de buurt gebleven. De man schoof om zijn zender te beschermen op zijn rug naar Hunt toe. Deze inspanning kostte hem een verwonding aan zijn knieschijf doordat een kogel het opgeheven been schampte waarmee hij zich afzette. Het laatste stuk trok Hunt hem uit de vuurlinie.

'Antencio,' schreeuwde Hunt naar een van zijn mannen een paar meter verderop, 'verzorg jij Lassiters wond.'

Antencio kwam naar hen toe gehold en begon de broek van de radiotelegrafist weg te scheuren. Hij zag dat de wond niet diep was en legde een verband om de knie, terwijl Hunt de zender aanzette en aan de afstemknop draaide.

'Dat komt wel weer goed, Lassiter,' zei hij tegen de radiotelegrafist. 'Ik ga vragen of ze ons hier zo snel mogelijk te hulp komen en dan word jij geëvacueerd.'

De angst op de gezichten van de soldaten was onmiskenbaar. Voor de meesten van hen was dit, net als voor Hunt, de eerste gevechtsactie. Als hun leider was hij degene die het initiatief moest nemen.

'Hallo, hallo, voorhoede Drie,' gilde Hunt in de microfoon, 'verzoek om bijstand, positie drie zero één acht. Liggen zwaar onder vuur.'

'Voorhoede Drie,' reageerde een stem onmiddellijk, 'verslag situatie.'

'We zijn ingesloten,' zei Hunt, 'en zij zitten hogerop. Toestand kritiek.'

Hunt keek op onder het praten. Er kwam een tiental bebaarde mannen in wapperende gewaden de helling afgerend. 'Neem die kerels onder vuur,' schreeuwde hij naar de vooruitgeschoven mannen van zijn groep. Nog geen seconde later werd er een regen van kogels op de aanstormende mannen afgevuurd.

'Voorhoede Drie, er is een Spectre op twee minuten afstand, die gaat nu naar jullie op weg en binnen drie minuten hangen er vier heli's – twee transporttoestellen en twee gunships – in de lucht. Over tien minuten kunnen ze bij jullie zijn.'

Hunt hoorde de herrie van het zwaarbewapende propellervliegtuig al van kilometers ver in de diepte van de vallei omhoogkomen. Hij wierp een snelle blik over de rotsen en zag dat er nog acht van de aanvallers langs de helling omlaag renden. Hij kwam overeind en schoot met een raketwerper een projectiel af. Een flits, gevolgd door een doffe knal toen de granaat tot ontploffing kwam. Dit schot rondde hij af met een mitrailleursalvo.

'Voorhoede Drie, melden.'

'Hier voorhoede Drie,' gilde Hunt in de microfoon.

Van de acht aanvallers waren er nu nog vier over. Ze waren nog maar een kleine twintig meter van zijn vooruitgeschoven groep verwijderd. Hunt klapte zijn bajonet om en klikte hem vast. De vooruitgeschoven groep leek verlamd van schrik. Ze waren jong, onervaren en zouden ieder moment onder de voet worden gelopen. Vlak bij de rotsblokken sloeg een mortier in die ontplofte. Het volgende ogenblik daalde er een wolk van poedersteen en stof over hen neer. Van hoger op de berg kwam een nieuwe vijandelijke groep naar beneden gerend. Hunt ging weer rechtop staan en nam de dichtstbijzijnde aanvallers onder vuur. Met een snelle spurt overbrugde hij de twintig meter naar zijn voorste mannen, waar hij oog in oog stond met de naderende vijand.

Driemaal is scheepsrecht en dat was ook precies het aantal dat Hunt in één salvo neermaaide. De laatste ging hij met zijn bajonet te lijf omdat zijn magazijn leeg was. Terwijl hij met zijn linkerhand zijn tweede wapen uit de holster trok, maakte hij korte metten met de man, waarna hij zich op de grond liet zakken, het magazijn verwisselde, weer overeind kwam en onmiddellijk het vuren hervatte.

'Terugtrekken, mannen,' schreeuwde hij, 'tot achter die zwerfkeien.'

Twee aan twee trokken zijn mannen zich terug tot in de relatieve veiligheid achter de keien, terwijl de anderen de aanstormende vijand onder vuur hielden. De tegenstanders verkeerden in een roes, opgewekt door opium, godsdienstwaanzin en de verdovende khat-bladeren waarop ze kauwden. De helling was rood van het bloed van hun gesneuvelde kameraden, maar ze bleven komen.

'Voorhoede Drie,' klonk het uit de radio.

Antencio greep de microfoon. 'Hier Voorhoede Drie,' zei hij. 'Commandant niet hier, dit is Specialist 367.'

'Er was een B-52 op weg naar een ander doelwit,' zei de stem. 'Zijn bestemming is gewijzigd, komt naar jullie toe.'

'Begrepen. Geef het door aan de luitenant.'

Maar Antencio kreeg de kans niet meer om dit bericht door te geven.

Alleen Hunt en een oude, door de wol geverfde sergeant waren nog over op de vooruitgeschoven post toen de AC-130 Spectre ter plekke verscheen. Ogenblikkelijk barstte er een muur van lood uit het 25-, 40- en 105mm-geschut waarvan de lopen aan de zijkanten uit het toestel staken.

De sergeant had eerder een vurende Spectre meegemaakt en liet geen tijd verloren gaan. 'Laten we teruggaan,' schreeuwde hij naar Hunt, 'we hebben nu een paar seconden dekking.'

'Ga, ga, ga,' riep Hunt, terwijl hij de sergeant overeind trok en een duw in de richting van de beschermende rotsen gaf. 'Ik kom achter je aan.'

De Spectre schoof door de terugslag van de vuurwapens zijdelings weg. Enkele seconden later trok de piloot het toestel op en draaide weg om het smalle dal opnieuw te kunnen aanvliegen. Terwijl het vliegtuig zich aan het einde van de bocht opmaakte voor een tweede aanval, naderden er nog zeven aanvallers. Hunt opende het vuur om het terugtrekken van zijn sergeant te dekken.

Met een schot uit zijn raketwerper en een gericht mitrailleursalvo doodde hij vijf van de aanvallers, maar twee wisten Hunt griezelig dicht te naderen. Een van hen schoot hem in zijn schouder toen hij zich omdraaide om zich terug te trekken.

Met het vervaarlijk ogende kromme lemmet van een vlijmscherp mes sneed de tweede man zijn keel door.

Terwijl hij zich voor de tweede aanval schrap zette, zag de piloot van de AC-130 hoe Hunt werd gedood en hij gaf dit onmiddellijk via de radio door aan het andere toestel. Hunts mannen zagen het ook gebeuren en hun angst sloeg hierdoor om in pure woede. Op het moment dat de AC-130 het dal indook, kwamen de mannen met z'n allen overeind en stormden op de nieuwe golf aanvallers af, die net uit de grot waren gekomen en langs de helling omlaag renden. Als een gesloten groep bereikten ze hun gesneuvelde commandant en vormden een beschermende cirkel rond zijn lichaam. Ze wachtten op de naderende vijand, maar de aanvallers draaiden zich als bij toverslag om en begonnen zich, alsof ze de woede van de Amerikanen voelden, terug te trekken.

Zes kilometer boven hen en nog geen tien minuten van het doel verwijderd klikte de piloot van de B-52 de microfoon uit en zette hem terug in de houder.

'Hebben jullie dat gehoord?' vroeg hij door de intercom aan zijn bemanning.

Afgezien van het dreunen van de acht motoren was het stil in het vliegtuig. De piloot had ook geen reactie verwacht, hij wist drommels goed dat ze allemaal hadden gehoord wat hem zojuist was meegedeeld.

'Van die berg blijft geen korrel overeind,' zei hij. 'Als de vijand daar straks naar de lijken gaat zoeken, wil ik dat ze dat met een pincet moeten doen.'

Vier minuten later kwamen de helikopters om Voorhoede Drie op te pikken. Het lichaam van Hunt en de gewonden werden in de eerste Blackhawk getild. Met gebogen hoofd klommen de overige soldaten in de tweede heli. Vervolgens bestookten de jachtheli's en de AC-130 de berghelling met een dodelijke regen van kogels en granaten. Vrijwel onmiddellijk daarna meldde de B-52 zich. Het bloed vloeide langs de helling en de vijand werd volledig weggevaagd. Maar deze krachtsexplosie kwam voor luitenant Hunt te laat.

De overlevenden bleef slechts een behoefte aan wraak. En het zou nog jaren duren voordat die tot uitbarsting kwam.

2

De *Oregon* lag in de haven van Reykjavik aan een pier afgemeerd. De schepen in de haven waren een mengeling van plezier- en beroepsvaartuigen: vissersboten en fabriekstrawlers, kleinere motorjachten en – ongebruikelijk voor IJsland – een paar grote zeiljachten. De vissersschepen voeren in dienst van de belangrijkste industrie van IJsland en de grote jachten lagen er omdat er een Arabische Vredesconferentie plaatsvond.

De *Oregon* zou nooit een schoonheidswedstrijd winnen. Het ruim honderdvijftig meter lange vrachtschip leek nog slechts door roest bijeengehouden. De bovendekken lagen bezaaid met rotzooi, de romp was zowel aan de boven- als de onderkant een bonte mengeling van vloekende kleuren en de midscheeps geplaatste hijsinstallatie zag eruit alsof die ieder moment overboord zou kunnen slaan.

Maar dit uiterlijk van de *Oregon* was slechts schijn.

De roest was zorgvuldig aangebrachte radarstralen absorberende verf, waardoor het schip als een spookverschijning op radarschermen niet waarneembaar was, en de rotzooi op de dekken was er bewust zo neergekwakt. De hijsinstallatie functioneerde uitstekend; een aantal kranen deed wat ze moesten doen, een paar waren vermomde communicatieantennes en de overige bevatten zwaar geschut achter een wegklapmechanisme. Benedendeks deden de verblijven niet onder voor die van de mooiste jachten. Er bevonden zich luxueus ingerichte passagiershutten, een ultramodern communicatie- en commandocentrum, een helikopter, gemotoriseerde sloepen en een complete fabriekshal. De ziekenboeg had meer weg van een suite in een peperdure privékliniek. Voortgestuwd door een tweetal magneto-hydrodynamische motoren, ontwikkelde het schip jachtluipaardachtige snelheden en was wendbaar als een botsautootje. Het schip voldeed absoluut in geen enkel opzicht aan de door haar uiterlijk gewekte indruk.

De *Oregon* was een bewapend, technisch geavanceerd inlichtingenvaartuig, bemand door hoogopgeleide specialisten.

De Corporation, het bedrijf dat de *Oregon* in eigendom en in gebruik had, was een organisatie van ex-militairen en geheim agenten die zich aan landen en particulieren verhuurden die gespecialiseerde hulp nodig hadden. Ze vormden een privéleger van huurlingen met een geweten. Aangezien ze regelmatig door de Amerikaanse regering voor geheime missies werden ingezet omdat ze buiten de greep van de parlementaire controle verkeerden, opereerden ze in een schimmige wereld zonder diplomatieke bescherming of officiële steun van regeringswege.

De Corporation was een strijdmacht die te huur was, maar ze kozen hun klanten zorgvuldig.

De afgelopen week hadden ze op IJsland inlichtingen ingewonnen voor de emir van Qatar, een van de deelnemers aan de topconferentie. Er waren diverse redenen waarom juist IJsland als locatie voor de top was gekozen. Het was een klein land, de hoofdstad Reykjavik telde zo'n 100.000 inwoners, en dat maakte de veiligheidsmaatregelen een stuk eenvoudiger. De bevolking vormde een homogene gemeenschap waarin buitenstaanders al snel opvielen, en dat vereenvoudigde het opsporen van terroristen die het vredesproces wilden verstoren aanzienlijk. En bovendien gaat IJsland er prat op dat het het eerste land ter wereld was met een gekozen parlement en al eeuwenlang een goed functionerende democratie vormde.

Op de agenda van de vergaderingen tijdens deze een week durende conferentie stonden actuele onderwerpen als de bezetting van Irak, de situatie in Israël en Palestina, en de dreiging van fundamentalistisch terrorisme. En hoewel de top niet plaatsvond onder auspiciën van de Verenigde Naties of een van de andere internationale overlegorganisaties, besefte de aanwezige leiders heel goed dat hier beleid zou worden uitgestippeld en dat er een actieplan op tafel moest komen.

Rusland, Frankrijk, Duitsland, Egypte, Jordanië en nog een aantal landen uit het Midden-Oosten behoorden tot de deelnemers. Israël, Syrië en Iran hadden afgezegd. De Verenigde Staten, Engeland en Polen waren als de geallieerde bezetters van Irak aanwezig, evenals een grote groep kleinere landen. In totaal waren er vierentwintig landen met hun ambassadeurs, veiligheidsagenten en onderhandelaars als een bedrijvige zwerm muggen in de hoofdstad van IJsland neergestreken. In de relatief kleine gemeenschap van de stad waren de talrijke spionnen en veiligheidsagenten voor de inwoners van Reykjavik niet minder opvallend aanwezig dan wanneer ze op een ijskoude dag badkleding hadden gedragen. De IJslanders zijn blank, blond en hebben blauwe ogen; een combinatie die lastig te vervalsen is wanneer je je onopvallend onder hen wilt begeven.

Reykjavik is een stad met voornamelijk lage gebouwen en in felle kleuren geschilderde huizen die als de versierselen in een kerstboom scherp afsteken tegen het met sneeuw bedekte omringende landschap. Het hoogste gebouw, de Hallgrimskirkja, is een kerk van slechts een paar verdiepingen hoog, en de stoomwolken die van de door de bewoners als verwarming van hun huizen en kantoren gebruikte natuurlijke heetwaterbronnen opstijgen, geven de hele omgeving een surrealistische uitstraling. Door het waterstofsulfide dat bij deze bronnen vrijkomt, hangt er een penetrante stank van rotte eieren.

Reykjavik ligt rond een het gehele jaar ijsvrije haven waarin een uitgebreide vissersvloot is gestationeerd. De visserij is de belangrijkste pijler van de IJslandse economie. En in tegenstelling tot wat de naam van het land suggereert, is de gemiddelde temperatuur in de winter er hoger dan die van New York City. De bewoners van IJsland zijn niet alleen bijzonder gezond, maar ook bijzonder gelukkig. Dat laatste spruit ongetwijfeld voort uit een positieve instelling, de goede gezondheid en de overvloedige aanwezigheid van warmwaterbronnen.

De bijeenkomsten van de Arabische top vonden plaats in de Hofoi, een groot overheidsgebouw dat in 1986 ook voor een ontmoeting tussen Mikhail Gorbatsjov en Ronald Reagan was gebruikt. De Hofoi bevond zich op nog geen anderhalve kilometer van de plaats waar de *Oregon* was afgemeerd, een omstandigheid die de beveiliging tot een peulenschil maakte.

Qatar had in het verleden al eerder van de diensten van de Corporation gebruikgemaakt en er was dan ook sprake van een wederzijds respectvolle samenwerking.

Uit respect voor de christelijke deelnemers aan de top waren er geen vergaderingen op eerste kerstdag, en benedendeks in de kombuis van de *Oregon* legde een trio koks de laatste hand aan het komende feestmaal. Het hoofdgerecht stond in de oven: twaalf grote *turducks*. Deze turducks waren een echte traktatie voor de bemanning: een kleine gefileerde, met maïsmeel en salie gevulde kip fungeerde als vulling van een gefileerde, met een dun laagje gekruid brood gevulde eend, terwijl dat geheel weer in een grote gefileerde kalkoen met een oester- en kastanjepureevulling was verwerkt. Als men deze gevogeltepastei doorsneed, bevatte iedere plak drie soorten vlees.

De bijgerechten stonden al op tafel: geglaceerde peentjes, selderie, sjalotjes, radijsjes en in fijne reepjes gesneden courgettes. Er waren schalen met noten, vruchten, kaas en crackers. Ook stonden er schotels met krab, rauwe oesters en stukjes kreeft, terrines met drie soorten soep, schalen met Waldorf-, groene en gemengde salades; een koude visschotel, een kaasplateau, vleespasteitjes, pompoen-, appel- en bessentaartjes; wijn; port; likeuren en Jamaïcaanse Blue Mountain-koffie.

Niemand van de bemanning zou met een lege maag van tafel gaan.

In zijn luxueuze hut wreef Juan Cabrillo met een handdoek zijn haren droog, daarna schoor hij zich en besprenkelde zijn wangen met bay-rumaftershave. Zijn blonde kortgeknipte haar vereiste weinig verzorging, maar de laatste weken had hij een sikje laten staan, dat hij nu met een roestvrijstalen schaartje zorgvuldig bijknipte. Met een keurende blik bekeek hij het resultaat in de spiegel en glimlachte. Hij zag er prima uit: ontspannen, gezond en tevreden.

Van de badkamer liep hij naar de kast bij het bed, waar hij een gesteven wit overhemd uitkoos, een grijs, wollen, lichtgewicht maatkostuum, dat hij zich in Londen had laten aanmeten, een zijden stropdas, dunne grijze wollen sokken en een paar zwarte, glimmend gepoetste met kwastjes versierde loafers. Nadat hij dit alles had klaargelegd, kleedde hij zich aan.

Terwijl hij zijn rood-blauw gestreepte das knoopte, onderwierp hij zich aan een laatste inspectie, opende daarna de deur en liep de gang in naar de lift. Een paar uur daarvoor had zijn team ontdekt dat de emir mogelijk gevaar liep. Ze werkten nu aan een plan waarmee ze, mits goed uitgevoerd, twee vliegen in één klap zouden slaan.

Als ze nu ook de verdwenen atoombom nog wisten te vinden die ergens op de aardbol rondzwierf, zouden ze het jaar nog met een positieve balans kunnen afsluiten. Maar Cabrillo had er geen flauw idee van dat hij over vierentwintig uur door een bevroren woestenij oostwaarts zou trekken en dat daarbij het lot van een aan een rivier gelegen stad op het spel stond.

3

In tegenstelling tot de warmte en uitgelaten feestvreugde aan boord van de *Oregon* was de stemming in het afgelegen kamp bij Mount Forel net iets ten noorden van de poolcirkel in Groenland aanzienlijk ingetogener. Buiten de grot gierde de wind en het was er tien graden onder nul, nog afgezien van de chillfactor. Het was de eenennegentigste dag van de expeditie en van de aanvankelijke spanning en opwinding was weinig meer over. John Ackerman was moe en moedeloos; geheel alleen worstelde hij met de afschuwelijke gedachte dat zijn expeditie was mislukt.

Ackerman werkte aan zijn promotie in de antropologie aan de Universiteit van Nevada in Las Vegas, en de omgeving waarin hij zich momenteel bevond, stond net zo ver van zijn vertrouwde woestijn af als een onderzeese berg van een papegaai. De drie assistenten van de universiteit waren direct na afloop van het semester naar huis gegaan en pas over twee weken zouden hun vervangers arriveren. Eerlijk gezegd had Ackerman ook zelf best een pauze kunnen inlassen, maar hij werd voortgedreven door een droom en wist van geen ophouden.

Vanaf het moment dat hij tijdens het onderzoek voor zijn proefschrift over Eric de Rode de vage verwijzing naar de Grot van de Goden had ontdekt, was hij vastbesloten de grotten te vinden voordat een ander dat zou doen. Misschien was het allemaal één grote mythe, bedacht Ackerman, maar als de grot inderdaad bestond, wilde hij dat zíjn naam en niet die van een toevallige vinder met de ontdekking zou worden verbonden.

Hij roerde in het pannetje met bonen op de ijzeren brander in de tent die hij voor de ingang van de grot had opgezet. Door de beschrijving die hij had ontcijferd, was hij er absoluut zeker van dat dit de grot was die Eric de Rode op zijn sterfbed had genoemd, maar ondanks de maandenlange inspanningen was hij niet verder gekomen dan de ogenschijnlijk massieve wand zo'n zes meter achter de ingang. Samen met de anderen had hij iedere vierkante centimeter van de wanden en de ondergrond van de grot afgezocht zonder ook maar iets te vinden. De grot zelf leek door mensenhanden uitgehakt, maar toch twijfelde Ackerman nog.

Toen hij zag dat de bonen goed aan de kook waren, stapte hij naar buiten om te controleren of de antenne van zijn satelliettelefoon nog niet was omgewaaid. Daarna liep hij weer naar binnen en bekeek zijn e-mail. Ackerman was helemaal vergeten dat het Kerstmis was, maar de kerstwensen van zijn vrienden en familie drukten hem met zijn neus op dat feit. Door het beantwoorden van de berichten werd hij alleen nog maar triester. Het was een feestdag waarop de meeste Amerikanen met familie en vrienden bijeen waren, terwijl hij daar moederziel alleen in de middle of nowhere zat en een droom najoeg waarin hij nu ook zelf nauwelijks nog geloofde.

Geleidelijk veranderde zijn neerslachtigheid in woede. Terwijl hij zijn bonen vergat, pakte hij een Coleman-lamp van tafel en liep naar het verste punt in de grot. Daar bleef hij staan, stilletjes vloekend en scheldend op de reeks gebeurtenissen die ertoe had geleid dat hij zich hier nu in het holst van de nacht op deze koude, kale plek bevond. Al zijn microscopisch nauwkeurige zoekwerk en het met penseeltjes zorgvuldig wegvegen van de laatste stofrestjes hadden niets opgeleverd.

Er was gewoon ook niets – het was een enorme misrekening. Morgen zou hij de boel inpakken, de tent en de voorraden op de slee achter de snowcat laden en zodra het weer voldoende was opgeklaard op weg gaan voor de honderdzestig kilometer lange tocht naar de dichtstbijzijnde stad Angmagssalik.

De Grot van de Goden zou een mythe blijven.

Meegesleept door zijn steeds verder aanwakkerende woede vloekte hij luid en slingerde de met vloeibaar gas gevulde lamp met een zwaai in de lucht en liet het handvat los op het moment dat hij op het plafond was gericht. De lamp vloog recht omhoog en sloeg tegen het stenen dak van de grot. De glazen bol versplinterde en het brandende vloeibare gas spatte tegen het plafond en op de grond. Maar opeens, als door een wonder, sloegen de vlammen om, alsof ze door spleten het plafond in werden gezogen. De laatste restjes brandend gas verdwenen in vier spleten die tezamen een vierkant vormden.

Het dak van de grot, dacht Ackerman, we hebben het dak van de grot nooit onderzocht.

Nadat hij naar de voorkant van de grot was teruggelopen, opende hij een houten krat en haalde er de dunne aluminiumbuizen uit waarmee ze voor het onderzoek van de bodem van de grot een raster hadden uitgelegd. Gedemonteerd waren ze allemaal één meter twintig lang. Wroetend in een nylon plunjezak, trok hij een rol plakband tevoorschijn waarmee hij de buizen aan elkaar bevestigde tot hij een staaf had van ruim drieënhalve meter lang. Deze buis nam hij als een speer in zijn hand en liep ermee terug de grot in.

De kapotte lamp lag nog brandend op de grond; het metaal was gedeukt en het lampenglas was verdwenen, maar hij verspreidde nog voldoende licht. Ackerman tuurde naar het plafond en zag dat de rook van de nu uitgebrande brandstof daar een nog maar nauwelijks zichtbaar vierkant had achtergelaten. Hij richtte de buis omhoog en duwde zachtjes tegen het gesteente.

De dunne stenen plaat die als luik diende, had afgeronde randen. Toen Ackerman de druk iets verhoogde, schoof het luik op een oude houten geleidingsrail en gleed open als een goed geolied schuifraam.

Zodra het luik helemaal open was, viel er een van walrussenhuid geknoopte ladder omlaag.

Ackerman was een ogenblik met stomheid geslagen. Ten slotte doofde hij de nog altijd brandende Coleman, liep terug naar de tent en zag dat de bonen overkookten. Hij nam de pan van het vuur en zocht vervolgens een zaklamp, wat basisrantsoenen voor als hij vast kwam te zitten, een touw en een digitale camera bij elkaar. Daarna liep hij terug naar de ladder en klauterde zijn lot tegemoet.

Eenmaal door de opening gekomen, had Ackerman het idee dat hij een zolder betrad. Dit was de echte grot. De ruimte die hij en de studenten zo grondig hadden onderzocht, was slechts een slim geconstrueerde misleiding. In het schijnsel van de zaklantaarn liep Ackerman in de richting van de opening van de grot eronder. Nadat hij ongeveer dezelfde afstand had afgelegd als de diepte van de grot beneden, stuitte Ackerman op een stapel rotsblokken die daar zodanig waren neergelegd dat het leek alsof de doorgang door een natuurlijke aardverschuiving was versperd. In een later stadium slaagde hij erin een aantal rotsblokken te verwijderen zodat hij naar buiten zicht op het bevroren landschap had, maar nu – en dat al verscheidene eeuwen lang – onttrok een rotsformatie de toegang tot de geheimen in de grot aan het oog.

Ackerman was door deze trucage op het verkeerde been gezet, precies zoals de bedoeling was.

Hij draaide zich om en stapte voorzichtig langs het gat in de vloer, daarna bleef hij staan en liet het uiteinde van het touw op de grond vallen. Terwijl hij het touw achter zich uitrolde, liep hij met de lamp boven zijn hoofd schijnend dieper de gang in.

De wanden waren versierd met pictografische afbeeldingen van jagende mensen, het slachten van dieren en schepen op weg naar verre landen. Het was voor Ackerman onmiskenbaar dat er jarenlang veel mensen in de grot aan het werk waren geweest. De gang werd breder en in het licht doemden openingen op waarin door de kou goed geconserveerde vachten en huiden op primitieve stenen stapelbedden lagen. De bedden waren daar in het gesteente uitgehakt als slaapplaatsen voor de mijnwerkers. Hij liep door langs het slaapgedeelte en kwam in een gang vanwaar korte zijgangen naar een door kookvuren zwartgeblakerde ruimte leidden. In een eetzaal met een hoog gewelfd plafond stonden lange ruwhouten tafels die in delen de grot waren binnengebracht, waarna ze ter plekke in elkaar waren gezet. Terwijl Ackerman met de lamp om zich heen scheen, zag hij in de wanden uitgehakte kommetjes waarin ooit walvisolie met een pit voor licht zorgden.

Er waren voldoende zitplaatsen voor minstens honderd mensen.

Ackerman snoof de lucht op en merkte dat die fris was. In feite voelde hij zelfs iets van tocht. Hij concludeerde dat de mannen van Eric de Rode hadden uitgevonden hoe ze ventilatiegaten moesten boren en zo een luchtverversingssysteem hadden ontwikkeld om de bedorven lucht en stank te verdrijven. Aan de andere kant van de eetzaal was een kleine ruimte met een soort stenen troggen langs de wanden. De troggen waren gevuld met dampend heet water. Ackerman, die wist dat ze ooit als toilet hadden gediend, maar zich tevens bewust was dat ze al in geen duizend jaar meer waren gebruikt, doopte zijn vinger in het water. Het was goed heet. Ze hadden een geothermische bron ontdekt en het water hiernaartoe geleid. Een paar meter verderop, net voorbij de primitieve toiletten, bevond zich een iets hoger gelegen bassin waarvan het water in de troggen liep. De baden.

Voorbij de baden liep Ackerman een smalle gang in waarvan de wanden waren afgevlakt en versierd met geometrische, in het steen uitgehakte, rood, geel en groen geverfde patronen. Het uiteinde was een zorgvuldig met decoratieve stenen omlijste doorgang.

Ackerman stapte door deze opening een grote ruimte binnen. Voor zover hij het kon zien waren de wanden rond en glad. De bodem van deze kamer was met platte stenen bedekt die een haast perfect horizontale vloer vormden. Aan het met geodes versierde plafond hingen als kroonluchters blinkende kristallen. Ackerman liet zijn arm zakken en stelde de lichtbundel van de zaklamp bij. Vervolgens hield hij de lamp weer boven zijn hoofd en keek in stille verwondering om zich heen.

In het midden van de ruimte verhief zich een sokkel waarop een grijze bol stond uitgestald.

De geodes en kristallen aan het plafond weerkaatsten het licht van de zaklamp in duizenden regenbogen die als het schijnsel van draaiende discoballen door het vertrek dansten. Ackerman slaakte een zucht waarvan het geluid versterkt door de kamer schalde.

Hij stapte op de borsthoge sokkel af en bekeek de bol.

'Meteoriet,' zei hij hardop.

Vervolgens pakte hij zijn digitale camera en begon met het vastleggen van alles wat hij hier zag.

Daarna ging hij via de ladder weer naar beneden om een geigerteller en een boek over metaalanalyses te halen met behulp waarvan hij de samenstelling van de bol probeerde vast te stellen. En dat lukte hem al snel.

Een uur later was Ackerman terug in de onderste grot, waar hij het digitale beeldmateriaal en de waarnemingen van de geigerteller tot een e-mailbericht verwerkte. Vervolgens besteedde hij nogmaals ruim een uur aan het schrijven van een ronkend persbericht dat hij aan de e-mail toevoegde, waarna hij het hele pakket ter goedkeuring naar zijn sponsor stuurde.

Ten slotte leunde hij, genietend van zijn triomf, achterover en wachtte het antwoord af.

In het controlecentrum van Echelon in het niet ver van Londen gelegen Chatham werd het merendeel van de totale wereldwijde communicatie opgenomen. Als een gezamenlijk Brits-Amerikaans project had Echelon een fikse portie zware kritiek van de pers aan beide kanten van de oceaan over zich heen gekregen. Heel simpel gesteld was Echelon niets meer of minder dan een enorme afluisterinstallatie die alle mogelijke communicatie opving en deze door een computer ter controle liet scannen. Er was een lijst met woorden opgesteld. Berichten waarin deze voorkwamen, werden er onmiddellijk uitgepikt en ter beoordeling voor het menselijk oog leesbaar gemaakt. Vervolgens werd het bericht aan een reeks controles onderworpen, waarna het aan de desbetreffende inlichtingendienst werd doorgegeven of als onbelangrijk werd afgedaan.

Ackermans e-mail uit Groenland werd eerst naar een satelliet gezonden en vandaar naar de Verenigde Staten. Tijdens dit laatste traject werd het bericht door Echelon opgepikt en door de computer gescand. Er stond een woord in dat werd uitgefilterd, met als gevolg dat de e-mail ter beoordeling werd voorgelegd.

Na de nodige controle werd het bericht via een beveiligd kanaal doorgestuurd naar de National Security Agency (NSA) in Maryland en vandaar naar de Central Intelligence Agency (CIA) in Langley, Virginia. Maar er bevond zich een spion onder het personeel van Echelon die ervoor zorgde dat het bericht ook op een geheel andere locatie terechtkwam.

In de grot in Mount Forel liet John Ackerman zijn verbeelding de vrije loop. Hij zag zichzelf al op de omslagen van de belangrijkste archeologiebladen. In zijn hoofd formuleerde hij al de dankrede die hij zou uitspreken bij de uitreiking van een prijs die je, in zijn ogen althans, als een Oscar voor archeologie zou kunnen zien.

Zijn ontdekking was sensationeel en deed niet onder voor de opening van een nieuw ontdekte kamer in een piramide of de vondst van een onaangetast, perfect geconserveerd scheepswrak. Tijdschriftartikelen, boeken en televisieoptredens zouden volgen. Wanneer Ackerman zijn troeven op de juiste manier uitspeelde, bezorgde deze vondst hem voor de rest van zijn leven een glansrijke carrière. Nu kon hij tot een algemeen gewaardeerde archeoloog uitgroeien, de man die door de media steeds weer om commentaar werd gevraagd. Hij kon beroemd worden en tegenwoordig was dat al een carrière op zich. Met slechts minimale manipulatie zou de naam John Ackerman als synoniem voor groot ontdekker de geschiedenis ingaan.

Toen gaf zijn computer het signaal dat er een bericht was binnengekomen.

Het bericht was kort en bondig.

Vertel het aan niemand. Voor een officiële verklaring hebben we meer bewijs nodig. Ik stuur iemand naar je toe om het uit te zoeken. Hij komt over een dag of twee. Ga door met het documenteren van de vondst. Prima werk, John. Maar mondje dicht!

Na de eerste keer lezen ergerde Ackerman zich aan het bericht. Maar naarmate hij er langer over nadacht, besefte hij steeds beter dat zijn sponsor kennelijk de tijd nam voor een gedegen media-offensief. Waarschijnlijk wilde hij de exclusieve rechten aan een van de grote televisiezenders verkopen en vereiste dat de nodige voorbereidingen. Of misschien werkte hij aan een gelijktijdige lancering van het nieuws in tijdschriften, kranten en actualiteitenprogramma's.

Al snel was Ackerman volledig in de ban van deze gedachten en zwol zijn ego op tot ongekende proporties.

Hoe groter het publiciteitsoffensief, hoe groter zijn toekomstige roem.

Maar voor Ackerman bleek een opgezwollen ego met een zucht naar roem een dodelijke combinatie.

4

Soms kun je beter geluk hebben dan slim zijn. Op de bovenste etage van een hotel in een bij risicozoekers populaire stad bekeek Halifax Hickman, een man van middelbare leeftijd, de digitale beelden op zijn computer en glimlachte. Na het lezen van een hiervan apart verzonden verslag dat hij een paar uur eerder had uitgedraaid, krabbelde hij een paar berekeningen op een vel papier, waarna hij de beelden opnieuw bekeek. Onvoorstelbaar. Dit was de oplossing van zijn probleem, en die kwam tezamen met een belastingaftrek voor de donatie.

Het was alsof hij een kwartje in een fruitautomaat had gegooid en daarmee de jackpot van een miljoen had gewonnen.

Hickman schoot in de lach, maar het was geen lach van geluk. Het was een kwaadaardige lach die geen enkele vreugde uitstraalde. Doortrokken van wraakgevoelens en haat welde hij op uit een diep in de ziel van de man verankerd abces.

Toen hij was uitgelachen, pakte hij de telefoon en toetste een nummer in.

Clay Hughes woonde in de bergen ten noorden van Missoula, Montana, in een zelfgebouwde blokhut op een stuk land van zeseneenhalve hectare dat vrij en onbezwaard zijn eigendom was. Een warme bron op het grondstuk leverde de warmte voor zowel de blokhut als een rij kassen waarin hij het merendeel van zijn voedsel verbouwde. De elektriciteit werd door zonnecellen en een windmolen opgewekt. Via een gsm en een satelliettelefoon onderhield hij contact met de buitenwereld. Hughes had een bankrekening met een zescijferig saldo bij een bank in Missoula, een poste-restanteadres bij een vervoersmaatschappij, plus drie paspoorten, vier sofinummers en een aantal op verschillende namen en adressen gestelde rijbewijzen.

Hughes was op zijn privacy gesteld, wat niet ongebruikelijk was voor huurmoordenaars die niet wilden opvallen.

'Ik heb werk voor je,' zei Hickman.

'Hoeveel?' vroeg Hughes zonder omwegen.

'Een dag of vijf voor vijftigduizend dollar. En ik zorg voor het vervoer.'

'Dan gaat er dus iemand een slechte dag tegemoet,' zei Hughes. 'En verder?'

'Na afloop wil ik dat je ergens iets aflevert,' antwoordde Hickman.

'Komt het de zaak ten goede?' vroeg Hughes.

'Ja.'

'Dan is die bezorging gratis,' zei Hughes grootmoedig.

'Mijn privéjet is over een uur bij je,' zei Hickman. 'Kleed je warm aan.'

'Ik wil goud,' zei Hughes.

'Goud, geheel naar wens,' zei Hickman voordat hij de verbinding verbrak.

Een uur later landde er een Raytheon Hawker 800XP op het vliegveld van Missoula. Hughes zette de motor af van zijn geheel gereviseerde International Scout uit 1972. Over de achterbank gebogen ritste hij een tas open en inspecteerde nogmaals zijn vuurwapens. Ervan overtuigd dat alles in orde was, ritste hij de tas weer dicht en tilde hem uit de auto. Daarna sloot hij het achterportier, bukte zich en zette de springlading op scherp die hij als alarminstallatie benutte.

Als er iemand gedurende zijn afwezigheid aan de auto knoeide, zou de Scout exploderen en daarbij alle eigendomsbewijzen en identiteitspapieren vernietigen. Hughes was lichtelijk paranoïde, dat leed geen twijfel. Hij hees de tas over zijn schouder en liep naar het straalvliegtuig.

Drie kwartier later passeerde de privéjet in noord-noordoostelijke richting de grens met Canada.

5

Op de dag nadat het e-mailbericht uit Groenland was onderschept, bekeek Langston Overholt IV in zijn kantoor op het hoofdkwartier van de CIA in Virginia een foto van de meteoriet. Vervolgens las hij een artikel over iridium, waarna hij zijn lijst van agenten doorkeek. Zoals gebruikelijk kwam hij weer eens mensen te kort. Uit een schaal op zijn bureau pakte hij een tennisbal en gooide die met een welgemikte worp tegen de muur en ving hem weer op. Dit deed hij een paar keer en dat ontspande hem.

Was het verstandig om nu agenten op een nieuwe missie te sturen? Het was steeds weer die afweging of het doel het risico waard was. Overholt was in afwachting van een rapport van CIA-wetenschappers dat wellicht meer licht wierp op de mogelijke gevaren, maar zoals het er nu uitzag leek het geen lastig karwei. Er moest iemand naar Groenland om daar de meteoriet veilig te stellen. Als dat eenmaal was gedaan, was het risico minimaal. Omdat geen van zijn agenten beschikbaar was, besloot hij een oude vriend te bellen.

'Twee vijf twee vier.'

'Met Overholt. Hoe is het op IJsland?'

'Als ik vanavond weer haring te eten krijg,' antwoordde Cabrillo, 'kan ik naar Ierland zwemmen.'

'Ze zeggen dat je tegenwoordig voor de communisten werkt,' zei Overholt.

'Ik wist dat jou dat niet was ontgaan,' zei Cabrillo. 'Inlichtingenwerk in de Oekraïne.'

'Jaja,' zei Overholt, 'daar zitten wij ook.'

Cabrillo en Overholt waren een aantal jaren terug partners geweest. Een inschattingsfout in Nicaragua had Cabrillo zijn baan bij de CIA gekost, maar hij had Overholt erbuiten weten te houden. Overholt was dat niet vergeten, en in de loop van de jaren had hij Cabrillo en de Corporation zoveel mogelijk werk doorgesluisd als hij kon verantwoorden.

'Al dat terrorisme,' merkte Cabrillo op, 'heeft onze branche geen windeieren gelegd.'

'Heb je tijd voor een kleine bijklus?'

'Hoeveel mensen zijn ervoor nodig?' vroeg Cabrillo, denkend aan de opdrachten die hij al had aangenomen.

'Maar één,' antwoordde Overholt.

'Voor het volle pond?'

'Als altijd,' zei Overholt, 'mijn werkgever aast niet op koopjes.'

'Geen koopjes, maar snel met ontslag.'

Cabrillo zou niet gauw vergeten hoe makkelijk ze hem hadden laten vallen en terecht. Het Congres had hem het vuur na aan de schenen gelegd en zijn baas in die periode had niets gedaan om dat vuur te doven. Zijn sympathie voor politici en bureaucraten was ongeveer even groot als die voor een tandartsboor.

'Ik heb iemand nodig die naar Groenland gaat om daar iets op te halen,' zei Overholt. 'Dat is in een dag of twee gebeurd.'

'Daar heb je dan het juiste tijdstip voor uitgekozen,' reageerde Cabrillo. 'Het is daar nu steenkoud en vierentwintig uur per dag donker.'

'Ik heb gehoord dat het noorderlicht een fraai schouwspel moet zijn,' zei Overholt.

'Waarom laat je dat niet een van je eigen CIA-klaplopers doen?'

'Zoals gebruikelijk is er niemand beschikbaar. Ik betaal liever een mannetje van jou en hou de hele boel zoveel mogelijk buiten de aandacht.'

'We hebben hier nog een paar dagen werk te doen,' zei Cabrillo, 'pas daarna heb ik tijd voor je.'

'Juan,' zei Overholt kalm, 'ik weet zeker dat dit door één man te doen is. Je hoeft er echt maar een van je mannen naartoe te sturen om er te halen wat wij willen hebben. Nog voor het einde van de topconferentie is hij terug.'

Cabrillo dacht er een minuut over na. De rest van zijn ploeg verzorgde de beveiliging van de emir. De afgelopen dagen had Cabrillo aan boord doorgebracht met administratief routinewerk. Hij verveelde zich en voelde zich als een renpaard in de stal.

'Ik doe het zelf,' zei Cabrillo. 'Mijn mensen kunnen het hier wel alleen af.'

'Die schuit van jou zal heus niet zo snel zinken,' zei Overholt.

'Dus ik moet ernaartoe en iets oppikken, meer niet?'

'Dat is alles.'

'Waar gaat het om?'

'Een meteoriet,' antwoordde Overholt, traag articulerend.

'Wat wil de CIA in hemelsnaam met een meteoriet?' vroeg Cabrillo.

'Omdat we denken dat hij wellicht iridium bevat, en met iridium kun je een "vuile bom" maken.'

'En verder?' vroeg Cabrillo, die nu achterdochtig begon te worden.

'Je moet hem stelen van de archeoloog die hem heeft gevonden,' antwoordde Overholt, 'als het even kan zonder dat hij het merkt.'

Cabrillo zweeg een moment. 'Heb je je nest de laatste tijd nog weleens geïnspecteerd?'

'Welk nest?' vroeg Overholt die erin trapte.

'Het slangennest waar jij in leeft,' antwoordde Cabrillo.

'Dus je doet het?'

'Stuur me de gegevens maar,' zei Cabrillo. 'Ik vertrek over een paar uur.'

'Maak je geen zorgen. Zo makkelijk hebben jullie je geld het hele jaar nog niet verdiend. Zie het als een kerstcadeau van een goede vriend.'

'Voor vrienden die met cadeaus komen moet je op je hoede zijn,' zei Cabrillo voor hij ophing.

Een uur later was Juan Cabrillo klaar met de voorbereidingen voor zijn onverwachte uitstapje.

Kevin Nixon veegde zijn handen af aan een poetsdoek die hij vervolgens op een bank in de Magic Shop gooide. De Magic Shop was de afdeling aan boord van de *Oregon* waar naast de opslag van uitrustingsstukken de nodige hulpmiddelen voor de missies werden gemaakt, met name op het gebied van elektronica, camouflage en vermommingen. Nixon was de beheerder van de afdeling en een begenadigd uitvinder.

'Zonder de exacte maten,' zei Nixon, 'is dit het beste wat ik kon doen.'

'Ziet er prima uit, Kevin,' zei Cabrillo, terwijl hij het voorwerp oppakte en in een doos deed die hij vervolgens met plakband dichtplakte.

'Neem deze ook maar mee,' zei Nixon terwijl hij een paar pakjes aan Cabrillo gaf.

Cabrillo stopte de pakjes in de rugzak.

'Oké,' zei Nixon, 'je hebt warme kleding, communicatiemiddelen, noodrantsoenen en nog wat spullen waarvan ik dacht dat je ze nodig zou kunnen hebben. Succes!'

'Bedankt,' zei Cabrillo. 'Nu moet ik naar boven om het een en ander met Hanley door te nemen.'

Een klein uurtje later was Cabrillo, nadat hij zich ervan had vergewist dat de leiding van de operatie in Reykjavik bij Max Hanley, Cabrillo's tweede man, in goede handen was, op weg naar het vliegveld voor zijn vlucht naar Groenland.

Wat een simpele klus leek zou echter tot een uiterst ingewikkelde kwestie uitgroeien. Na afloop zou er een groot land in een crisis verkeren die honderdduizenden mensen het leven zou kunnen kosten.

6

Pieter Vanderwald was een handelaar in de dood. Als voormalig hoofd van het EWP – Experimenteel Wapen Programma – ten tijde van de apartheid in Zuid-Afrika was Vanderwald de hoogst verantwoordelijke voor de afschuwelijkste experimenten als chemische sterilisatie van mensen via voedsel, het door de lucht verspreiden van ziektekiemen, het gebruik van biologische wapens in openbare ruimtes en het onder de bevolking verspreiden van chemische wapens in vloeibare vorm.

Nucleair, chemisch, biologisch, auditief, elektrisch... als het maar gebruikt kon worden om te doden werd het door Vanderwald en zijn team gemaakt, gekocht of door hen zelf ontwikkeld. Hun geheime proeven hadden aangetoond dat met een combinatie van uitgekiend toegepaste middelen binnen zesendertig uur duizenden leden van de zwarte Zuid-Afrikaanse gemeenschap konden worden besmet of gedood. Verdere studies wezen uit dat binnen een week 99 procent van de onbeschermde bevolking ten zuiden van de Steenbokskeerkring, ofwel vrijwel de gehele zuidpunt van Afrika, kon worden weggevaagd.

Voor zijn werk werd Vanderwald met een prijs onderscheiden en kreeg hij een bonus in contanten ter grootte van een dubbel maandsalaris.

Zonder langeafstandsraketsystemen als ICBM of SCUD

en met slechts een beperkte luchtmacht om op terug te vallen, hadden Vanderwald en zijn team methoden geperfectioneerd om deze dodelijke middelen onder het volk te brengen, waarna de slachtoffers zelf voor de verspreiding zorgden. Het geheim van de smid zat 'm in de wijze van verspreiding: het vergiftigen van drinkwatervoorraden, het door de wind laten meevoeren van ziektekiemen of de inzet van tankwagens of artilleriegranaten.

De wetenschappers van het EWP waren meesters in hun vakgebied, maar nadat de apartheid was afgeschaft, werden ze snel en in het geheim geloosd, waarna Vanderwald en de overige medewerkers zichzelf maar moesten zien te redden.

Het merendeel gebruikte de gouden handdruk om met vervroegd pensioen te gaan, maar een enkeling, onder wie Vanderwald, bood zijn gespecialiseerde kennis en ervaring op de vrije markt aan, waar in een steeds gewelddadiger wereld een groeiende belangstelling voor hun unieke knowhow bestond. Landen in het Midden-Oosten, Azië en Zuid-Amerika hadden om raad en daad bij hem aangeklopt. Vanderwald had maar één regel: hij deed niets voor niets.

'Dat was heel behoorlijk,' zei Vanderwald rustig.

Er woei een lichte bries van de afslagplaats naar de hole. Het was 26 graden Celsius, de lucht was droog als een zak meel en zo helder als een glazen ruit.

'De wind was me gunstig gezind,' zei Halifax Hickman, terwijl hij terugliep naar het wagentje en zijn club terugzette in de tas, waarna hij naar de voorkant liep en achter het stuur plaatsnam.

Er waren geen caddies op de golfbaan en ook geen andere golfers. Er was alleen een groepje veiligheidsmensen dat voortdurend de struiken en bosjes rond de baan in- en uitholde, plus wat eenden op het meer en een magere, stoffige rode vos die even daarvoor ijlings hun pad had gekruist. Het was er opmerkelijk stil, en de lucht leek nog doordrenkt van de herinneringen aan de gebeurtenissen van het afgelopen jaar.

'Zo,' zei Vanderwald, 'dan moet u die mensen wel heel erg haten.'

Hickman drukte op het gaspedaal en het karretje schoot vooruit over het gras in de richting van hun weggeslagen ballen. 'Ik betaal u voor uw kennis en niet voor een psychoanalyse.'

Vanderwald knikte en bekeek de foto nog eens. 'Als dat inderdaad is wat u denkt dat het is,' zei hij, 'dan hebt u een juweel. De radioactiviteit is bijzonder hoog en deze stof is in vaste of poedervorm extreem gevaarlijk. U hebt meerdere mogelijkheden.'

Hickman remde toen ze in de buurt van de bal van Vanderwald waren gekomen. Zodra het karretje stilstond, stapte de Zuid-Afrikaan uit, liep naar de achterkant en pakte een club uit zijn tas, waarna hij naar de bal liep en zich opmaakte voor een slag. Na een paar oefenzwaaien bleef hij doodstil staan en concentreerde zich. Daarna haalde hij met een soepele zwaai uit naar de bal. De bal spatte van het slagvlak en vloog in een hoge boog door de lucht. Een kleine honderdtwintig meter verderop viel hij op zo'n tien meter van de green net naast een zandkuil in het hoge gras.

'Dus in poedervorm en door de lucht aangevoerd zou het kunnen lukken?' vroeg Hickman, terwijl Vanderwald weer naast hem plaatsnam.

'Vooropgesteld dat je er met een vliegtuig in de buurt kunt komen.'

'Hebt u een beter idee?' vroeg Hickman, terwijl hij het karretje in de richting van zijn bal stuurde.

'Ja,' zei Vanderwald, 'een aanval recht in het hart van uw vijand. Maar dat is niet goedkoop.'

'Dacht u,' vroeg Hickman, 'dat geld hierbij een probleem is?'

7

Soms is de temperatuur evenzeer een gevoelskwestie als een feitelijke toestand. De kans is groot dat iemand die de hitte boven het asfalt ziet zinderen, denkt dat het buiten warmer is dan wanneer hij op diezelfde weg sneeuw ziet liggen. Juan Cabrillo maakte zich geen illusies over wat hij voor zich zag. Het uitzicht door het raam van het turbopropvliegtuig dat boven de Straat van Denemarken van IJsland naar Groenland vloog, was iets wat zelfs de sterkste mens handenwringend van zelfmedelijden en met kilte in het hart bezag. De oostkust van Groenland was bergachtig en bood een kale, naargeestige aanblik. In het vele duizenden vierkante kilometers uitgestrekte landschap van oostelijk Groenland leefde een bevolking van nog geen vijfduizend mensen.

De lucht was donkerblauw-zwart en deels bedekt met wolken die sneeuw voorspelden. Je hoefde de met wit schuim bedekte wateroppervlakte in de diepte niet zelf aan te raken om te weten dat de watertemperatuur er ver onder nul was en dat de kolkende stroming alleen niet bevroren was vanwege het zoutgehalte van het water. Het dunne laagje ijs op de vleugels en de ijsafzetting op de voorruit versterkten dat beeld nog, maar de dikke, door de voorruit slechts vaag zichtbare sneeuwlaag waaronder heel Groenland schuilging, vormde veruit het meest kille en onheilspellende aspect van het uitzicht.

Cabrillo huiverde onwillekeurig en keek uit het zijraam.
'We landen over tien minuten,' zei de piloot. 'Het weerbericht meldt windsnelheden van tien tot vijftien. Dat kan een wilde landing worden.'
'Oké,' zei Cabrillo luid om boven de herrie van de motoren uit te komen.
Zwijgend zaten de mannen naast elkaar, terwijl het silhouet van de bergen geleidelijk steeds groter voor hen opdoemde.
Een paar minuten later hoorde en voelde Cabrillo dat het vliegtuig vaart minderde op het moment dat de omtrekken van het vliegveld zichtbaar werden. De piloot stuurde het toestel van de zijwindkoers in een door rugwind gestabiliseerde afdaling die hen parallel aan de landingsbaan bracht. Cabrillo keek toe hoe de piloot zijn vluchthandelingen uitvoerde. Nadat ze zo een minuut waren doorgevlogen, zwenkte de piloot zijwaarts weg, waarop hij na enkele seconden opnieuw bijdraaide en de uiteindelijke landing inzette.
'Nog heel even,' zei de piloot, 'we zijn nu zo geland.'
Cabrillo tuurde naar de ijzige woestenij. De lampen langs de landingsbaan wierpen een bleek schijnsel in de middagduisternis. De markeringen op de landingsbaan doemden op door het jagende gordijn van sneeuwvlokken en verdwenen weer. Cabrillo ving even een glimp op van een wild wapperende windzak.
Het vliegveld van Kulusuk, waar ze nu op aanvlogen, stond ten dienste van een kleine gemeenschap van zo'n vierhonderd zielen en was weinig meer dan een achter een bergrug verscholen halfverharde baan en een paar kleine gebouwtjes. Het meest nabijgelegen stadje – Angmagssalik of Tasiilaq, zoals de Inuit zeiden – lag er nog tien minuten vliegen met een helikopter vandaan en telde ongeveer drie keer zoveel inwoners als Kulusuk.
Toen het vliegtuig zich boven de landingsbaan bevond, stuurde de piloot zodanig bij dat ze recht tegen de wind in vlogen en het volgende ogenblik kuste het toestel de grond alsof er een veertje was neergestreken. Uitrollend over het

met sneeuw bedekte gravel parkeerde hij het vliegtuig vlak voor een ijzeren gebouw. Terwijl hij snel de controlelijst naliep, zette hij de motor uit en wees naar het gebouw.

'Ik moet bijtanken,' zei hij. 'U kunt net zogoed daarbinnen wachten.'

8

Op hetzelfde moment dat Cabrillo in Kulusuk landde, zette de piloot van de Hawker 800XP zijn motoren uit op het internationale vliegveld van Kangerlussuaq aan de westkust van Groenland. Kangerlussuaq beschikte over een 1800 meter lange, geplaveide start- en landingsbaan die ook grotere straalvliegtuigen aankon, en werd veel gebruikt voor het bijtanken van vrachttoestellen op weg naar Europa en verder. Het vliegveld lag zo'n 640 kilometer van Mount Forel verwijderd, maar was de dichtstbijzijnde voorziening met een start- en landingsbaan die lang genoeg was voor de Hawker.

Clay Hughes wachtte tot de copiloot de deur had geopend voordat hij uit zijn stoel opstond. 'Wat zijn uw orders?' vroeg Hughes.

'We moeten hier op uw terugkomst wachten,' antwoordde de copiloot, 'tenzij we een seintje van de baas krijgen dat we hier eerder weg moeten.'

'Hoe kan ik u bereiken?'

De copiloot overhandigde Hughes een visitekaartje. 'Hierop staat het nummer van de satelliettelefoon die de piloot bij zich heeft. Als u ons belt, zijn we binnen een halfuur klaar om te vertrekken.'

'Is u misschien verteld hoe ik vanhier naar mijn bestemming kom?'

De piloot stak zijn hoofd uit de cockpit. 'Er komt een man op het vliegtuig af,' zei hij met een gebaar naar de voorruit. 'Volgens mij komt hij voor u.'

Hughes stak het visitekaartje in de zak van zijn parka. 'Oké, dan ga ik maar.'

Er blies een ijzige wind over de landingsbaan waardoor de poedersneeuw op de grond als confetti bij een parade hoog opwarrelde. Toen Hughes de trap van de Hawker afliep, begonnen zijn ogen onmiddellijk te tranen.

'Dan bent u waarschijnlijk degene die ik naar Mount Forel moet vliegen,' zei de man die met uitgestoken hand op hem afkwam. 'Ik ben Mike Neilsen.'

Hughes stelde zich met een valse naam aan Neilsen voor en keek om zich heen. 'Bent u klaar om te vertrekken?'

'Dat kan pas morgen,' antwoordde Neilsen. 'In het hotel zijn twee kamers gereserveerd voor u en de piloten. 'We kunnen pas vertrekken als het licht wordt, op voorwaarde dat het weer iets opklaart.'

De mannen liepen naar de aankomsthal. 'Kunt u vanaf hier in één ruk doorvliegen naar Mount Forel?' vroeg Hughes.

'Ik heb een actieradius van ruim 960 kilometer bij rustig weer,' verklaarde Neilsen. 'Maar voor de zekerheid lijkt het me beter dat we in Tasiilaq bijtanken voordat we naar de berg doorvliegen.'

Ze kwamen bij de aankomsthal en Neilsen opende de deur, waarna hij Hughes gebaarde voor te gaan. Neilsen leidde Hughes naar een balie waar een Inuit achter een onopvallend metalen bureau zat. Hij had zijn mukluks comfortabel op het bureaublad gelegd en sliep.

'Isnik,' zei Neilsen tegen de duttende man, 'werk aan de winkel.'

De man opende zijn ogen en keek de beide mannen die voor hem stonden aan. 'Hé, Mike,' zei hij doodbedaard, en tegen Hughes vervolgde hij: 'Paspoort alstublieft.'

Hughes overhandigde de beambte zijn Amerikaanse paspoort dat van een valse naam maar zijn echte foto was voorzien. Isnik wierp een vluchtige blik op het document en stempelde het af.

‘Doel van het bezoek?’ vroeg hij.

‘Wetenschappelijk onderzoek,’ antwoordde Hughes.

‘Nee, voor het mooie weer zal het niet zijn,’ zei Isnik terwijl hij iets op een strookje papier krabbelde dat op een klembord op zijn bureau lag.

‘Zou u de piloten na het afwikkelen van hun douaneformaliteiten willen zeggen dat ze naar het hotel kunnen gaan?’ vroeg Neilsen aan Isnik.

‘Komt in orde,’ zei Isnik, terwijl hij zijn laarzen weer op het bureau legde.

Neilsen liep voor Hughes uit naar de uitgang van de terminal. ‘Dit is een oude Amerikaanse luchtmachtbasis,’ vertelde hij. ‘Het hotel was het belangrijkste personeelsverblijf. Het is er best goed verzorgd. Het beschikt over het enige overdekte zwembad van Groenland en heeft zelfs een hal met zes bowlingbanen. Voor dit land is het beslist vier sterren waard.’

De mannen overbrugden de korte afstand over het parkeerterrein naar het hotel en Hughes kreeg de sleutel van zijn kamer. Na een maaltijd met een stevige biefstuk van een muskusos en patat liep hij terug naar zijn kamer om te gaan slapen. Het was nog vroeg op de avond, maar de volgende morgen had hij veel te doen en daarvoor wilde hij goed uitgerust zijn.

9

Juan Cabrillo kwam in de kleine terminal van Kulusuk vlot door de douane, waarna hij een landkaart bestudeerde die vlak bij de uitgang aan de muur hing. In de korte zomerperiode was het eiland Kulusuk geheel door water omgeven. Zodra de herfst inviel en de temperatuur drastisch daalde, bevroor het zeewater. En hoewel het ijs nooit zo dik werd dat het bijvoorbeeld een locomotief kon dragen, was een oversteek naar het vasteland met auto's, vrachtwagens of sneeuwvoertuigen geen probleem.

In de winter was Kulusuk geen eiland meer en was het door ijs stevig met Groenland verbonden.

Vanwaar Cabrillo stond, was het in noordelijke richting een kleine honderd kilometer naar de geografische breedtegraad die de noordpoolcirkel werd genoemd en vandaar was het nog zo'n twintig kilometer naar Mount Forel. De winterzonnewende op 22 december hadden ze net een paar dagen achter de rug en dat was de enige dag van het jaar geweest waarop het ter hoogte van de noordpoolcirkel vierentwintig uur lang donker bleef.

Ten noorden van de poolcirkel bleef het, afhankelijk van de afstand die men ervan verwijderd was, gedurende langere tijd donker. Voor wie zich precies op de noordpoolcirkel en zuidelijker bevond, was 22 december het moment waarna de dagen weer zouden gaan lengen. Gedurende de winter zou het iedere dag weer een paar minuten langer licht zijn. In de zomer ging de zon ten noorden van de poolcirkel zelfs enige tijd helemaal niet meer onder.

Het was een kringloop die zich al ontelbare eonen lang herhaalde.

Buiten joeg een gierende wind kletterende vlagen bevroren sneeuw tegen de ramen van de terminal. Het weer was even aanlokkelijk als een koelcel in een vleesfabriek. Cabrillo keek naar buiten en huiverde. Hoewel hij nog binnen stond, trok hij de rits van zijn parka op.

Omdat Kulusuk net iets ten zuiden van de noordpoolcirkel lag, zou het die dag een paar minuten licht zijn. Mount Forel daarentegen was nog in volledige duisternis gehuld. De komende dagen en weken zou de top van de berg geleidelijk de eerste stralen van de zon opvangen. In de loop van de maanden zou het zonlicht als langs een piramide omlaag druipende gouden verf steeds verder langs de helling zakken.

Maar wie nu naar buiten keek, had absoluut niet het idee dat de zon hier ooit ook maar een ogenblik in de buurt was geweest.

Toch maakte Cabrillo zich op dat moment minder zorgen over de duisternis dan wel over zijn vervoersmogelijkheden. Terwijl hij naar de zijkant van de terminal liep, pakte hij zijn satelliettelefoon en drukte een sneltoets in.

'Heb je iets voor me kunnen doen?' vroeg hij toen Hanley opnam.

Vanwege de haast die Overholt had, was Cabrillo van de *Oregon* vertrokken zonder dat hij wist hoe hij het traject naar Mount Forel kon overbruggen. Hanley had hem verzekerd dat dit geregeld zou zijn wanneer hij daar geland was.

'Je kunt er een hondenslee huren,' merkte Hanley op, 'maar daar heb je wel een gids als menner bij nodig. En aangezien ik ervan uitga dat je getuigen niet op prijs stelt, heb ik die optie geschrapt. De helikopters die op Kulusuk vliegen doen dat met een vaste dienstregeling vanuit Tasiilaq en terug, maar die kun je niet als particulier huren en bovendien staan ze door de huidige weersomstandigheden allemaal aan de grond.'

'Wandelweer is het ook niet bepaald,' zei Cabrillo terwijl hij weer een blik naar buiten wierp.

'En ook niet om te skiën,' vulde Hanley aan, 'hoewel ik weet dat je er prat op gaat dat je dat goed kunt.'

'Maar wat dan wel?'

'Ik heb de computer naar alle geregistreerde voertuigen in die omgeving laten zoeken en dat was zo gebeurd, want er wonen maar zo'n vierhonderd mensen in Kulusuk. Ik heb de sneeuwscooters buiten beschouwing gelaten, want dan zit je open en bloot in de sneeuw en de kou, terwijl ze bovendien nogal snel de geest geven. Dan blijven dus de snowcats over. Die zijn vrij traag en verbruiken veel brandstof, maar ze zijn verwarmd en hebben voldoende ruimte voor bagage. Ik denk dat dat voor ons het beste is.'

'Klinkt redelijk,' zei Cabrillo. 'Waar is het verhuurbedrijf?'

'Dat is er niet,' antwoordde Hanley, 'maar ik heb in het register van de plaatselijke overheid de namen en adressen van de plaatselijke privébezitters opgezocht en ben gaan bellen. Geen van hen bezit een eigen telefoonaansluiting, maar ik heb de dominee van de kerk kunnen bereiken. Hij zegt dat er één vent is die misschien wel wil verhuren, alle andere snowcats zijn in gebruik.'

'Het adres?' vroeg Cabrillo, terwijl hij pen en een stukje papier uit zijn parka opviste.

'Het adres is het zesde huis voorbij de kerk, rode muren met gele randen.'

'Geen straatnummers zeker, hier in het verre noorden?'

'Iedereen kent iedereen, neem ik aan,' reageerde Hanley.

'Klinkt alsof de mensen hier niet al te stug zijn.'

'Dat weet ik zo net nog niet,' zei Hanley. 'De dominee vertelde dat de eigenaar nogal een stevige drinker is in de winter. En hij vertelde ook dat ze daar allemaal met vuurwapens rondlopen, om zich de beren van het lijf te houden.'

Cabrillo knikte. 'Heel makkelijk, ja. Ik hoef alleen maar een gewapende dronken autochtoon over te halen mij zijn snowcat te verhuren en ik ben weg,' zei hij, op de bundeltjes honderddollarbiljetten in de zak van zijn parka tikkend. 'Fluitje van een cent, toch?'

'Nou ja, er is nog iets: hij is geen autochtoon. Hij is in Arvada, Colorado, opgegroeid en moest tijdens de Vietnamoorlog in militaire dienst. Van wat ik in de bestanden heb kunnen achterhalen, blijkt dat hij na terugkeer gedurende een aantal jaren herhaaldelijk in klinieken voor oorlogsveteranen opgenomen is geweest. Daarna heeft hij het land verlaten met de bedoeling de VS zo ver mogelijk achter zich te laten.'

Cabrillo staarde weer uit het raam. 'Zo te zien is hij daar aardig in geslaagd.'

'Het spijt me, Juan,' zei Hanley. 'Over twee dagen, als de topconferentie is afgelopen, kunnen we de *Oregon* verplaatsen en kan Adams je in een helikopter brengen. Maar nu is dit alles wat we voor je kunnen doen.'

'Geeft niet,' zei Cabrillo, terwijl hij een blik op zijn aantekening wierp. 'Zesde huis na de kerk.'

'Rode muren,' vulde Hanley aan, 'met een gele rand.'

'Goed, dan ga ik die dwaas maar eens opzoeken.'

Hij verbrak de verbinding en liep door de deur naar buiten.

Cabrillo liet zijn bagage op het vliegveld achter en liep op een sneeuwscootertaxi af waarnaast een Inuit-tiener stond. De jongen trok zijn wenkbrauwen op toen Cabrillo hem het adres opgaf, maar hij zei niets. Hij leek meer geïnteresseerd in de ritprijs, die hij in Deense valuta noemde.

'Hoeveel is dat in Amerikaanse dollars?' vroeg Cabrillo.

'Twintig,' zei de jongen zonder enige aarzeling.

'Prima,' zei Cabrillo, terwijl hij de jongen een biljet overhandigde.

De jongen stapte op de sneeuwscooter en legde zijn hand op de startknop. 'Kent u Garth Brooks?' vroeg de jongen, die er kennelijk vanuit ging dat de mensen uit de VS elkaar kenden, net zoals de mensen in zijn dorp.

'Nee,' zei Cabrillo, 'maar ik heb weleens met Willie Nelson gegolfd.'

'Cool. Is-ie goed?'

'Hij heeft een formidabele slag,' antwoordde Cabrillo, terwijl de jongen de startknop indrukte en de motor ronkend aansloeg.

'Stap maar op,' schreeuwde de jongen.

Zodra Cabrillo op het zadel had plaatsgenomen, scheurde de jongen van het vliegveld weg. Het licht van de koplamp drong nauwelijks door de duisternis en de jagende sneeuw. Kulusuk was niet veel meer dan een groepje huizen op zo'n anderhalve kilometer van het vliegveld verwijderd. De zijkanten van de huizen gingen deels schuil achter aangekoekte sneeuw. Uit de schoorstenen steeg rook en damp op. Bij de huizen lagen groepjes honden en stonden veel sneeuwscooters; in de sneeuw stonden ski's met de punten omhoog en naast de deuren hingen sneeuwschoenen aan spijkers.

Het leven in Kulusuk leek hard en deprimerend.

Ten noorden van het stadje lag als een vage streep nauwelijks zichtbaar de uitgestrekte ijsvlakte die de verbinding met het vasteland vormde. Het ijsoppervlak was zwart en glad, waarover de wind de sneeuw voortblies en tot verstuivingen ophoopte die voortdurend van vorm veranderden. Van de bergen aan de overkant van de ijsvlakte waren alleen de contouren zichtbaar, een andere grijstint tegen een lege achtergrond. De aanblik was nauwelijks opwekkender dan een rondleiding door een crematorium. Cabrillo merkte dat de sneeuwscooter vaart minderde en tot stilstand kwam.

Hij gleed van het zadel en stond met zijn voeten in de krakende sneeuw.

'Tot straks,' zei de tiener met een snelle zwaai ten afscheid.

Vervolgens stuurde de jongen scherp naar links, waarop hij over de sneeuw slippend van hem wegzwenkte en de straat uit scheurde. Cabrillo bleef alleen in de kou en duisternis achter. Hij wierp een korte blik op het half onder de sneeuw bedolven huis en stapte door de windvlagen naar de voordeur. Op de stoep wachtte hij even voordat hij aanklopte.

10

Hickman bekeek de verslagen van het Saoedi-Arabische ministerie van Handel die zijn hackers uit een bestand hadden geselecteerd. De verslagen waren uit het Arabisch in het Engels vertaald, maar die vertaling was verre van perfect. Terwijl hij de lijsten doorliep, maakte hij aantekeningen in de kantlijn. Een van de artikelen trok zijn aandacht. Het ging om wollen kniebeschermers en de leverancier was in het Britse Maidenhead gevestigd. Hij drukte op het knopje van de intercom en riep zijn secretaresse op.

'In het Nevada Hotel is een zekere meneer Whalid die voor ons werkt. Volgens mij is hij daar assistent inkoop.'

'Ja,' zei de secretaresse.

'Vraag of hij mij zo snel mogelijk wil bellen,' zei Hickman. 'Ik moet hem iets vragen.'

Een paar minuten later rinkelde zijn telefoon.

'Met Abdul Whalid,' zei de stem. 'Mij is verzocht u te bellen.'

'Ja,' reageerde Hickman. 'Zou u dit bedrijf in Engeland willen bellen' – hij somde een telefoonnummer op – 'waarbij u zich voordoet als een Saoedi-Arabische ambtenaar of zoiets. Ze hebben een order voor de productie van vele miljoenen dollars aan wollen kniebeschermers en ik wil weten wat ze daar precies mee bedoelen: wollen kniebeschermers.'

'Mag ik vragen waarom u dat wilt weten?'

'Ik heb een textielfabriek,' antwoordde Hickman. 'Ik wil graag weten wat dat zijn, want als wij die ook zouden kunnen maken, vraag ik me af waarom mijn mensen die order dan niet hebben binnengehaald.'

Dat leek Whalid een zinnige verklaring. 'Goed, ik zal ze bellen en daarna bel ik u meteen terug.'

'Uitstekend.' Hickman richtte zijn aandacht weer op de foto van de meteoriet. Tien minuten later belde Whalid terug.

'Meneer,' zei Whalid, 'dat zijn bidkleedjes. De bestelling is zo groot omdat het land de gehele inventaris die in Mekka wordt gebruikt wil vervangen. Dat schijnen ze zo om de tien jaar te doen.'

'Hmmm, dus we hebben een kans laten liggen die de komende jaren niet terugkomt. Dat is niet zo mooi.'

'Het spijt me, meneer,' zei Whalid. 'Maar u weet waarschijnlijk niet dat ik in mijn eigen land voor de staatsgreep ook een textielfabriek leidde. Het zou me...'

Hickman onderbrak hem abrupt. Hij dacht koortsachtig na. 'Stuur me een verslag, Whalid,' zei hij, 'dan zorg ik dat het bij de juiste persoon terechtkomt.'

'Dat doe ik, meneer,' zei Whalid gedwee.

Hickman hing op zonder nog een woord van afscheid.

Pieter Vanderwald nam zijn gsm op terwijl hij juist de bebouwde kom van Palm Springs in Californië uitreed.

'Met mij,' zei een stem.

'Dit is geen veilige lijn,' zei Vanderwald, 'dus hou het algemeen, en dit gesprek mag niet langer dan drie minuten duren.'

'De stof waar we het over hadden,' zei de man, 'bestaat die ook in aerosolvorm?'

'Dat is een mogelijkheid, ja. Die kan zich via de lucht verspreiden en is dan ook overdraagbaar via lichamelijk contact of hoesten bijvoorbeeld.'

'Is de stof ook via de kleding van mens op mens overdraagbaar?'

Vanderwald keek op de digitale klok van de radio in zijn

huurauto. De helft van de drie minuten was al verstreken. 'Ja, overdracht is mogelijk via kleding en huid, en ook door de lucht.'

'Hoelang zou het duren voordat iemand er na blootstelling aan sterft?'

De cijfers van de digitale klok versprongen. 'Een week, misschien minder. Vanavond ben ik via mijn vaste lijn bereikbaar als u nog meer vragen hebt.'

De verbinding werd verbroken en de man leunde achterover in zijn stoel. Toen verscheen er een glimlach om zijn lippen.

'Ruim twee miljoen lijkt me aan de hoge kant, ook gezien de inkomsten van het afgelopen jaar,' zei de advocaat aan de andere kant van de lijn. 'Als zij de contracten uitvoeren, houden ze er een hoop aan over wat niet in hun boeken is terug te vinden.'

'Doe het nou maar,' zei Hickman rustig. 'De verliezen schrijf ik wel af tegen de winsten van mijn onroerend goed in Docklands.'

'U bent de baas,' zei de advocaat.

'Zo is het.'

'Van welke rekening moet het worden betaald?'

Hickman bekeek een lijst op het scherm van zijn computer. 'Neem de rekening in Parijs maar,' zei hij, 'maar ik wil dat de transactie morgen wordt afgerond, zodat ik het bedrijf op z'n laatst over tweeënzeventig uur officieel in handen heb.'

'Dacht u dat er op de korte termijn een tekort zal zijn aan Britse fabrieken om over te nemen?' vroeg de advocaat. 'Of weet u iets wat ik niet weet?'

'Ik weet wel meer wat u niet weet,' reageerde Hickman, 'maar als u zo blijft doorpraten, hebt u nog maar eenenzeventig uur om deze deal rond te krijgen. Doe nu maar waar u voor betaald wordt en laat de strategie aan mij over.'

'Ik ben al weg,' zei de advocaat voordat hij ophing.

Achterovergeleund in zijn stoel ontspande Hickman zich een paar tellen. Daarna pakte hij een vergrootglas van het bureau en bestudeerde de luchtfoto die voor hem lag. Nadat hij het vergrootglas weer had neergelegd, richtte hij zijn aandacht op een landkaart. Ten slotte sloeg hij een map open en bladerde door de foto's.

Het waren foto's van slachtoffers van de atoombommen die aan het eind van de Tweede Wereldoorlog op Hiroshima en Nagasaki waren gegooid. En hoewel de foto's nietsverhullend en schokkend waren, glimlachte hij. Mijn wraak zal zoet zijn, dacht hij.

Die avond belde Vanderwald hem op zijn vaste toestel.

'Ik heb iets beters gevonden,' zei Vanderwald. 'Een ziekteverwekker die de longen aantast en zich via de lucht verspreidt. Héél besmettelijk en dodelijk; tachtig procent van de bevolking van het land zal eraan sterven.'

'Hoeveel?' vroeg Hickman.

'Dat gaat u zeshonderdduizend dollar kosten.'

'Laat maar komen,' zei Hickman, 'samen met alle C6 die u kunt leveren.'

'Hoe groot is het object dat u wilt vernietigen?' vroeg Vanderwald.

'Zo groot als het Pentagon.'

'Dat is dan twee miljoen.'

'Wilt u een cheque?' vroeg Hickman.

'Goud,' antwoordde Vanderwald.

11

Cabrillo bekeek de hoorns van een muskusos boven de deur, stak zijn hand uit en tilde de ijzeren visvormige klopper op om hem met een harde tik tegen de solide houten deur te slaan. Hij hoorde het geluid van zware voetstappen, waarna het weer stil werd. Plotseling ging de deur op een klein kiertje open en tuurde er een gezicht door de smalle spleet. De man had holle wangen, een grijze, met tabakskruimels bevuilde baard, een snor en bloeddoorlopen ogen. Zijn tanden waren bruin gevlekt.

'Geef maar aan door de kier.'

'Wat bedoelt u?' vroeg Cabrillo.

'De Jack,' zei de man, 'de fles Jack Daniel's.'

'Ik kom om u te vragen of u uw snowcat wilt verhuren.'

'U bent niet van de winkel?' vroeg de man op een toon waaruit meer dan een lichte teleurstelling en wanhoop sprak.

'Nee,' zei Cabrillo, 'maar als u me binnenlaat en een momentje tijd voor me hebt, zal ik daarna een fles voor u gaan halen.'

'We hebben het wel over Jack Daniel's,' zei de man, 'niet dat goedkope spul hè?'

Cabrillo had het koud en hij kreeg het alleen maar kouder. 'Ja, gestookt in Lynchburg, Tennessee, black label. Ik weet wat u bedoelt. Laat me nou eerst maar binnen.'

Het kiertje sloot zich weer en de man deed de deur van het

veiligheidsslot. Cabrillo stapte een wanordelijke en buitengewoon smerige woonkamer binnen. Op de tafel en de bovenkant van de schilderijlijsten lag het stof van vele maanden. Het stonk er naar een mengsel van rotte vis en tenenkaas. Lampen op twee bijzettafeltjes wierpen gelige lichtcirkels in de verder duistere kamer.

'Let maar niet op de rommel,' zei de man. 'Mijn huishoudster heeft er al een paar jaar geleden de brui aan gegeven.'

Cabrillo bleef in de buurt van de deur, de kamer nodigde niet uit verder naar binnen te lopen.

'Zoals ik al zei, ik zou uw snowcat willen huren.'

De man ging in een versleten leunstoel zitten. Op het tafeltje ernaast stond een kleine fles whisky. De fles was op een bodempje na leeg. En dan, alsof hij een seintje kreeg, pakte de man de fles, schonk het laatste restje in een gebarsten koffiemok en nam een slok.

'Waar wilt u naartoe?' vroeg de man.

Voordat Cabrillo kon antwoorden, kreeg de man een hoestbui. Cabrillo wachtte tot hij was uitgehoest.

'Mount Forel.'

'Hoort u bij die archeologen?'

'Ja,' loog Cabrillo.

'Bent u Amerikaan?'

'Ja.'

De man knikte. 'Vergeef me dat ik zo lomp ben. Ik ben Woody Campbell. De mensen hier noemen me allemaal Woodman.'

Cabrillo liep naar hem toe en stak zijn gehandschoende hand uit. 'Juan Cabrillo.'

Ze schudden elkaar de hand, waarna Campbell op een stoel wees. Cabrillo ging zitten en Campbell keek hem zwijgend aan. De stilte hing drukkend als een steen op een potatochip in de kamer. Ten slotte verbrak Campbell het zwijgen.

'U ziet er helemaal niet uit als een wetenschapper,' zei hij.

'Hoe ziet een archeoloog er dan wel uit volgens u?'

'Niet als iemand die als soldaat heeft gevochten,' zei Campbell, 'als iemand die het leven van anderen heeft moeten nemen.'

'U bent dronken,' zei Cabrillo.

'Kwestie van gewenning,' zei Campbell, 'maar ik heb u niet horen ontkennen.'

Cabrillo zweeg.

'Het leger?' vroeg Campbell vasthoudend.

'CIA, maar dat is alweer een tijdje geleden.'

'Ik wist dat u geen archeoloog bent.'

'De CIA heeft archeologen in dienst,' merkte Cabrillo op.

Op dat moment werd er op de deur geklopt. Cabrillo gebaarde dat Campbell kon blijven zitten, en liep naar de deur. Er stond een Inuit, gekleed in een dikke sneeuwoverall, met een papieren zak in zijn hand.

'Is dat de whisky?' vroeg Cabrillo.

De man knikte. Cabrillo tastte in zijn jaszak en diepte een portemonnee op, waaruit hij een biljet van honderd dollar pakte. Hij gaf het aan de man, die hem daarop de fles overhandigde.

'Ik heb geen wisselgeld,' zei de Inuit.

'Is het voldoende voor deze en de levering van nog een fles,' vroeg Cabrillo, 'plus nog wat voor uw extra moeite?'

'Ja,' zei de Inuit, 'maar van mijn baas mag ik Woodman maar één fles per dag leveren.'

'Breng de andere dan morgen en hou het wisselgeld,' zei Cabrillo.

De Inuit knikte en Cabrillo sloot de deur. Met de ingepakte whisky in zijn hand liep hij naar Campbell en gaf hem de zak. Campbell trok de fles eruit, verfrommelde het papier en gooide de prop naar een prullenmand die hij miste. Vervolgens verbrak hij het zegel en vulde zijn mok.

'Dat waardeer ik zeer,' zei hij.

'Dit moet u niet doen,' zei Cabrillo. 'Hier moet u echt mee stoppen.'

'Dat kan ik niet,' zei Campbell, met een schuine blik op de fles. 'Ik heb het geprobeerd.'

'Onzin. Ik heb gasten gekend die heel wat verder heen waren dan u en die er nu volledig van af zijn.'

Campbell reageerde niet. 'Goed, meneer CIA,' zei hij ten

slotte, 'als u een manier verzint om me ervan af te helpen is de snowcat van u. Ik heb hem in geen maanden gebruikt. Ik kan het huis niet uit.'

'U hebt in het leger gediend,' zei Cabrillo.

'Wie bent u, verdomme?' zei Campbell. 'Dat weet niemand hier in Groenland.'

'Ik heb een bedrijf gespecialiseerd in inlichtingen- en beveiligingswerk. Particulier. Voor ons blijft niets geheim.'

'Echt waar?'

'Echt waar,' antwoordde Cabrillo. 'Wat deed u in dienst? Dat heb ik mijn mensen niet gevraagd.'

'Groene Baretten, en daarna het Phoenix Project.'

'Dus u hebt ook voor de CIA gewerkt?'

'Indirect,' gaf Campbell toe, 'maar ze hebben me laten vallen. Ze hebben me getraind, gehersenspoeld en afgedankt. Ik kwam thuis met een heroïneverslaving waarvan ik op eigen kracht ben afgekickt, en een hele vracht kloteherinneringen.'

'Ik begrijp het,' zei Cabrillo, 'maar waar is die snowcat?'

'Daarbuiten,' zei Campbell, op een achterdeur wijzend.

'Dan ga ik even een kijkje nemen,' zei Cabrillo, terwijl hij naar de deur liep. 'Blijf rustig zitten en denk erover na of u echt wilt stoppen. Zo ja en de snowcat blijkt oké, dan heb ik een idee. Zo niet, dan kunnen we besluiten dat ik u net zo lang van Jack voorzie tot uw lever het begeeft. Goed plan?'

Campbell knikte, terwijl Cabrillo naar buiten stapte.

Tot zijn verrassing verkeerde de snowcat in een perfecte staat. Het was een Thiokol 1202B-4 breedsporige Spryte, voorzien van een 1200 cc zescilinder Ford-motor met een vierversnellingsbak en een carrosserie in de vorm van een pick-up met laadbak. Op het dak was een lichtbak gemonteerd en in de laadruimte een extra benzinetank. De rupsbanden leken zo goed als nieuw. Cabrillo opende het portier. Tussen de stoelen zat een metalen verhoging met daarin de merkwaardig gevormde versnellingspook. Voor de bestuurdersstoel stak een aantal hendels omhoog waarmee het voertuig net als bij een tank werd bestuurd. Cabrillo wist dat de Thiokol met een snelle beweging van de hendels op de rupsbanden om zijn as kon draaien. Het dashboard was van metaal en bevatte een reeks wijzerplaten met eronder de ventilatiegaten van een verwarmingsinstallatie. Achter de stoelen, aan haken aan beide kanten van de achterruit, hing een geweer van zwaar kaliber. Er waren noodlampen, een gereedschapskist met reserveonderdelen en watervaste detailkaarten.

Alles zat goed in de verf, was gesmeerd en goed onderhouden.

Cabrillo beëindigde zijn inspectie en liep terug naar binnen. Meteen achter de deur bleef hij staan en klopte de sneeuw van zijn laarzen alvorens hij doorliep naar de woonkamer.

'Wat is de actieradius?' vroeg hij aan Campbell.

'Met de extra tank en nog een paar jerrycans kun je ermee heen en terug naar Mount Forel, en dan heb je nog honderdvijftig kilometer speling voor als je pech krijgt of sneeuwverstuivingen,' zei Campbell. 'Ik zou er met een gerust hart mee weggaan. Hij heeft me nog nooit in de steek gelaten.'

Cabrillo liep tot vlak voor een oliekachel. 'En? Bent u er al uit?'

Campbell zweeg. Hij keek naar de fles, staarde omhoog naar het plafond en weer omlaag naar de grond en dacht enige tijd diep na. In dit tempo haalde hij misschien nog net de zomer. Veel langer zou zijn lichaam dit niet meer volhouden. Of anders zou hij in zijn roes iets stoms doen, en in dit land bleven stommiteiten nooit onbestraft. Hij was zevenenvijftig en voelde zich als een vent van honderd. Hij was aan het eind van zijn Latijn.

'Ik doe het,' zei Campbell.

'Zo makkelijk is dat niet,' zei Cabrillo. 'U hebt een harde strijd voor de boeg.'

'Ik wil het proberen,' zei Campbell.

'In ruil voor de snowcat halen we u hier weg en zorgen dat u in een ontwenningskliniek wordt geplaatst. Heeft u nog ergens familie?'

'Ik heb twee broers en een zus in Colorado,' antwoordde

Campbell, 'maar ik heb ze in geen jaren gesproken.'

'U kunt kiezen,' zei Cabrillo, 'of u gaat naar huis om u te laten behandelen of u sterft hier.'

Voor het eerst sinds jaren verscheen er een glimlach om Campbells lippen. 'Ik geloof dat ik het probeer.'

'U zult alleen nog een paar dagen geduld moeten hebben,' zei Cabrillo. 'Om te beginnen moet u me op deze kaarten de route door de bergen aanwijzen en me met mijn voorbereidingen helpen. En dan laat ik u hier achter met mijn satelliettelefoon, zodat ik u kan bellen als ik ergens vast kom te zitten. Denkt u dat u dat aankunt?'

'De ontwenningsverschijnselen kan ik niet aan,' zei Campbell eerlijk. 'Ik ga trillen als een gek of ik raak in een stuip. Dat overleef ik niet.'

'Dat verwacht ik ook niet van u,' zei Cabrillo. 'Daarbij hebt u medische zorg nodig. Ik wil alleen dat u nuchter genoeg blijft om de telefoon op te nemen en me te vertellen wat ik moet doen als ik onderweg problemen krijg die ik alleen niet kan oplossen.'

'Dat zal wel lukken.'

'Oké, een momentje,' zei Cabrillo, terwijl hij zijn satelliettelefoon pakte en het nummer van de *Oregon* intoetste, 'dan zal ik laten zien hoe het werkt.'

Campbell snoof de lucht op en tuurde naar het noorden. Op een paar meter van hem vandaan stond de Thiokol te glimmen. In de laadbak stonden jerrycans met extra brandstof en de dozen met spullen die Cabrillo van het vliegveld had opgehaald. Een paar dozen met voedsel en dingen waarvan hij niet wilde dat ze bevroren, zette hij op en onder de passagiersstoel. Het portier stond open en door de warme lucht van de kachel walmde er damp naar buiten.

'Er is storm op komst,' merkte Campbell op, 'maar die is hier niet voor morgenmiddag of -avond, denk ik.'

'Oké,' zei Cabrillo, die klaar was met pakken en overeind kwam. 'U weet hoe de satelliettelefoon werkt?'

'Ik ben alcoholist,' zei Campbell, 'maar geen idioot.'

Cabrillo tuurde in de duisternis. 'Hoelang, denkt u, heb ik er voor nodig?'

'Morgenochtend bent u er wel,' antwoordde Campbell, 'als u de route neemt die ik u heb voorgesteld.'

'Ik heb een draagbare GPS plus het kompas in de cat en de kaarten waar u de route op hebt aangegeven. Daar moet ik mijn weg mee kunnen vinden.'

'Wat er ook gebeurt,' zei Campbell, 'u moet die route blijven volgen. Een groot deel van de weg rij je onderlangs de ijskap, maar op een gegeven moment moet je er toch overheen. Het kan daar behoorlijk tekeergaan en de omstandigheden wisselen voortdurend. Als u daar pech krijgt of met de snowcat omslaat, kan het lang duren voor er hulp komt, misschien wel té lang.'

Cabrillo knikte, deed een stap naar voren en schudde Campbell de hand. 'Hou uzelf een beetje in de hand,' zei hij boven het kabaal van de opstekende wind uit, 'en doe het rustig aan met de drank tot we u naar een kliniek kunnen brengen.'

'Ik zal u niet teleurstellen,' zei Campbell, 'en bedankt dat u dit voor me op de rails hebt gezet. Voor het eerst sinds tijden zie ik weer licht aan het einde van de tunnel. Hoop, wellicht.'

Cabrillo knikte en stapte de cabine van de Thiokol in. Hij trok de deur achter zich dicht en trok zijn parka uit. Nadat hij een dot gas had gegeven, liet hij de motor nog even stationair draaien. Vervolgens ontkoppelde hij, zette de pook in de eerste versnelling en reed langzaam weg van het huis. Vanonder de rupsbanden spatte sneeuw op.

Campbell stond onder het afdakje boven de achterdeur en keek hem na tot de lichten van de snowcat in de duisternis waren verdwenen. Daarna liep hij naar binnen en schonk een zorgvuldig afgepast bodempje whisky in. Hij moest de demonen, die hun ware aard weer begonnen te tonen, zien koest te houden.

Cabrillo voelde een ruk van de veiligheidsgordel om zijn heup toen de Thiokol de helling afschoot naar de ijsvlakte die de verbinding met het vasteland vormde. Nadat de snowcat weer recht lag en de laatste paar meter van een met sneeuw bedekt strand naar het ijs overbrugde, ging er een steek door zijn maag. Onder de nog geen meter dikke laag ijs bevond zich een driehonderd meter diepe watermassa met een temperatuur van nul graden. Als de Thiokol op een dunne plek door het ijs zakte, was hij er binnen een paar seconden geweest.

Deze gedachte van zich afzettend, gaf hij gas.

De banden van de snowcat bereikten de rand van het ijs en rolden de bevroren vlakte op. De lampen op het dak beschenen de jagende sneeuwvlokken terwijl de Thiokol zich een weg over het ijs zocht. De gierende wind joeg de sneeuw voort en vervormde het op de vlokken reflecterende licht, dat het ene moment ver in de verte scheen en dan weer op de warrelende muur afketste.

Cabrillo waande zich in een wereld zonder tijd en dimensies.

Wie minder sterk in zijn schoenen stond zou doodsangsten hebben uitgestaan.

12

In Reykjavik was Max Hanley aan boord van de *Oregon* druk aan het werk. De Arabische Vredesconferentie liep ten einde en na afloop van de ochtendbijeenkomsten zou de emir in zijn 737 vertrekken, waarna zijn beveiliging door zijn eigen personeel werd overgenomen.

Tot dusver was de beveiliging perfect verlopen. De emir had zich dankzij hun vrijwel onopvallende bewaking vrijelijk op IJsland kunnen bewegen. De teams van de Corporation waren meesters in het zich onzichtbaar opstellen. Vandaag wilde de emir na afloop van de bijeenkomst een bezoek aan het Blauwe Gat brengen, een dichtbijgelegen natuurlijk warmwaterbad dat was ontstaan bij de bouw van een nieuwe geothermische fabriek. Daar stroomde sterk mineraalhoudend water in een door vulkanisch gesteente omgeven bekken en vormde zo een warme oase in de omringende kou. Van het warme water stegen als in een Turks stoombad kolkende witte wolken waterdamp op. De mensen in het water doemden op en verdwenen weer als schimmen op een mistige begraafplaats.

Terwijl de emir zijn bad nam, waren er steeds zes mensen van de Corporation in het water onopvallend in zijn buurt geweest. Een paar minuten eerder had Hanley het bericht ontvangen dat de emir veilig in de kleedcabine was teruggekeerd. Nu coördineerde Hanley de twee afzonderlijke konvooien die het hele gezelschap naar het hotel zouden terugbrengen.

'Heb je de boel uitgeschakeld?' vroeg Hanley door de satelliettelefoon aan Seng.

'Eén aan,' antwoordde hij, 'één uit. Niemand kon ook maar iets zien.'

'Dat geeft tegenstanders weinig kans,' zei Hanley.

'Zo glad als babybilletjes,' bevestigde Seng.

'Zorg dat de twee busjes een paar minuten na elkaar komen,' zei Hanley, 'en stap in via de achterdeur.'

'Doen we,' zei Seng voordat hij de verbinding verbrak.

'Zijn alle voorbereidingen getroffen?' vroeg Hanley aan de arts Julia Huxley toen hij de controlekamer binnenliep.

'De ontwenningskliniek is in Estes Park, Colorado,' antwoordde Huxley. 'Ik heb een IJslandse verpleegster, die vloeiend Engels spreekt, ingehuurd om hem tijdens de vlucht naar New York en daarna door naar Denver te vergezellen. In Denver wordt hij door een auto van de kliniek opgehaald. De vlucht van Kulusuk naar Reykjavik, dat is het enige wat hij zelf moet doen. Ik heb de piloot ingelicht en ervoor gezorgd dat er op het vliegveld een paar libriumpillen zijn die de piloot hem kan geven. Die werken kalmerend, zodat hij de krampen beter aankan tot de verpleegster hem kan opvangen.'

'Goed werk,' zei Hanley. 'We starten zodra de baas groen licht geeft.'

'Wat de tweede zaak betreft,' zei ze, 'moet de baas alert zijn op het stralingsgevaar als hij de meteoriet meeneemt. Ik heb wat kaliumjodide aan boord dat we hem kunnen geven zodra hij terug is, maar hoe meer afstand hij van het object bewaart hoe beter.'

'Hij wil hem in plastic en een oude deken wikkelen en het daarna in een metalen gereedschapskist in de laadbak van de snowcat vervoeren.'

'Dat lijkt me goed,' zei Huxley. 'Hij moet er vooral voor oppassen dat hij geen stof inademt.'

'We gaan ervan uit dat er weinig stof zal zijn. Op de foto ziet hij eruit als een gladde bol. Al het stof is er bij de inslag wel afgebrand. Dus zolang Cabrillo een langdurige blootstelling aan de straling door te hecht contact met de bol nu maar vermijdt, is er voor hem weinig gevaar.'

'Dat kun je zo stellen,' bevestigde Huxley. Ze draaide zich om en wilde weglopen, maar bleef bij de deur staan. 'Max?' zei ze tegen Hanley.

'Ja, Julia?'

'Ik weet niet of je wel eens gevallen van blootstelling aan straling hebt gezien,' zei ze. 'Maar dat ziet er niet prettig uit. Zeg de baas alsjeblieft dat hij zo ver mogelijk uit de buurt van die meteoriet blijft.'

'Ik zal het hem doorgeven,' zei Hanley.

13

Aleimein Al-Khalifa las de fax nog eens door, waarna hij het vel papier ter bescherming van de afbeelding in een plastic map schoof. De prijs die de Hammadi Groep voor deze informatie had betaald, bedroeg het equivalent van één miljoen Britse ponden in goud. De tomeloze hebzucht die Man hierbij aan de dag legde, verbaasde Al-Khalifa. Voor geld was haast iedereen bereid zijn land, zijn toekomst en zelfs zijn God te verkopen. Zo ook hun contact binnen Echelon. Zijn gokschulden en een slecht betaalde baan als steward hadden hem rijp gemaakt om toe te happen. Door hem geleidelijk in te palmen en hem steeds beter voor zijn verraad te betalen had de Hammadi Groep hem volledig in haar macht gekregen.

En nu, twee jaar later, had de man hun de jackpot geleverd. Het probleem was dat Al-Khalifa het liefst nu ook meteen de hele hap wilde hebben. Zich naar de andere man in de cabine omdraaiend, zei hij: 'Allah zegene alle gelovigen.'

Salmain Esky glimlachte en knikte. 'Dat gebed lijkt reeds beantwoord,' reageerde hij, 'en dat in een tijd dat we toch al gul worden bediend.'

Al-Khalifa keek hem aan. Esky was klein, nauwelijks anderhalve meter, en zo dun als een twijg. Hij kwam uit Jemen en had een donkere, doffe huid, een wijkende kin en in zijn mond een dubbele rij puntige, geelbruin gevlekte tanden.

Esky was een volgeling, niet bepaald intelligent, maar wel heel trouw aan de zaak. Alle organisaties hadden mensen zoals hij nodig. Zij waren de pionnen die werden uitgespeeld. Kanonnenvoer.

Al-Khalifa was daarentegen een lange, knappe man, die zich bewoog met een gratie die door vele generaties leiderschap in zijn ziel geworteld lag. Al eeuwenlang hadden zijn voorouders als stamhoofden geheerst op het droge Arabische schiereiland. Alleen de laatste twintig jaar, sinds zijn vader bij de koninklijke familie van Qatar in ongenade was gevallen, was zijn familie tot een bestaan als normale burgers gedegradeerd. Al-Khalifa had zich voorgenomen die situatie spoedig recht te zetten.

Vervolgens zou hij zich aan zijn geplande aanval voor de islam wijden.

'Allah heeft ons gezegend met de middelen om het allebei te doen,' zei Al-Khalifa, 'en dat doen we dan ook.'

'Dus u wilt dat de kapitein een noordoostelijke koers naar de desbetreffende plek uitzet?' vroeg Esky.

'Ja,' zei Al-Khalifa. 'De passagier zullen we dan later aan boord nemen.'

De onder de vlag van Bahrein varende en als eigendom van Arab Investment and Trading Consortium geregistreerde *Akbar* was met een lengte van ruim negentig meter een van de grootste privéjachten ter wereld. Er waren maar weinig buitenstaanders op het jacht geweest, maar de enkeling die dat genoegen wel had gesmaakt, sprak enthousiast over de weelderige salon, de enorme warme bubbelbaden op het achterdek en de vloot aan kleinere plezierwaartuigen plus de helikopter waarover het schip beschikte.

Aan de buitenkant leek de *Akbar* het drijvende paleis van een onvoorstelbaar rijke bon vivant, en men zou niet snel vermoeden dat zich aan boord een terroristische cel schuilhield. Naast leider Al-Khalifa en zijn volgeling Esky – die zich beiden momenteel aan wal bevonden – waren er nog zes man op het schip: twee Koeweiti's, twee Saoedi's, plus een Libiër en een Egyptenaar. Ze waren allemaal moslimfundamentalisten en bereid om voor hun zaak te sterven.

'We zijn gereed om uit te varen,' sprak de kapitein in een portofoon.

'Zodra je buiten de havenhoofden bent, volle kracht vooruit,' beval Al-Khalifa vanaf de wal. 'Ik kom over anderhalf uur aan boord.'

'Begrepen,' antwoordde de kapitein.

Al-Khalifa stak het mobieltje terug in zijn borstzak en keek weer naar het paneel van de elektrische installatie in het souterrain van het hotel. 'Plaats daar de springstof,' zei hij tegen Esky, wijzend op de hoofdkabel van het circuit. 'Zodra het alarm afgaat en het licht uitvalt, ontmoeten we elkaar zoals afgesproken onder aan de trap.'

Esky knikte en begon met het vastmaken van de C6-lading aan de aluminiumbuis. Terwijl Al-Khalifa wegliep, diepte hij uit zijn zak draad en ontstekers op. In de parkeergarage liep Al-Khalifa naar een bestelwagen. Hij opende de achterdeur en keek naar binnen, waarna hij de deur weer sloot en door de garage naar een nooduitgang wandelde. Hij opende de deur en beklom de erachter gelegen trap.

Toen hij de etage recht onder de suite van de emir van Qatar had bereikt, opende hij met een sleutelkaart de deur van een kamer die hij op naam van een als dekmantel opgericht bedrijf had gehuurd. Al-Khalifa wierp een blik op het bed dat hij eerder die dag tegen de muur had geschoven. Vervolgens bestudeerde hij de merkwaardig ogende, rood geverfde machine die op de grond stond op de plek waar eerder het bed had gestaan. Vlak onder het plafond bevond zich een cirkelvormige diamantzaag met een doorsnede van één meter twintig, die eruitzag als een reusachtige uitvergroting van de zaag die een timmerman gebruikt voor het boren van het gat in een vogelhuisje. De zaag was gemonteerd op een roestvrijstalen, hydraulisch uitschuifbare buis. Deze buis stond op een rechthoekige metalen behuizing met daarin de dieselmotor die de boor aandreef. Onder deze motorkast was een as met wielen ter grootte van autobanden bevestigd waardoor men het geheel naar de plek kon rijden waar het toestel nodig was. Een draagbaar besturingspaneel aan een zes meter lang snoer maakte het mogelijk de machine van enige afstand te bedienen.

Als hij de zaag tot in de laagste stand liet zakken, bevond het zaagblad zich op één meter tachtig onder het plafond. Naast de machine stonden een vierkante plaat multiplex en een ladder. Dit alles was in een periode van enkele weken in onderdelen naar de kamer gebracht en aldaar in elkaar gezet. De kamermeisjes hadden ze buiten de deur gehouden door de medewerkers aan de hotelbalie op het hart te drukken dat ze niemand tot de kamer toelieten.

Het apparaat werd in de bouw gebruikt voor het boren van gaten in beton, waarna er kabels doorheen konden worden gelegd. Al-Khalifa ging ervan uit dat het apparaat met een plafond geen problemen zou hebben.

De emir van Qatar sliep vredig op de etage erboven. De beveiligingsmensen van de Corporation brachten de nacht wakend door in kamers aan de overkant van de gang en aangrenzend aan die van de emir. Ze waren ervan overtuigd dat er een aanslag voor die nacht gepland stond. In de kamer aan de overkant van de gang bekeken Jones en Meadows aandachtig de beelden van de bewakingscamera's. Links van de suite van de emir maakte Monica Crabtree notities, terwijl Cliff Hornsby zijn handvuurwapen schoonmaakte. In de kamer rechts van de suite deden Hali Kasim en Franklin Lincoln zich tijdens het wachten te goed aan een schaal broodjes.

Er was niets dat erop wees dat er spoedig iets zou gebeuren.

Op de etage eronder zette Al-Khalifa een bril met ingebouwde nachtkijker op, nam de afstandsbediening in zijn hand en keek op zijn horloge. De seconden tikten voorbij tot de grote wijzer drie uur aangaf. Toen voelde Al-Khalifa een trilling door het gebouw gaan en viel het licht uit.

Al-Khalifa drukte op de startknop en de boor kwam brommend tot leven. Nadat hij de knop van het hydraulisch systeem had ingedrukt, keek hij toe hoe de buis met de draaiende zaag zich naar het plafond verhief. Zodra het zaagblad het plafond raakte – ondertussen voortdurend houtsplinters en stof door de kamer slingerend – ging het door het pleisterwerk en houten balken. De zaag had zich in nog geen tien seconden door het plafond gewerkt, en door het gat stroomde frisse lucht omlaag. Al-Khalifa liet het geheel zakken en drukte de multiplexplaat op de scherpe rand van het zaagblad, waarna hij de afstandsbediening weer oppakte, op de houten plaat klom en de knop van het hydraulisch systeem indrukte, ditmaal zonder eerst de zaag aan te zetten. Binnen enkele seconden was hij boven in de kamer van de emir en stapte van de plaat op de vloer.

Door zijn speciale nachtbril zag Al-Khalifa iemand op het bed zitten die zijn ogen uitwreef. Terwijl hij door de suite rende, greep hij een stoel, ramde die onder de deurklink en holde terug naar het bed van de emir.

Zich vooroverbuigend plakte hij de mond en ogen van de man met breed plakband dicht, waarna hij hem van het bed trok en naar het gat sleurde. Zodra ze beiden op de multiplexplaat stonden, pakte hij de afstandsbediening op en liet de plaat naar de kamer eronder zakken. Daar liet hij de man van de plaat op de grond stappen en duwde hem naar de deur. Nadat hij de deur had opengerukt, sleurde hij de man mee de gang in en de brandtrap af.

Er waren nauwelijks twee minuten verstreken sinds Al-Khalifa in actie was gekomen. Nog een paar minuten en hij was op straat.

'Hebbes,' zei Jones.

De teams van de Corporation waren uitgerust met kleine, krachtige zaklampen die aan hun riemen hingen. Acht smalle lichtbundels flitsten door de gang voor de suite van de emir.

'Het lampje was groen,' riep Meadows nadat hij de reservesleutelkaart in de gleuf van het deurslot had gestoken, 'maar de deur gaat niet open.'

'Hali,' schreeuwde Jones, 'jij gaat met Lincoln naar de garage om de uitgang te versperren.'

Beide mannen renden weg.

'Crabtree, Hornsby,' vervolgde hij, 'jullie bewaken de uitgang van de lobby. En Bob, achteruit! Ik ga de deur opblazen.'

Jones diepte uit zijn zak een ronde metalen schijf op, trok het beschermende papier van de plaklaag en drukte de schijf tegen de deur, waarna hij een knopje in de zijkant overhaalde.

'Opgelet!' schreeuwde hij tegen de deur, 'blijf zo ver mogelijk uit de buurt van de deur, we komen naar binnen!'

Jones en Meadows liepen een paar meter de gang in en wachtten tot de springlading explodeerde. Direct na de explosie rende Jones ernaartoe en drukte de restanten van de deur uit de sponning. Terwijl hij naar de slaapkamer holde, scheen hij met zijn zaklamp op het bed. Het was leeg. Toen hij met de smalle lichtstraal van de lamp de kamer afzocht, ontdekte hij het gat in de vloer. Vervolgens greep hij zijn portofoon en riep de *Oregon* op.

'Code rood,' zei hij, 'de opdrachtgever is ontvoerd.'

Terwijl hij op antwoord wachtte, bekeek hij de slaapkamer. 'Bob, ga kijken wat er hierbeneden is.'

Meadows liet zich door het gat zakken.

'Wat is er aan de hand?' vroeg Hanley aan de andere kant van de lijn.

'Ze hebben onze man,' antwoordde Jones.

'Dat,' zei Hanley langzaam, 'was nu net níét de bedoeling.'

'We zijn onder aan de trap,' zei Al-Khalifa tegen de geblinddoekte man.

Al-Khalifa droeg nog zijn bril met nachtkijker, maar voor zover hij het kon zien reageerde zijne excellentie niet overdreven angstig. Hij liep gewoon met Al-Khalifa mee, alsof zijn beveiligingsmensen hem hadden geïnstrueerd geen tegenstand te bieden.

'Deze kant op,' zei Al-Khalifa, terwijl hij de deur naar de

garage opende en de emir aan zijn arm met zich mee naar binnen trok.

Op het moment dat Al-Khalifa voetstappen van boven hoorde naderen, verscheen Esky in het beeld van zijn nachtbril.

'Doe de deur van de bestelwagen open en haal de motorfiets eruit,' riep hij.

Esky rende naar de bestelwagen, rukte de achterdeur open en trok een afrijplaat uit de wagen naar de grond. Vervolgens klom hij naar binnen en duwde de motorfiets het busje uit. De metalen ijspinnen op de banden van de motorfiets ratelden als tsjirpende krekels over de ijzeren plaat. Al-Khalifa was inmiddels met de emir naar de bestelwagen gelopen. Hij stak zijn arm naar binnen en haalde een AK-47 automatisch geweer tevoorschijn. Terwijl hij de emir met één hand aan zijn hemd vasthield, draaide hij zich om en richtte het geweer op de deur. Hij opende het vuur zodra Kasim, op de voet gevolgd door Lincoln, de trap afkwam en door de deuropening stormde. Op datzelfde ogenblik drukte Esky op de starter. Dreunend sloeg de motor van de BMW 650 met zijspan aan.

Kasim was door een kogel in zijn arm geraakt, maar hij slaagde erin zich op zijn buik te laten vallen en onder een auto weg te rollen. Lincoln bleef ongedeerd en trok zijn pistool terwijl hij naast zijn partner knielde. Hij tuurde langs de loop, maar de emir bevond zich in de vuurlijn.

'Dek mijn aftocht,' zei Al-Khalifa, terwijl hij Esky het geweer gaf.

Esky nam de AK-47 over en vuurde gerichte salvo's in de richting van de brandtrap. Al-Khalifa duwde de emir in het zijspan en stapte zelf op de motorfiets. Met zijn voet tikte hij de BMW in de versnelling, gaf gas en reed van de bestelauto weg. Esky verhevigde het spervuur.

Al-Khalifa stuurde naar de oprit die naar de uitgang van de ondergrondse garage leidde en reed naar boven.

Lincoln greep de microfoon op zijn kraag en riep de *Oregon* op.

'Opdrachtgever zit in het zijspan van een BMW-motorfiets,' riep hij.

Kasim nam zijn pistool in zijn goede hand. Zorgvuldig richtend schoot hij drie kogels af die Esky in zijn lies, hart en keel troffen. Esky zakte als een zak aardappelen in elkaar en de AK-47 viel kletterend op de betonnen vloer. Lincoln rende naar de bestelwagen, schopte het geweer verder weg en posteerde zich bij de stervende man. Het geluid van de BMW stierf in de verte weg.

Op de rand tussen de oprit en de begane grond maaide het voorwiel van de BMW een moment zonder weerstand door de lucht. Al-Khalifa gooide zijn gewicht naar voren, waardoor het wiel de grond weer raakte, waarna hij vanuit de parkeergarage de straat voor het hotel op scheurde. Hij sloeg rechtsaf Steintun Road in en reed een paar blokken door tot de kruising met de Saebraut, vanwaar hij zijn weg in oostelijke richting langs de haven vervolgde.

Al-Khalifa keek naar de emir in het zijspan, maar de man zat er opmerkelijk ontspannen bij.

Nadat ze door de foyer naar de hoofdingang waren gerend, zagen Crabtree en Hornsby toen ze het hotel uitstormden nog net de wegscheurende motor uit het zicht verdwijnen. Ze spurtten naar hun zwarte SUV, die voor het hotel stond geparkeerd.

'Oké, jongens,' zei Hanley in de controlekamer op de *Oregon* in de microfoon van de zender, 'object bevindt zich op een BMW-motorfiets.'

Hornsby drukte op de sleutel om de deuren van de SUV te openen en stapte achter het stuur. Crabtree greep, zodra ook zij in de auto zat, haar portofoon.

'Ze rijden naar het oosten, langs de haven,' zei ze. 'We gaan erachteraan.'

Al-Khalifa draaide het gas helemaal open en stuurde de BMW met een snelheid van meer dan honderd kilometer per uur over het besneeuwde wegdek. Na drie kruisingen raasden ze een heuvel over en waren vanuit Reykjavik niet meer te zien. Aandachtig de berm van de weg afspeurend, ontwaarde hij een spoor dat hij daar de vorige dag met een gehuurde sneeuwscooter had gemaakt. Hij stuurde de smalle geul van platgedrukte sneeuw in en reed nogmaals een niet al te hoge heuvel over. Vrijwel direct aan de voet van de heuvel strekte zich de ijsvlakte van een dichtgevroren fjord uit. De bewoonde wereld leek hier opeens mijlenver weg.

Midden in deze witte wereld stond op een aangestampt sneeuwveldje een Kawasaki-helikopter te wachten.

Hornsby minderde vaart bij de eerste zijweg en tuurde naar de sneeuw op zoek naar sporen. Toen hij niets zag, gaf hij vol gas tot hij bij de volgende zijweg kwam. Het voortdurend bij zijwegen afremmen kostte veel tijd, maar Hornsby en Crabtree moesten wel. De motorfiets was in geen velden of wegen te bekennen.

Al-Khalifa zette de geblinddoekte emir op de passagiersstoel van de Kawasaki, waarna hij de deur met een sleutel vanbuiten afsloot. De deurkruk aan de binnenkant had hij verwijderd, waardoor de emir er niet uit kon. Nadat hij om de helikopter heen was gelopen, nam hij op de stoel van de piloot plaats en stak de sleutel in het contactslot. Terwijl hij wachtte op het warm worden van het ontstekingssysteem keek hij opzij naar zijn gevangene.

'Weet u wie ik ben?' vroeg hij.

De emir knikte. Zijn mond en ogen waren nog altijd met plakband dichtgeplakt.

'Mooi,' zei Al-Khalifa, 'dan is het hoog tijd voor een uitstapje.'

Hij draaide de sleutel om en wachtte tot de rotorbladen voldoende kracht ontwikkelden. Vervolgens draaide hij aan de gashendel in de collectieve spoed, waarop de Kawasaki zich van de sneeuw verhief. Zodra de heli een meter of drie de lucht in was, duwde hij de hendel voor de cyclische spoed naar voren. De Kawasaki schoot vooruit, steeg tot niet ver boven de grond en vloog richting zee. Terwijl hij de helikopter laag boven het landschap in de beschutting van de bergen hield, keek Al-Khalifa achterom naar Reykjavik.

'De sporen houden hier op,' zei Hornsby, die door de open deur van de SUV naar de sneeuw staarde.

Crabtree keek door het zijraam naar buiten.

'Daar,' zei ze, op de sneeuw in de berm wijzend. 'Daar loopt een spoor.'

Hornsby tuurde naar de smalle geul. 'De sneeuw is te zacht. Daar komen we vast te zitten.'

Nadat ze de *Oregon* hadden ingelicht, waar men onmiddellijk George Adams met de Robinson-helikopter van de Corporation op pad stuurde, stapten Hornsby en Crabtree uit en volgden het smalle spoor te voet. Tien minuten later vonden ze de motorfiets. Tegen de tijd dat Adams boven hen arriveerde, hadden ze uitgevonden wat er was gebeurd. Via de radio namen ze contact met hem op.

'Het is duidelijk dat hier sneeuw door rotorbladen is weggeblazen,' meldde Hornsby.

'Dan ga ik op zoek naar een andere heli,' zei Adams.

Adams vloog zo ver als zijn brandstofvoorraad dat toeliet weg van Reykjavik, maar hij zag geen andere helikopters. De emir was verdwenen alsof hij door een reuzenhand van de aardbol was geplukt.

14

Cabrillo reed door de duisternis en volgde de lichtstralen die de lampen boven op de Thiokol als een smal, vaag pad door de witte, warrelende muur boorden. Na vijf uur en zo'n tachtig kilometer ten noorden van Kulusuk begon hij zich eindelijk wat meer op zijn gemak te voelen. De geluiden van de snowcat, die aanvankelijk chaotisch leken en voor hem niet herleidbaar waren, kregen nu steeds meer een vertrouwde klank. Hij voelde het ritme van de motor en hoorde het verschil tussen het ratelen van de rupsbanden en het kraken van het chassis. Afgaand op deze geluiden kon hij de snelheid opvoeren. Uit het geluid en de trillingen leidde hij af of de snowcat klom. Aan het gieren van de rupsbanden hoorde hij over wat voor soort ondergrond hij reed.

Geleidelijk werd Cabrillo één met de machine.

Twintig minuten eerder was Cabrillo voor het eerst de enorme ijskap opgereden die het grootste deel van Groenland bedekt. Nu stuurde hij de Thiokol met behulp van Campbells kaarten en gedetailleerde aantekeningen door een reeks met sneeuw en ijs bedekte dalen. Als alles volgens plan verliep, zou hij rond de tijd dat ze in IJsland aan het ontbijt zaten, bij Mount Forel arriveren. Daar zou hij de meteoriet kapen en in de snowcat leggen om daarna meteen naar Kulusuk terug te rijden, waar de helikopter van de *Oregon* klaarstond om hem en de bol op te pikken. Een paar dagen later zouden ze het geld ontvangen en was de hele klus geklaard.

Althans dat was het plan: even snel op en neer en klaar was Kees.

Cabrillo voelde de voorkant lichter worden en ramde de hendels net op tijd in de achteruit. De Thiokol viel even stil en schoot vrijwel datzelfde moment naar achteren. Sinds het vertrek uit Kulusuk was de tocht zonder problemen verlopen. Maar in deze genadeloze woestenij was een dergelijke onproblematische doortocht haast ondenkbaar, en als Cabrillo nu niet tijdig had gereageerd, had hij een paar seconden later samen met de Thiokol op de bodem van een brede ijsspleet gelegen.

Zodra hij een veilig stuk achteruit was gereden, trok Cabrillo zijn parka aan en klauterde uit de cabine. Nadat hij de lampen op het dak had bijgesteld, liep hij naar voren en tuurde in de afgrond. De dikke muur van de gletsjer glinsterde blauwgroen in het schijnsel van de lampen.

Hij keek naar de overkant van de spleet en schatte dat het gat zo'n drieënhalve meter breed was. Het was onmogelijk in te schatten hoever de spleet naar beide kanten doorliep voordat hij versmalde en ten slotte eindigde. Hij trok de capuchon van zijn parka strakker om zijn hoofd tegen de ijzige wind. Een halve meter verder en de snowcat was in de spleet geduikeld en naar beneden gestort, tot hij met de neus omlaag tussen de ijswanden was klem komen te zitten. Zelfs wanneer Cabrillo de val zou hebben overleefd, was de kans groot dat hij daar in de cabine als een rat in de val had gezeten. Hij zou er doodgevroren zijn voordat men hem daar had gevonden of een reddingsactie op touw had kunnen zetten.

Bij deze gedachte liepen de rillingen hem over de rug. Cabrillo liep terug naar de Thiokol, klom naar binnen en keek op de klok. Het was vijf uur 's ochtends en nog net zo donker als het de hele nacht was geweest. Hij wierp een blik op de kaart, pakte zijn passer en mat de afstand naar Mount Forel. Nog zo'n vijftig kilometer, een kleine drie uur rijden. Hij pakte de satelliettelefoon en belde Campbell. Tot zijn verbazing ging de telefoon maar één keer over.

'Ja,' zei Campbell met een heldere stem.

'Ik ben bijna in een gletsjerspleet gereden.'

'Wat zijn uw GPS-gegevens?' vroeg Campbell.

Cabrillo noemde ze op en wachtte terwijl Campbell zijn kaart raadpleegde.

'Zo te zien bent u anderhalve kilometer terug de verkeerde kant opgegaan,' zei Campbell, 'naar links in plaats van naar rechts. U bent nu bij de Nunuk-gletsjer. U moet een stukje terug en dan de rand van de gletsjer volgen. Nadat u een niet al te hoge heuvelrug bent overgegaan, daalt u weer af naar de laagvlakte. Vandaar kun je Forel zien als het buiten licht was en niet pikkedonker, zoals nu.'

'Dit weet u zeker?' vroeg Cabrillo.

'Absoluut. Ik ben ook weleens in dat dal geweest; daar loopt het dood.'

'Ongeveer anderhalve kilometer terug en dan naar links,' resumeerde Cabrillo.

'Voor u is dat nu rechtuit,' reageerde Campbell, 'want u komt nu van de andere kant.'

'En dan moet ik de rand van de gletsjer volgen?'

'Ja, maar eerst wil ik dat u, omdat u toch bent gestopt, uitstapt en de lamp aan de bestuurderskant naar opzij richt. Op die manier schijnt de lamp, als u bij de rand van de gletsjer bent, op de rand. Het ijs glinstert als jade of saffier. Als u af en toe opzij kijkt, ziet u dat de rand op een gegeven moment lager wordt. Daar gaat u over een bult heen en volgt er een nieuwe afdaling. Dat is het teken dat u de Nunuk-gletsjer bent gepasseerd. Vandaar kunt u linea recta op Mount Forel af sturen. Het is steil, maar de oude Thiokol trekt dat wel. Ik heb het eerder gedaan.'

'Bedankt,' zei Cabrillo. 'Denkt u dat u het volhoudt nog een paar uur nuchter te blijven voor het geval ik u nog eens nodig heb? Dat u het koppie erbij houdt?'

'Ik neem precies genoeg om helder te blijven,' zei Campbell. 'Ik ben er als u me nodig hebt.'

'Mooi,' zei Cabrillo, waarna hij de verbinding verbrak.

Nadat hij weer uit de cabine was gestapt, rekte hij zich uit en draaide de lamp op het dak naar opzij. Daarna stapte hij weer in, schakelde in de eerste versnelling en liet de snowcat honderdtachtig graden om haar as draaien. Langzaam rijdend vond hij na een paar meter de rand van de gletsjer en begon die te volgen.

Mount Forel was niet ver weg, maar door de sneeuw en de duisternis was de berg nog steeds niet te zien.

Cabrillo moest naar die berg om hem zijn geheim te ontfutselen. Maar er was nog iemand met hetzelfde plan, en diegene hield zich niet zoals de Corporation aan de regels van fair play. En dat zou tot een akelige confrontatie leiden.

De emir voelde dat de helikopter vaart minderde toen Al-Khalifa de Kawasaki op de achtersteven van de *Akbar* af stuurde en de heli vervolgens behoedzaam op het vliegdek liet zakken. Nadat dekknechten de landingsslede hadden vastgesjord en de rotorbladen tot stilstand waren gekomen, liep Al-Khalifa om het toestel heen, ontsloot de deur en trok de emir mee naar de grote salon. De ogen van de emir waren nog dichtgeplakt, maar hij hoorde een stuk of zes Arabisch sprekende stemmen. In de salon rook het naar een mengsel van buskruit, olie en een vreemde, zoete amandelgeur.

Nadat hij nogal ruw een trap naar een lager gelegen dek was afgeduwd, werd de emir weinig vriendelijk op een bed gesmeten, waar ook zijn handen en voeten met tape werden vastgemaakt. Hij lag op zijn rug als een opgemaakte kip. De emir hoorde Al-Khalifa tegen een bewaker spreken die buiten voor de deur stond. Daarna werd hij alleen gelaten met zijn vermoedens over zijn ongewisse lot.

Afgezien van het feit dat zijn gezichtshuid door de hitte in de hut nu wel heel erg transpireerde, maakte de man zich niet al te veel zorgen. Als Al-Khalifa hem wilde doden, had hij dat allang gedaan. Bovendien wist hij dat zijn vrienden van de Corporation hem spoedig uit deze benarde positie zouden bevrijden. Als hij nu maar even op zijn neus kon krabben, dan zou hij zich al een stuk beter voelen.

'Bevestig de lanceerinrichting,' zei Al-Khalifa, terwijl hij naar de grote salon terugliep. 'Ik moet zo snel mogelijk naar die berg.'

Vier mannen liepen het dek op en gingen aan het werk. De montage duurde even; wind, regen en sneeuw teisterden het dek van de *Akbar*, maar de mannen waren goed getraind en werkten stug door. Zevenentwintig minuten later liep hun voorman naar binnen en sloeg de sneeuw van zijn handschoenen.

'De lanceerinrichting is bevestigd,' zei hij tegen Al-Khalifa.

'Haal de mannen naar binnen, zodat we hier om de tafel kunnen gaan zitten.'

De groepjes terroristen namen plaats aan de lange, fraaie vergadertafel. Het was een bijeenkomst van een stelletje schurken, een moordenaarsbende. Ze keken Al-Khalifa verwachtingsvol aan.

'Allah heeft ons wederom gezegend,' begon Al-Khalifa. 'Zoals u hebt gezien, heb ik de prowesterse emir die over mijn land regeert, ontvoerd en gevangengenomen. Wat een tweede zaak betreft, heeft een westerse verrader mij op de locatie van een bol iridium geattendeerd die we kunnen gebruiken voor de fabricage van de bom die we voor Londen hebben voorzien. Als ik dat iridium te pakken krijg, zal dat de aanslag op London zeker honderd keer zo krachtig maken.'

'Gezegend zij Allah,' riep de groep spontaan.

'Op dit moment is de *Akbar* op weg naar de oostkust van Groenland,' zei Al-Khalifa plechtig. 'Als we daar over een paar uur aankomen, ga ik met de helikopter dat iridium halen. Zodra ik terug ben, zetten we koers naar Engeland voor de afronding van onze missie.'

'Er is er maar één, en die ene is Allah,' riep de groep in koor.

'Ik wil dat degenen die klaar zijn met hun werk nu goed

uitrusten,' zei Al-Khalifa. 'We zullen iedereen hard nodig hebben als we in Engeland zijn. Spoedig zullen allen die tegen Allah zijn onze wraak kennen.'

'Allah is groot,' riep de groep.

De bijeenkomst was afgelopen. Al-Khalifa verliet het vertrek en liep naar zijn hut. Hij kon nog een paar uurtjes slapen. Hij had geen idee dat dit zijn laatste slaap zou zijn voordat hij zijn ogen voor altijd sloot.

15

In het tweeduizend kilometer verderop gelegen hotel Kangerlussuaq beëindigde Clay Hughes een uitgebreid ontbijt van eieren met spek, gebakken aardappelen en paar dampende koppen koffie, toen Michael Neilsen naar zijn tafeltje kwam.

'Bent u klaar om te gaan?' vroeg Hughes, terwijl hij opstond.

'De weersomstandigheden zijn niet verbeterd,' zei Neilsen, 'maar ik ben bereid om het te proberen als u dat wilt. Wat dacht u?'

'We gaan,' zei Hughes.

'Als ik u was,' zei Neilsen, 'zou ik het hotel om een stevig lunchpakket vragen. Als we onderweg vast komen te zitten, kan het enige tijd duren voor er hulp ter plekke is.'

'Ik zal broodjes en een paar thermosflessen koffie bestellen,' zei Hughes. 'Is er nog iets anders dat we nodig zouden kunnen hebben?'

'Een goeie portie geluk,' antwoordde Neilsen, naar buiten kijkend.

'Ik ga het eten halen en dan zie ik u bij de helikopter.'

'Ik ben er klaar voor,' zei Neilsen, terwijl hij wegliep.

Vijftien minuten later verhief de EC-130B4 zich van het met sneeuw bedekte platform en verwijderde zich in oostelijke richting. Door het wolkendek drong de vage, gelige gloed van het zonlicht dat de schemering trachtte te doorbreken. Toch was de lucht vooral donker en dreigend, als een omen voortgedreven door een kwade wind.

De uren verstreken terwijl de helikopter hoog over het besneeuwde landschap vloog.

De Thiokol kwam tot stilstand en Cabrillo keek op de kaart. Hij veronderstelde dat hij nu binnen een uur bij de grot in Mount Forel kon zijn. Zodra hij de gletsjer achter zich had gelaten, zag hij dat zijn satelliettelefoon weer signalen opving. Hij drukte op de sneltoets en riep de *Oregon* op.

'We hebben geprobeerd je te bereiken,' zei Hanley meteen toen hij opnam. 'De emir is vannacht ontvoerd.'

'Ontvoerd?' zei Cabrillo geschrokken. 'Ik dacht dat we de boel onder controle hadden?'

'Ze hebben onze man te pakken,' zei Hanley, 'en er is met beide partijen sindsdien geen enkel contact.'

'Heb je enig idee waar ze hem naartoe hebben gebracht?'

'Dat zijn we aan het uitzoeken.'

'Zorg dat we onze man terugkrijgen,' zei Cabrillo.

'Doen we.'

'Ik ben bijna ter plaatse,' zei Cabrillo. 'Als dit gebeurd is, ben ik hier meteen weg. Zorg jij intussen dat er dan een wat sneller vervoermiddel voor me klaarstaat.'

'Ja,' zei Hanley.

Cabrillo verbrak de verbinding en gooide de telefoon op de passagiersstoel.

Op het moment dat Cabrillo Mount Forel naderde, veegde een medewerker van Reykjavik International Airport de sneeuw van de trap naar een 737 die particulier eigendom was. Aan beide kanten voorzagen generatoren het toestel van warmte en elektriciteit. Het inwendige van het vliegtuig was helverlicht en het schijnsel straalde als een reclameverlichting door de raampjes in de omringende schemering.

Door het raampje van de cockpit zag de piloot een zwarte limousine over het platform naderen, die voor de trap tot stilstand kwam. Er stapten vier mensen uit het achtercompartiment. Twee holden er meteen de trap op, terwijl de twee andere mannen het terrein van het vliegveld aftuurden om te zien of er iemand toekeek. Zodra ze de kust veilig achtten, beklommen ook zij ijlings de trap en sloten de deur van het straalvliegtuig achter zich.

De medewerker van het vliegveld klikte de koppelingen los, waarna hij de trap van het toestel wegtrok en bleef staan, terwijl de piloot de motoren startte. Nadat hij de verkeerstoren om toestemming had gevraagd, taxiede hij naar de startbaan en stelde zich op voor de start. Inclusief een tankstop in Spanje zouden ze hun bestemming over veertien uur bereiken.

Zodra de 737 van de startbaan was opgestegen, boog de medewerker voorover en sprak in de microfoon die bij de capuchon op zijn parka was bevestigd.

'Ze zijn weg,' was alles wat hij zei.

'Begrepen,' antwoordde Hanley.

Na zijn gesprek met Hanley was Cabrillo een uur lang met de Thiokol een helling opgereden. Nu stopte hij, ritste zijn parka dicht en klom naar buiten. Nadat hij de lampen zo had afgesteld dat hij er de berg mee kon afzoeken, liep hij naar de voorkant om het ijs van de grille te verwijderen. Juist toen hij weer wilde instappen, hoorde hij een dreunend geluid in de verte. In de cabine greep hij het contactsleuteltje en zette de motor af. Daarna luisterde hij opnieuw.

Het geluid werd door de wind meegevoerd en zwol zo nu en dan aan om dan weer weg te vallen. Ten slotte identificeerde Cabrillo het geluid, waarna hij weer instapte en de telefoon pakte.

'Max,' zei hij gehaast, 'ik hoor een helikopter naderen. Hebben jullie iemand gestuurd?'

'Nee,' zei Hanley. 'Daar zijn we nog mee bezig.'

'Kun je uitzoeken wat dit te betekenen heeft?'

'Ik zal via een DOD-satelliet proberen uit te zoeken wie dat is, maar dat kan een minuut of vijftien, twintig duren.'

'Ik wil graag weten wie me daar voor de voeten loopt,' zei Cabrillo.

'Wat we wél hebben ontdekt, is dat er een onbemande radarinstallatie van de Amerikaanse luchtmacht in de buurt is,' zei Hanley. 'Misschien zijn die antennes nog in gebruik en heeft de luchtmacht er iemand naartoe gestuurd, voor reparatiewerkzaamheden of zoiets.'

'Zoek het voor me uit,' zei Cabrillo, terwijl hij het sleuteltje omdraaide en de motor weer startte. 'Volgens mij ben ik vlak bij de grot.'

'Komt voor elkaar,' zei Hanley.

Met behulp van een slee om de sneeuw te egaliseren en een tiental pakjes Kool-Aid had Ackerman op een smal plateautje op zo'n zeventig meter voor de opening van de onderste grot een mooie, met een X gemarkeerde landingsplaats vrijgemaakt. Trots bekeek hij de plek. Hierop moest de helikopter kunnen landen zonder dat de rotorbladen de bergwand raakten. Het was krap, maar het was het beste wat hij hier op de berghelling kon doen.

Hij liep terug naar de ingang van de grot, waar hij wachtte tot de helikopter de landingsplek naderde, er even boven hing en landde. De rotorbladen draaiden uit tot ze stilvielen, waarop er aan de passagierskant een man uitstapte.

Cabrillo hoorde door het openstaande raam de helikopter landen, maar door de sneeuw en de duisternis had hij het niet kunnen zien. Hij was dichtbij, dat merkte hij aan alles. Hij trok nylon gamaschen over zijn met dons gevoerde broekspijpen en pakte een paar sneeuwschoenen uit de laadbak. Hij schoof zijn laarzen in de riempjes en trok ze stevig aan. Vervolgens pakte hij de kartonnen doos met de dummy die Nixon had gemaakt uit de bak.

Nu hoefde hij alleen nog maar ongezien de grot in te sluipen en de bollen te verwisselen.

'De baas heeft me gestuurd,' zei Hughes tegen Ackerman, nadat hij de helling naar de ingang van de grot had beklommen, 'om te kijken wat u hebt gevonden.'

Ackerman glimlachte trots. 'Het is een knaller,' zei hij, 'waarschijnlijk de belangrijkste archeologische vondst van de eeuw.'

'Dat heb ik gehoord, ja,' zei Hughes, terwijl hij dieper de grot inliep. 'En hij heeft me hierheen gestuurd om er zeker van te zijn dat u krijgt wat u verdient.'

Ackerman greep een reeds aangestoken lamp en ging Hughes voor naar de doorgang.

'Dus u verzorgt de persvoorlichting?'

'Ja, en nog wat andere dingen,' antwoordde Hughes, toen ze bij het gat in het plafond stilhielden. Een paar dagen eerder had Ackerman een houten ladder vanuit de bovenste grot door het gat laten zakken. Dit vergemakkelijkte de doorgang naar de bovenste grot aanzienlijk.

'Hier moeten we omhoog, en boven zal ik u uitgebreid rondleiden,' zei Ackerman.

De beide mannen klommen via de ladder naar de bovenste grot.

Hughes luisterde geduldig naar de ellenlange verhalen over de vondsten van Ackerman, maar in feite was hij uitsluitend geïnteresseerd in het object waar hij voor was gekomen. Zodra hij dat in handen had, was hij snel weer vertrokken.

Cabrillo zwoegde over de berghelling tot hij op een plek kwam waar de sneeuw gesmolten was. Vooroverbuigend zag hij dat er een kleine opening in de grond was, omgeven door keien die in de sneeuw lagen alsof ze via het gat naar buiten waren gegooid. Vanuit de berg steeg warme lucht op die de sneeuw rond de opening deed smelten. Nadat hij wat stenen had verwijderd tot het gat groot genoeg was om erdoorheen te kunnen, liet hij zich door het gat in de bovenste grot zakken, waarna hij ook de kartonnen doos naar binnen tilde.

Eenmaal binnen merkte hij dat hij er rechtop kon lopen.

Behoedzaam liep hij dieper de gang in om te kijken waar hij uitkwam.

Ook al had hij dan een hart van steen, zelfs Hughes was onder de indruk van de grot en het heiligdom. Ackerman stond glunderend als de assistente in een spelletjesprogramma met uitgestrekte arm naast de meteoriet op de sokkel.

'Prachtig hè?' zei Ackerman.

Hughes knikte en haalde een draagbare geigerteller uit zijn zak. Hij klikte hem aan en bewoog hem langs de meteoriet. De naald sloeg uit tot over het maximum. Na een paar uur blootstelling aan deze straling zou iemand de eerste symptomen van stralingsziekte al voelen. Hij besefte dat hij de meteoriet zorgvuldig moest afschermen voor de reis terug naar Kangerlussuaq.

'Hebt u hier al veel tijd doorgebracht?' vroeg Hughes aan Ackermann.

'Ik heb de bol van alle kanten onderzocht,' antwoordde Ackerman.

'Hebt u zich weleens niet goed gevoeld? Hebt u de afgelopen dagen fysieke veranderingen bij uzelf waargenomen?'

'Ik heb af en toe een bloedneus,' zei Ackerman. 'Ik dacht dat dat van de droge lucht kwam.'

'Een symptoom van de stralingsziekte, u bent al besmet, vrees ik,' zei Hughes. 'Ik moet terug naar de helikopter om iets te halen waarmee ik dit ding kan afschermen.'

Cabrillo snelde door de gang op het geluid van de stemmen af. Verscholen achter een rotsblok luisterde hij naar de twee mannen.

'Ik moet terug naar de helikopter om iets te halen waarmee ik dit ding kan afschermen,' hoorde hij een van hen zeggen. Daarna hoorde hij de twee mannen weglopen en werd het donker in de grot. Hij wachtte af om te zien wat er verder zou gebeuren.

'Blijf hier wachten,' zei Hughes toen ze bij de uitgang van de onderste grot kwamen.

Ackerman keek toe hoe Hughes de helling afliep naar de helikopter en de achterdeur opende.

'Ik ben over een paar minuten terug,' zei hij tegen Neilsen, terwijl hij een doos achter uit de cabine pakte, 'dan kunnen we vertrekken.'

'Klinkt goed,' zei Neilsen, terwijl hij een veelbetekenende blik op de weersomstandigheden buiten wierp.

Hughes liep met de doos terug de helling op. Toen hij de grot binnenkwam, keek hij Ackerman aan. 'Ik heb iets meegenomen dat u tegen uw ziekte kunt innemen,' zei hij. 'Ik zal het u straks geven.'

Cabrillo wachtte een minuut tot hij er zeker van was dat hij alleen was. Daarna haalde hij uit zijn zak een plastic zak tevoorschijn, die hij aan de bovenkant openscheurde. De met gas gevulde lichtstaaf die hij er uittrok boog hij doormidden alsof hij een soepstengel wilde breken, waarop de staaf een groenig licht uitstraalde. In het schijnsel van deze lamp liep hij naar de meteoriet. Net toen hij bij het altaar was, hoorde hij een schot afgaan.

Snel stak hij een hand in zijn zak, diepte een in folie verpakt zakje op, scheurde het met zijn tanden open en sprenkelde de inhoud over de meteoriet. Het geluid van voetstappen zwol aan en hij verborg zich snel achter een stapel keien. De groene lamp stak hij in zijn zak.

Het was een lange man met een lamp die naar het altaar liep, de meteoriet oppakte en in een doos stopte. Cabrillo had het geweer in de Thiokol achtergelaten, zodat hij nu weinig kon doen. Cabrillo zou de meteoriet dieper de grot in moeten volgen.

Met het ijzeren hengsel van de lantaarn tussen zijn tanden pakte de man de doos met beide handen op en liep weg.

Cabrillo wachtte tot het licht van de lantaarn volledig verdwenen was, waarna hij langzaam, met zijn groene lamp voor zich uit schijnend, door de grot liep. Hij ging ervan uit dat de mannen de meteoriet ergens anders zouden onderzoeken, en als hij hen daarbij aantrof, zou hij toeslaan.

Op dat moment struikelde hij over de ladder en viel haast door het gat.

Aandachtig luisterend of niemand het had gehoord, wachtte hij enige tijd muisstil af. Toen er geen reactie kwam, daalde hij via de ladder af. Onderaan stapte hij op het lichaam van Ackerman.

16

Direct nadat Hanley de bevestiging had ontvangen dat er op het tijdstip dat de emir werd ontvoerd geen IJslandse burger- of militaire helikopters in de lucht waren geweest, was het kinderspel om deze informatie te koppelen aan de havenrapporten, waarin was vastgelegd welke schepen rond deze tijd waren binnengekomen en uitgevaren.

Het kostte hem weinig tijd om hieruit te concluderen dat de *Akbar* nadere verificatie vereiste.

Satellietwaarnemingen wezen uit dat de *Akbar* door de Straat van Denemarken tussen IJsland en Groenland voer. Nadat ze onmiddellijk de haven hadden verlaten, gaf hij opdracht de magneethydrodynamische voortstuwing in te schakelen zodra ze uit zicht van het vasteland waren. De *Oregon* voer nu met een snelheid van dertig knopen als een skiër slalommend tussen de ijsbergen door. Hij probeerde opnieuw om Cabrillo te bellen, maar er werd niet opgenomen.

Op dat moment kwam Michael Halpert de controlekamer binnen. 'Door ingewikkelde constructies was de eigendomsregistratie nogal ondoorzichtig,' zei hij, 'en daardoor hebben we het risico niet juist ingeschat.'

'Wie is de werkelijke eigenaar?' vroeg Hanley.

'De Hammadi Groep.'

'Al-Khalifa,' zei Hanley. 'We wisten dat hij het op de emir gemunt had, maar als we hadden geweten dat hij hier over een jacht beschikte, was het waarschijnlijk heel anders gelopen.'

Eric Stone draaide zich om op zijn stoel. 'Chef,' zei hij, 'ik heb gevonden wat we zoeken. Ik heb hier de identiteit van de helikopter. Het is een Eurocopter van het model EC-130B4. Ik ben nu aan het uitzoeken waar en hoe hij is geregistreerd.'

Hanley wierp een blik op het scherm. 'Waarom zijn er twee puntjes?'

Stone keek er even aandachtig naar en vergrootte het beeld. 'Die tweede is pas zojuist opgedoken,' zei hij. 'Het is een gok, maar ik vermoed dat er nog een helikopter in de lucht is.'

Cabrillo hield zijn groene lamp op, bukte en drukte zijn vingers in Ackermans hals. Hij voelde een zwakke hartslag. De archeoloog bewoog en opende zijn ogen. Ze waren vochtig, zijn huid was ziekelijk grauw en zijn lippen bewogen nauwelijks.

'U bent niet...' fluisterde hij.

'Nee,' zei Cabrillo, 'ik ben niet de man die u heeft neergeschoten.'

Nadat hij Ackermans jas had opengeslagen, pakte Cabrillo een mes uit zijn zak en sneed zijn hemd open. Het was een diepe wond, en het bloed spoot er als een fontein met een te krachtige pomp uit.

'Hebt u hier een EHBO-doos?' vroeg Cabrillo.

Ackerman gebaarde naar een nylontas bij een opvouwbare tafel die een paar meter van hen vandaan stond. Cabrillo liep ernaartoe, ritste de tas open en haalde de doos eruit. Uit de plastic doos pakte hij verbandgaas en hechtpleisters. Terwijl hij naar Ackerman terugliep, scheurde hij de pakjes open. Vervolgens drukte hij een prop verbandgaas op de wond en plakte die vast. Daarna boog hij voorover en legde Ackermans hand op de wond.

'Hou je hand zo,' zei Cabrillo, 'ik ben zo terug.'

'*De Geest*,' fluisterde Ackerman, 'het was *de Geest*.'

Cabrillo draaide zich op zijn hakken om en haastte zich

naar de uitgang van de grot. In het halfduister turend hoorde hij de motor van de Eurocopter aanslaan en zag hij de knipperlichtjes op de romp.

Opeens dook er in de verte een tweede stel knipperlichtjes op.

Al-Khalifa was een uitstekende helikopterpiloot. Op een vals studentenvisum en met een investering van honderdduizend dollar aan collegegeld had hij een opleiding van een jaar aan de vliegschool van Zuid-Florida gevolgd. Door de voorruit zocht hij aandachtig de hellingen van Mount Forel af. Hij had juist een oranje snowcat ontdekt, toen hij de andere helikopter in zicht kreeg.

Het lot is ondoorgrondelijk. Vijf minuten later en deze kans was aan zijn neus voorbijgegaan.

Een seconde later had Al-Khalifa de situatie ingeschat en een nieuw plan ontwikkeld.

Cabrillo glipte behoedzaam uit de grot en dook achter een rotsrichel weg. Hij moest naar de Thiokol terug om zijn geweer te halen, maar de tweede helikopter kwam recht op hem af. Hij trok zijn satelliettelefoon uit zijn zak tevoorschijn en keek op het schermpje. Nu hij buiten de grot was, kon hij weer verbinding maken. Hij drukte op de sneltoets en wachtte tot Hanley reageerde.

'Het lijkt hier de val van Saigon wel,' zei Cabrillo. 'Toen ik aankwam, stond er al een helikopter en nu is er een tweede. Wie zijn dat allemaal?'

'Stony heeft er zojuist één geïdentificeerd,' antwoordde Hanley. 'Het is een charter uit West-Groenland van een zekere Michael Neilsen. We hebben hem nagecheckt om te kijken of hij aan een of andere organisatie gelieerd is, maar tot dusver hebben we niets gevonden. Dus neem ik aan dat het een normale charterpiloot is.'

'En de tweede?'

Stone zat als een gek op zijn toetsenbord te rammen. 'Dat is een Bell JetRanger met een leasecontract op naam van een Canadese mijnbouwfirma.'

'De tweede is een Bell JetRanger...' begon Hanley.

'Ik zie hem nu recht voor me,' onderbrak Cabrillo, 'maar dit is geen JetRanger, dit lijkt meer op een McDonnell-Douglas 500.'

Stone typte een aantal trefwoorden in en het volgende ogenblik verscheen er het wrak van een helikopter in beeld. 'Iemand heeft de registratiegegevens gestolen om identificatie te bemoeilijken. Kan Cabrillo de nummers op het staartvlak herkennen?'

'Stone zegt dat het om een gestolen registratie gaat,' gaf Hanley door. 'Staat er iets op het staartvlak?'

Cabrillo diepte uit zijn zak een kleine verrekijker op en tuurde in de duisternis. 'Twee dingen,' zei hij langzaam. 'Ten eerste hangt er een lanceerinrichting onder de romp, en ten tweede zijn de nummers op het staartvlak onherkenbaar. Wel staan er letters op de zijkant. Ik zie een A, een K en een B. De rest is door aangekoekt ijs onleesbaar, de volgende zou een A kunnen zijn, maar daar ben ik niet zeker van.'

Hanley vertelde aan Cabrillo wat ze over het jacht *Akbar* te weten waren gekomen.

'Is het die klootzak van een Al-Khalifa?' liet Cabrillo zich ontglippen. 'Wie zit er dan wel niet in die andere helikopter? Al Capone?'

Neilsen had de rotorbladen op volle toeren en hij draaide juist aan de collectieve spoed om het toestel op te laten stijgen, toen de andere helikopter in zijn gezichtsveld verscheen.

'Kijk,' zei hij via de intercom tegen Hughes.

'Opstijgen, nu!' riep Hughes terug.

'Ik denk dat we beter hier kunnen blijven om te zien wat er aan de hand is,' zei Neilsen.

Met een bliksemsnelle beweging trok Hughes een pistool uit zijn zak en drukte de loop tegen Neilsens hoofd. 'Opstijgen zei ik.'

Eén blik op Hughes en het pistool was voldoende. Neilsen bewoog de cyclische spoed en de Eurocopter schoot vooruit.

Op datzelfde moment flitste er een steekvlam onder de romp van de andere helikopter en suisde er een projectiel over de plek waar ze zojuist nog hadden gehangen. Het projectiel miste doel en explodeerde ergens ver weg in het bevroren landschap.

In de controlekamer van de *Oregon* verscheen er een nieuwe afbeelding op Stone's computerscherm. 'Dit is een DOD-satellietopname van een uur geleden,' zei hij. 'Helikopter nummer twee kwam van een locatie voor de kust van Oost-Groenland en is linea recta naar Mount Forel gevlogen.'

Op datzelfde moment liep Adams de controlekamer binnen. 'Onze helikopter is bewapend en gereed voor vertrek.'

'Is de actieradius voldoende voor een retourvlucht?' vroeg Hanley.

'Nee,' antwoordde Adams, 'daarvoor komen we dertig tot veertig gallon tekort.'

'Wat voor brandstof?'

'Octaangehalte honderd, ongelood.'

'Juan,' zei Hanley in de satelliettelefoon, 'Adams is klaar om te vertrekken, maar hij heeft onvoldoende brandstof voor de terugreis. Heb je reservetanks in de snowcat?'

'Ik heb nog zo'n honderd gallon over,' zei Cabrillo.

Hanley keek op naar Adams, die aandachtig had meegeluisterd.

'Als ik wat octaanverhoger meeneem, kunnen we het octaangehalte van de brandstof opvijzelen. Dat lukt misschien wel. Hoe dan ook, ik wil daar per se heen om de baas te helpen.'

'Ik bel de werkplaats en laat octaanversterker naar het vliegdek brengen,' zei Hanley. 'Bereid de vlucht voor en vertrek zo spoedig mogelijk.'

Adams knikte en holde naar de deur.

'De cavalerie komt eraan, Juan,' zei Hanley in de telefoon. 'Die is over een paar uur bij je.'

Cabrillo zag hoe de tweede helikopter naar de Eurocopter toedraaide voor een tweede schot. 'Prima,' zei Cabrillo, 'want de helikopter met de valse registratie heeft zojuist een raket op het gecharterde toestel afgevuurd.'

'Dat méén je niet,' zei Hanley verbaasd.

'En dat is nog niet alles,' vervolgde Cabrillo. 'Het echt slechte nieuws heb ik nog niet eens kunnen vertellen.'

'Kan het nog erger dan?'

'De meteoriet bevindt zich aan boord van de gecharterde helikopter,' zei Cabrillo. 'Ze hebben hem voor mijn ogen weggekaapt.'

In de Eurocopter hield Hughes met zijn ene hand het pistool tegen Neilsens hoofd gedrukt, terwijl hij met zijn andere hand een satelliettelefoon oppakte.

'Vlieg in westelijke richting naar de kust,' zei hij, 'de plannen zijn veranderd.'

Neilsen knikte en wijzigde de koers.

Daarop drukte Hughes op een van de sneltoetsen van de telefoon en wachtte.

'Hallo,' zei hij, terwijl Neilsen de snelheid opvoerde en ze over het besneeuwde landschap raasden. 'Ik heb het object in bezit en de toezichthouder uitgeschakeld, maar er is een kink in de kabel.'

'En dat is?'

'We worden aangevallen door een onbekende helikopter.'

'U bent op weg naar de kust?'

'Ja, zoals afgesproken.'

'Daar wacht het team,' zei de man. 'Als de helikopter u tot boven zee blijft volgen, rekenen zij wel met hem af.'

Voordat Hughes kon antwoorden, raakte een tweede projectiel de staart van de helikopter en vernielde een van de bladen van de staartrotor. Neilsen rukte verwoed aan de stuurknuppel, maar de Eurocopter raakte onontkoombaar in een dodelijke spiraalvlucht.

'We storten neer,' wist Hughes nog uit te brengen voordat zijn hand door de centrifugale kracht van de tollende helikopter tegen het raam sloeg, waardoor het glas brak en de telefoon de geest gaf.

Nadat de helikopters in de verte waren verdwenen, was Cabrillo de berghelling opgelopen naar de plek waar hij zijn sneeuwschoenen had achtergelaten. Hij maakte ze juist aan zijn laarzen vast toen het geluid van de raket die de Eurocopter raakte hem deed opkijken. Het was donker en het duurde even voordat hij überhaupt iets van zijn omgeving zag. Maar een paar seconden later verscheen er een helder flakkerend licht aan de horizon. Vlak boven de grond vlamde het op als een kwaadaardig noorderlicht, waarna het langzaam doofde.

Nadat Cabrillo de sneeuwschoenen had vastgemaakt, liep hij naar de Thiokol en reed ermee in de richting van het licht. Toen hij er tien minuten later aankwam, smeulde het vuur nog. De helikopter lag als een omgewaaide molen op zijn zij. Cabrillo stapte uit en wrikte de deur aan de bovenkant van het wrak open. Zowel de piloot als de passagier was dood. Nadat hij alle identiteitsbewijzen van de lijken en de helikopter die hij kon vinden had verwijderd, ging hij in het wrak op zoek naar de doos met de meteoriet.

Maar hij vond niets. Alleen een paar voetafdrukken van onbekende derden.

Nadat de verbinding met Hughes was weggevallen en niet meer hersteld kon worden, belde de medewerker van Hughes een ander nummer.

'We hebben een enorme tegenslag,' zei hij. Nadat hij de situatie had uitgelegd, antwoordde de ander vol vertrouwen: 'Maakt u zich geen zorgen. We zijn goed getraind en op alles voorbereid.'

17

Zodra het vuur van de opengescheurde brandstoftank door de sneeuw en de kou was gedoofd, had Al-Khalifa de deur van de Eurocopter geforceerd. Bij een vluchtige inspectie van de lijken zag hij dat er een lege, holle blik in de geopende ogen lag, wat erop wees dat het waarschijnlijk een snelle dood was geweest. Al-Khalifa had niet de moeite genomen de mannen te identificeren. Eerlijk gezegd interesseerde het hem niets wie ze waren. Het waren westerlingen en ze waren dood, dat was voldoende.

Zijn belangrijkste doel was het vinden van de meteoriet, en daarvoor moest hij door de achterdeur naar binnen klimmen omdat daar de doos onder een van de stoelen klem zat. Nadat hij de doos had losgewrikt en uit de helikopter had getild, opende hij de sluiting en klapte het deksel open.

In de doos lag de meteoriet, ingebed in piepschuim tussen loden platen.

Hij sloot de doos, liep door de sneeuw naar de Kawasaki HK-500D, zette de doos op de passagiersstoel en maakte hem vast met de veiligheidsgordel. Vervolgens stapte hij ook zelf in, startte de motor en steeg op. Toen hij over het besneeuwde terrein wegvloog, stond de doos naast hem op de stoel alsof het een eregast betrof en niet een gruwelijke bol van een giftige stof die voor de besmetting van een onwetende bevolking zou worden gebruikt.

Al-Khalifa liet de bemanning van de *Akbar* via de radio weten dat hij er aankwam. Zodra hij op het schip terug was, zouden ze naar Londen kunnen gaan om hun missie te volbrengen. De wraak van de ware gelovigen zou spoedig een hoge vlucht nemen.

Daarna kon hij zich op de emir concentreren en op de omverwerping van de regering van Qatar.

'Heb je ook nog goed nieuws voor me?' zei Cabrillo, terwijl hij zich met zijn rug naar de aanwakkerende wind draaide.

'We hebben de *Akbar* op de radar gelokaliseerd,' zei Hanley. 'We zijn op een paar uur afstand. Ik bereid een aanval voor nu we daar tóch onze man moeten oppikken.'

Cabrillo bekeek het ontvangstsignaal op de telefoon en deed een stap opzij voor een betere ontvangst. 'Ik ben op de plek waar de Eurocopter is neergestort,' zei hij. 'Hij is neergehaald door de mysterieuze heli. De piloot en de passagier zijn dood... en de meteoriet is verdwenen.'

'Weet je dat zeker?' vroeg Hanley.

'Absoluut. Ik heb een voetspoor gevonden en dat ben ik gevolgd tot ik bij een plek kwam waar afdrukken in de sneeuw er duidelijk op wezen dat daar de andere helikopter was geland. Degene die de Eurocopter heeft neergehaald, heeft nu de meteoriet.'

'Ik zal Stone vragen de route van de helikopter op de radar te volgen,' zei Hanley. 'Erg ver weg kan hij niet zijn. Als het een MD-helikopter is, hebben we te maken met een actieradius van maximaal 550 kilometer. Aangezien hij niet kon bijtanken, moet hij zich ergens binnen een straal van 275 kilometer van de plek waar je nu bent bevinden.'

'Zeg tegen Stone dat hij het ook op een andere manier probeert,' zei Cabrillo. 'Ik heb de meteoriet nog met zand kunnen bedekken voordat hij gestolen werd.'

Zand werd bij de Corporation als codenaam gebruikt voor de microscopisch kleine zendertjes die Cabrillo in de duisternis over de bol had gesprenkeld. Voor ongetrainde ogen leek het stof, maar ze zonden een signaal uit dat met de elektronische apparatuur op de *Oregon* kon worden gevolgd.

'Wat goed, zeg!' zei Hanley.

'Niet goed genoeg, een ander is er met de hoofdprijs vandoor.'

'Die krijgen we ook nog wel,' zei Hanley.

'Bel me als je nieuws hebt.'

Nadat hij de verbinding had verbroken, begon Cabrillo aan de terugtocht door de sneeuw naar de grot.

Op zo'n honderdtwintig kilometer afstand en niet waarneembaar door de radarinstallatie op de *Akbar* was de stemming aan boord van het motorjacht *Free Enterprise* aanzienlijk ingetogener. De bemanning was begeesterd door een hartstocht die niet onderdeed voor die van de moslims op de *Akbar*, maar zij waren simpelweg beter getraind en niet gewend hun emoties al te zeer de vrije loop te laten. Alle opvarenden waren blank, langer dan één meter tachtig en in een topconditie. Ze hadden allemaal ooit bij een onderdeel van het Amerikaanse leger gediend en ieder voor zich had zo zijn redenen gehad om zich bij dit team aan te sluiten. Ze waren allemaal bereid om voor de goede zaak te sterven.

Scott Thompson, de leider van het team op de *Free Enterprise*, zat in de stuurhut te wachten tot hij werd gebeld. Zodra dat gebeurde, zouden ze tot de aanval overgaan. West en oost stonden tegenover elkaar in een conflict dat zich in het geheim had ontwikkeld.

De *Free Enterprise* voer op hoge snelheid door een dichte mist zuidwaarts. In het afgelopen uur was het schip een drietal ijsbergen gepasseerd waarvan de top minstens een halve hectare besloeg. Kleinere ijsschotsen waren te talrijk om te tellen en ze dobberden als ijsblokjes in een longdrinkglas op de golven. Buiten was het bitterkoud en de wind trok aan.

'Apparatuur ingeschakeld,' zei de kapitein.

Hoog op de bovenbouw van de *Free Enterprise* begon elektronische apparatuur met het oppikken van de radarsignalen van andere vaartuigen. Vervolgens werden deze signalen met variërende snelheden teruggezonden. Omdat er geen consistent signaal terugkwam, kon de radarinstallatie van de andere schepen de *Free Enterprise* niet waarnemen.

Het schip was een onopgemerkte spookverschijning op de zwarte, woeste zee geworden.

Een lange man met borstelhaar stapte de stuurhut binnen.

'Ik heb alle gegevens nagekeken,' zei hij. 'Daaruit moeten we concluderen dat Hughes het loodje heeft gelegd.'

'Dan is de kans groot dat degene die achter Hughes aanzat nu de meteoriet heeft,' merkte de kapitein op.

'De helikopter is getraceerd als afkomstig van een bedrijf in Las Vegas.'

'En wat is zijn bestemming nu?' vroeg de kapitein.

'Dat is het mooie,' antwoordde de man, 'hij gaat recht op ons beoogde doel af.'

'Klinkt alsof we twee vliegen in één klap kunnen slaan,' zei de kapitein.

'Precies.'

Adams was een uitstekende piloot, maar de toenemende duisternis en aanwakkerende wind kostten hem menige zweetdruppel. Al sinds hij van de *Orgeon* was opgestegen, vloog hij uitsluitend op de instrumenten. Hij wreef zijn vochtige handen af aan zijn vliegpak, zette de cockpitverwarming lager en bestudeerde het navigatiescherm. Met de huidige snelheid zou hij over twee minuten de kustlijn passeren. Nadat hij zijn hoogte iets had opgevoerd ter compensatie van de stijgende ondergrond aan de voet van het gebergte, liet hij zijn blik weer over de instrumenten gaan.

Het slechte zicht gaf hem het gevoel alsof hij met een papieren zak over zijn hoofd door een onbekende ruimte liep.

Cabrillo vroeg zich af of Ackerman nog leefde. Zo nu en dan voelde Cabrillo iets wat op een zwakke hartslag leek, maar de wond bloedde niet meer en dat was een slecht teken. Ackerman had zich niet meer verroerd sinds Cabrillo in de grot was teruggekeerd. Hij had zijn ogen gesloten en de oogleden trilden zelfs niet. Cabrillo tilde zijn bovenlichaam iets op zodat de wond zich onder zijn hart bevond en dekte hem toe met een slaapzak. Veel meer kon hij niet voor hem doen.

Toen ging zijn telefoon.

'Het signaal van de meteoriet gaat rechtstreeks naar de *Akbar*,' zei Hanley.

'Al-Khalifa,' riep Cabrillo uit. 'Hoe is hij in godsnaam de meteoriet op het spoor gekomen?'

'Ik heb Overholt gemeld dat Echelon een lek heeft,' zei Hanley. 'Dat is de enige mogelijkheid.'

'De Hammadi Groep is dus van plan een vuile bom te maken,' zei Cabrillo, 'maar daarmee weten we nog niet wie degenen waren die de meteoriet als eersten te pakken hadden.'

'Over de passagier hebben we nog helemaal niets kunnen vinden,' zei Hanley, 'maar ik vermoed dat het iemand was die voor Al-Khalifa werkte en dat ze onderling ruzie kregen.'

Cabrillo dacht een ogenblik na. Het was een plausibele verklaring – wellicht de enige die logisch leek – maar toch bleef er enige twijfel knagen. 'Ik neem aan dat we er vanzelf wel achter komen als we de emir hebben bevrijd en de meteoriet in bezit hebben.'

'Dat is de bedoeling, ja,' zei Hanley.

'Dan zit deze klus er ook weer op,' zei Cabrillo.

'Een peulenschil.'

Cabrillo noch Hanley kon voorzien dat het einde nog lang niet in zicht was. En ook niet dat het allesbehalve een peulenschil zou zijn.

'Vraag of Huxley me belt,' zei Cabrillo. 'Ik heb medisch advies nodig.'

'Komt voor elkaar,' zei Hanley alvorens hij ophing.

Aan boord van de *Akbar* flitsten felle schijnwerpers aan om het landingsplatform te verlichten.

Vanaf de zijkant keken een paar Arabieren toe hoe Al-Khalifa even boven de achtersteven bleef hangen, iets naar voren kwam en op het vliegdek landde. Zodra de landingsslede het dek raakte, renden de twee mannen onder de wiekende rotorbladen door om de landingsslede aan het dek vast te maken.

De rotorbladen verloren hun snelheid toen Al-Khalifa de motor afzette, en zodra ze stilstonden, stapte hij uit en liep om het toestel heen naar de passagierskant. Daar tilde hij de doos uit de heli, liep ermee naar de deur van de grote salon en wachtte tot deze voor hem werd opengedaan.

Hij stapte naar binnen en liep op de lange tafel af waarop hij de doos neerzette.

Terwijl hij de sluiting losmaakte en het deksel openklapte, kwamen de terroristen om hem heen staan. Zwijgend staarden ze naar de bol tot Al-Khalifa zich vooroverboog, de zware bol optilde en hem boven zijn hoofd hield.

'Op nog een miljoen dode ongelovigen,' zei hij luid, 'en Londen in puin.'

'Allah zij geloofd!' riepen de terroristen.

'Anderhalve kilometer recht vooruit,' zei de kapitein van de *Free Enterprise*, 'progressie zestien knopen.'

In de stuurhut had zich een groep van negen, in zwarte waterdichte uniformen gehulde mannen verzameld. Ze waren bewapend met geweren aan draagriemen, handvuurwapens en granaten.

De *Free Enterprise* lag stil in het water. Langs de zijkant van het achterdek werd een grote, zwarte, kogelbestendige opblaasboot te water gelaten. Zowel op de boeg als op de achtersteven stond een .50-machinegeweer opgesteld. Op de stijve polyester bodem van het vaartuig was een krachtige dieselmotor gemonteerd.

De boot verdween over de reling en zakte met een plons in het water.

'We gaan erin via de achtersteven,' zei de aanvoerder, 'neutraliseren de doelen, nemen de meteoriet en taaien af. Ik wil dat we in exact vijf minuten terug aan boord zijn.'

'Zijn er mensen van onze kant aan boord?' vroeg een van de mannen.

'Eén,' antwoordde de aanvoerder, terwijl hij de anderen een foto liet zien.

'Wat doen we met hem?'

'Beschermen indien mogelijk,' zei de aanvoerder, 'maar niet als je daarmee je eigen leven riskeert.'

'Laten we hem daar achter?'

'Hij is voor ons niet van belang,' antwoordde de aanvoerder. 'Kom, we gaan.'

De mannen liepen in een rij van de stuurhut naar het achterdek. Een voor een daalden ze een trap af die langs de romp naar een klein platform leidde, waaraan de opblaasboot met stationair lopende motor klaarlag. Zodra iedereen aan boord was, posteerde een van hen zich achter het stuurrad, schakelde en stuurde de boot weg van de *Free Enterprise*.

Met een snelheid van vijfenvijftig knopen had de opblaasboot de afstand tot de *Akbar* in een mum van tijd overbrugd. Toen ze de achtersteven van het jacht naderden, legde de stuurman van de rubberboot zijn vaartuig met een uitgekiende manoeuvre langs het drijvende platform aan het achterdek van de varende *Akbar*. De mannen stapten op het platform, waarna de stuurman de rubberboot wegdraaide om het jacht op enige afstand te volgen. De acht mannen klommen behoedzaam naar het dek.

De gevangene in de hut op de *Akbar* was erin geslaagd zijn handen te bevrijden, maar niet zijn benen. Nadat hij naar het toilet was gehupt om zijn blaas te legen, was hij naar het bed teruggegaan en had zijn handen weer vastgemaakt. Als er niet spoedig iemand kwam om hem te redden, moest hij dat in eigen hand nemen. Hij begon honger te krijgen, en honger was iets wat hem absoluut tot waanzin dreef.

Op het bovendek was het enige geluid dat hij waarnam een zacht bonken van met vilt overtrokken laarzen toen de mannen van de *Free Enterprise* zich over de *Akbar* verspreidden. Gedurende enkele seconden klonk er overal op het schip zacht geplop, alsof er popcorn werd gepoft. Dit werd gevolgd door het geluid van op het dek neerploffende lichamen.

Een paar seconden later zwaaide de deur van de hut van de

gevangene open en scheen een man in het zwart met een lamp in zijn gezicht. De man nam hem aandachtig op, keek op een foto die hij in zijn hand hield en sloot de deur. De gevangene rukte aan de tape op zijn gezicht.

De *Akbar* minderde vaart en kwam stil te liggen.

In hoog tempo sleepten vier mannen de lijken van de terroristen naar de reling en gooiden ze, met als eerste de leider, overboord, terwijl de andere helft het bloed opruimde. Vier minuten en veertig seconden nadat ze voet aan dek van de *Akbar* hadden gezet, lieten ze zich weer op het drijvende platform zakken.

De aanvoerder van het team van de *Free Enterprise* zette voorzichtig een doos achter in de opblaasboot, waarna ook de mannen aan boord stapten. De stuurman gaf gas, waarop de zwarte boot met een razende vaart naar haar moederschip terugvoer.

Het opwarmen van een diepvriespizza zou meer tijd in beslag nemen dan deze bestorming van de *Akbar*.

Zodra het team weer aan boord was en de rubberboot het dek op was gehesen, stuurde de kapitein de *Free Enterprise* langszij de *Akbar*. De mist was enigszins opgetrokken en de lichten van de *Akbar* weerspiegelden zich in het zwarte water van de oceaan. Het jacht lag schommelend op de golven als een schip dat boven een rif voor anker was gegaan. Het verschil was alleen dat het water hier te koud was om te duiken. Bovendien was er, op één man na, niemand aan boord om de duik te begeleiden.

De *Free Enterprise* legde niet aan maar voer door, waarna de kapitein de snelheid geleidelijk opvoerde.

18

Adams bleef met zijn helikopter boven Mount Forel hangen en liet door de buitenspeaker het geluid van een sirene klinken. Na een paar minuten wachten zag hij beneden het schijnsel van een groene lamp oplichten. Nadat hij ernaartoe was gevlogen, zette hij de sirene nogmaals in werking om Cabrillo te waarschuwen dat hij niet te dicht bij de landingsplaats moest komen. Vervolgens landde hij op de sneeuw. Zodra de rotorbladen tot stilstand waren gekomen, stapte hij uit.

'Hallo,' zei hij toen Cabrillo op hem afkwam, 'ik ben blij u te zien. Het is hier zo donker, je ziet geen hand voor ogen.'

'Is iedereen veilig uit IJsland vertrokken?'

'Alles volgens plan,' antwoordde Adams.

'Dat is dan tenminste één ding,' zei Cabrillo. 'Maar hoe zit het met het gewicht?'

'Wij met z'n tweeën plus de brandstof, en dan hebben we nog een paar honderd pond over. Waarom vraagt u dat?'

'We hebben nog een passagier,' zei Cabrillo.

'Wie?'

'Een burger met een schotwond,' antwoordde Cabrillo. 'Was op het verkeerde moment op de verkeerde plek, vrees ik.'

'Leeft hij nog?'

'Weet ik niet, maar het ziet er niet goed uit,' zei Cabrillo, terwijl hij naar de ingang van de grot wees. 'Haal hem uit de grot naar de helikopter, dan haal ik de snowcat en begin alvast met het bijtanken.'

Adams knikte en liep de helling op. Bij de ingang van de grot bleef hij staan en keek naar het noorden. Aan de horizon flakkerde een blauw en groen schijnsel op; de gloed glinsterde als de op aluminiumstrookjes weerkaatsende lampen van de lichtinstallatie in een discotheek. Het plasma dat het poollicht veroorzaakte, voerde een schitterende show op en Adams huiverde bij het zien van dit bijzondere natuurverschijnsel.

Vervolgens draaide hij zich om en liep de grot in.

Cabrillo klom in de snowcat en reed naar de helikopter. Met behulp van een op de reservetank geplaatste handpomp begon hij de brandstof over te hevelen. Hij was net klaar met het vullen van de tweede tank van de Robinson toen Adams met de in zijn slaapzak gewikkelde Ackerman uit de duisternis opdook. Voorzichtig legde hij de archeoloog op de achterbank en snoerde hem vast met een veiligheidsgordel, waarna hij naar Cabrillo liep.

'Ik heb een paar flessen octaanverhoger die we nog moeten toevoegen,' zei hij.

'Geef maar, dan doe ik dat wel. Ik wil dat jij Huxley oproept om haar te vragen of er nog iets is wat we voor onze passagier kunnen doen. Zeg dat hij een ernstige schotwond heeft en heel veel bloed heeft verloren.'

Adams knikte en klapte een bagageruimte open, waaruit hij twee flessen octaanverhoger pakte en die aan Cabrillo gaf. Daarna ging hij op de stoel van de piloot zitten en klikte de radio aan. Nadat hij de verbinding weer had verbroken, stapte hij uit en haalde uit de bagageruimte een opklapbare sneeuwschuiver tevoorschijn. Terwijl Cabrillo het bijtanken afrondde, begon Adams sneeuw in Ackermans slaapzak te scheppen.

'Ze zei dat we hem moesten afkoelen om zijn hartslag te verlagen,' zei Adams toen Cabrillo bij hem kwam staan.

'Door onderkoeling brengen we hem in een toestand van inertie.'

'Hoelang duurt het voor we bij de *Oregon* zijn?' vroeg Cabrillo.

'Toen ik vertrok voeren ze op volle snelheid,' zei Adams, 'dus de terugreis zal iets korter zijn. Ik gok op een uur, zoiets.'

Cabrillo knikte en veegde wat sneeuw van zijn wenkbrauwen. 'Ik zet de snowcat weg,' zei hij. 'Maak jij de boel maar klaar voor vertrek.'

'Oké.'

Vier minuten later nam Cabrillo plaats op de passagiersstoel van de stationair draaiende helikopter. Het volgende moment ontkoppelde Adams de versnelling en begonnen de rotorbladen te draaien; nog een minuut later kwam de heli los van de sneeuw.

Aan boord van de *Oregon* werkte Hanley aan de voorbereiding van een aanval op de *Akbar*. In een hoek van de controlekamer zat Eddie Seng aantekeningen te maken op een gele blocnote. Eric Stone kwam naar Hanley toegelopen en wees op een grote monitor aan de muur. Op het scherm waren de kust van Groenland, de locatie van de *Akbar* en de koers die de *Oregon* volgde, te zien.

'Kijk,' zei hij, 'de *Akbar* heeft zich al een kwartier niet meer verplaatst. Maar dat geldt niet voor de meteoriet. Als het signaal van het zand correct is, beweegt hij zich ervan vandaan.'

'Dat lijkt niet erg logisch,' merkte Hanley op. 'Zou het signaal vervalst kunnen zijn?'

Stone knikte bevestigend. 'Door het actieve poollicht en de aardkromming hier zo ver noordelijk, kunnen er buiten de ionosfeer storingen in de ontvangst van de signalen optreden.'

'Hoelang duurt het nog voor we bij de *Akbar* zijn?' vroeg Hanley.

'Het was ongeveer een uur,' antwoordde Stone, 'maar nu ze stilligt, kunnen we daar zo'n tien minuten aftrekken.'

‘Eddie,’ vroeg Hanley, ‘zouden jouw mannen dat een beetje snel kunnen doen?’

‘Natuurlijk,’ zei Seng, ‘degene die het eerst aan boord is, doet het meeste werk. Zodra hij de verlammende stof in de luchtkanalen heeft gespoten en de boeven zijn ingeslapen, is het daarna alleen nog een kwestie van opruimen en inbeslagname.’

Stone was naar zijn stoel teruggelopen. Hij bestudeerde een grafische weergave van de signaalontvangst op verschillende frequentiebanden. ‘Er is ontvangst op een heel lage frequentie,’ zei hij.

‘Kijk of je erop kunt afstemmen,’ zei Hanley.

Stone draaide aan de afstemknop en drukte een knop in op het bedieningspaneel, waardoor de ontvangst beter werd. Daarna zette hij de luidspreker aan.

‘Portland, Salem, Bend,’ zei een stem, ‘klaar om te zenden.’

Op de *Akbar* was de gevangene erin geslaagd zich van zijn boeien, zowel die om zijn handen als die om zijn benen, te bevrijden. Toen hij bij de deur van zijn hut luisterend niets hoorde, had hij de deur opengetrapt en om de hoek getuurd. Er was niemand te zien. Voortdurend op zijn hoede had hij het schip van voor- tot achtersteven doorzocht en niemand meer aangetroffen.

Vervolgens had hij het latexmasker van zijn gezicht getrokken.

Hij was naar de stuurhut gelopen en had de microfoon van de zender gepakt.

‘Portland, Salem, Bend,’ herhaalde hij, ‘klaar om te zenden.’

Op de *Oregon* pakte Hanley de microfoon om te antwoorden. ‘Dit is de *Oregon*, identiteit alstublieft.’

‘Zes, elf, negenenvijftig.’

‘Murph?’ vroeg Hanley. ‘Wat doe jíj op de radio?’

'Dat was een gewaagd plan,' zei Adams toen hij met de helikopter door de donkere lucht vloog, 'om voor de emir van Qatar een dubbelganger in te zetten.'

'We wisten dat Al-Khalifa het al enige tijd op de emir had voorzien,' zei Cabrillo, 'en de emir ging akkoord met onze kleine actie. Hij wilde Al-Khalifa net zo graag weg hebben als wij.'

'U hebt vast niet veel gegeten de laatste tijd?' vroeg Adams. 'Ik heb broodjes en melk meegenomen. Ze zitten in een tas onder de achterbank.'

Cabrillo knikte en tastte onder de zitplaats naast Ackerman. Hij opende een kleine koeltas en pakte er een broodje uit. 'Heb je ook koffie?'

'Een piloot zonder koffie,' antwoordde Adams, 'is als een visser zonder wormen. Achterin ligt een thermosfles op de grond. Het is mijn speciale Italiaanse melange.'

Cabrillo pakte de thermosfles en schonk een mok vol. Hij nam een paar slokken, zette de mok voor zijn voeten op de grond en nam een hap van het broodje.

'Dus het was van het begin af aan gepland om een valse emir te laten ontvoeren?' vroeg Adams.

'Nee,' zei Cabrillo, 'we dachten dat we Al-Khalifa wel te pakken zouden hebben voordat hij zijn plan tot uitvoer kon brengen. We moesten er alleen van op aan kunnen dat Al-Khalifa niet van plan is de emir te doden. Hij wil alleen dat de emir de troon afstaat ten gunste van de familie van Al-Khalifa. Onze man moet zich zo veilig voelen als een koe op een bijeenkomst van vegetariërs, zolang hij maar niet als dubbelganger wordt ontmaskerd.'

Cabrillo nam nog een paar happen van het broodje.

'Mag ik iets vragen?' vroeg Adams.

'Zeker,' antwoordde Cabrillo, terwijl hij de laatste hap van het broodje in zijn mond stak en de koffie oppakte.

'Wat deed u in hemelsnaam daar in Groenland en wie is die vent die halfdood achter in mijn helikopter ligt?'

'Al-Khalifa en zijn mannen zijn ervandoor,' zei Murphy. 'Voor zover ik weet ben ik de enige aan boord.'

'Hoe kan dat nou?' zei Hanley. 'Staat de heli er nog?'

'Ja, die staat nog op het achterdek,' zei Murphy.

'En je hebt het hele jacht afgezocht?'

'Ja. Het lijkt of ze er nooit zijn geweest.'

'Wacht even,' zei Hanley, terwijl hij zich naar Stone omdraaide.

'Achtendertig minuten,' antwoordde Stone voordat de vraag gesteld was.

'Murph,' zei Hanley, 'we zijn er over een halfuur. Kijk of je in de tussentijd nog iets kunt ontdekken.'

'Doe ik,' zei Murphy.

'We zijn er zo,' vervolgde Hanley, 'en dan zien we wel wat er precies aan de hand is.'

'Ik ben gebeld door onze contactpersoon bij de CIA,' zei Cabrillo. 'Toen we in Reykjavik waren, heeft Echelon een e-mailbericht onderschept waarin sprake was van een meteoriet van iridium. De CIA wilde voorkomen dat die in verkeerde handen kwam en heeft mij gevraagd ernaartoe te gaan en de meteoriet daar weg te halen. Die vent,' vervolgde hij met een gebaar naar achteren, 'is degene die hem heeft ontdekt.'

'Heeft hij hem uit de grot opgegraven?'

'Zo ongeveer,' zei Cabrillo. 'Helaas heb ik je geen rondleiding kunnen geven. Er bevindt zich een groot heiligdom aan het einde van een gang boven de grot waarin jij bent geweest, heel knap bewerkt. Lang geleden heeft iemand de meteoriet in de berg verstopt en hem daar als een religieus of spiritueel artefact opgesteld. Die vent achterin is de archeoloog die daar een aanwijzing over had gevonden en de meteoriet heeft opgespoord.'

Adams veranderde wat instellingen op het controlepaneel en sprak in het microfoontje aan zijn koptelefoon. '*Oregon*, hier heli één. Nog twintig minuten.'

Na een reactie van Stone in de controlekamer vervolgde

hij: 'Er is iets raars aan de hand. Zelfs als de meteoriet van historische waarde is, zie ik niet gebeuren dat rivaliserende archeologen voor zo'n vondst over lijken gaan. Ze dromen er misschien wel van, maar ik heb nooit gehoord dat ze zover gingen.'

'Op dit moment,' zei Cabrillo, 'lijkt het er sterk op dat Al-Khalifa en de Hammadi Groep dat e-mailbericht ook in handen hebben gekregen en vooral tuk op dat iridium waren. Waarschijnlijk willen ze er een vuile bom mee maken.'

'Als dat waar is,' zei Adams, 'dan moeten ze al over een functionerende bom beschikken die ze als katalysator kunnen gebruiken. Anders hebben ze wel de brandstof maar geen vuur.'

'Dat dacht ik ook.'

'Dus als ons team die meteoriet in handen heeft, zullen we toch ook achter die moederbom aan moeten.'

'Als we Al-Khalifa hebben,' zei Cabrillo, 'zullen we van hem te weten moeten komen waar dat wapen zich bevindt. Daar kunnen we dan een ploeg naartoe sturen om het onschadelijk te maken.'

Cabrillo wist dat nog niet, maar Al-Khalifa lag inmiddels op de bodem van de oceaan. Vlak naast een reeks onderzeese geothermische bronnen.

19

De naam Thomas Dwyer klonk serieus en weinig opvallend. Zelfs Dwyers titel, doctor in de theoretische natuurkunde, wekte het stereotiepe beeld van een pijprokende academicus op. Een intellectueel of een man die een tot in de puntjes geregeld bestaan leidde. Maar schijn bedroog.

Dwyer was de aanvoerder van een dartsteam in het café op de hoek, reed in de weekenden autorally's en maakte alleenstaande vrouwen het hof met een volharding die op zijn veertigste nog geen zwaktes vertoonde. Dwyer leek qua uiterlijk sprekend op de acteur Jeff Goldblum en kleedde zich meer als een filmproducent dan als een wetenschapper, en las bovendien bijna twintig dagbladen en tijdschriften per dag. Hij was intelligent, creatief en doortastend, en was als een echte modekenner op de hoogte van de allernieuwste trends.

Toch duidde het beroep dat hij uitoefende ook op een serieuzere kant van zijn persoonlijkheid. Op zijn visitekaartje stond: Central Intelligence Agency, Thomas W. Dwyer (TD) – wetenschappelijk hoofdmedewerker Theoretische Toepassingen. Dwyer was een geheim agent, vermomd als wetenschapper.

Op dat moment hing Dwyer in antizwaartekrachtlaarzen ondersteboven aan een stang die in de deuropening naar zijn kantoor was bevestigd. Zo rekte hij zijn rug en zijn gedachten.

'Meneer Dwyer,' zei een ondergeschikte wetenschapper timide.

Dwyer keek in de richting waaruit de stem klonk. Hij zag een paar versleten bruinleren schoenen en witte sportsokken onder een broek met een net iets te brede omslag. Door zijn rug te krommen hief hij zijn hoofd net ver genoeg op om te kunnen zien wie hem aansprak.

'Ja, Tim?'

'Ik heb een opdracht gekregen die voor mij toch iets te hoog gegrepen is, denk ik,' zei de wetenschapper rustig.

Dwyer hief zijn armen op en greep de stang in de deuropening beet. Vervolgens draaide hij zich als een turner om, haakte zijn enkellaarzen van de stang en sprong met een vloeiende beweging op de grond.

'Deze draai heb ik op de Olympische Spelen gezien,' zei Dwyer glimlachend. 'Hoe vind je 'm?'

'Mooi,' zei de jongere man zachtjes.

In zijn kantoor ging Dwyer achter zijn bureau zitten en boog voorover om de laarzen uit te trekken. De jongere wetenschapper, die hem gedwee volgde, had een map in zijn hand met het opschrift 'Echelon A-1'. Nadat Dwyer zijn laarzen had uitgetrokken, gooide hij ze in een hoek en stak zijn arm uit om de map van Tim over te nemen. Hij scheurde een sticker van het voorblad en zette er haastig zijn paraaf op, waarna hij het strookje aan de jonge wetenschapper teruggaf.

'Nu is het mijn zorg,' zei hij glimlachend. 'Ik bekijk het wel en dan schrijf ik een rapport.'

'Bedankt, meneer Dwyer,' zei Tim.

'Zeg maar TD,' zei Dwyer, 'dat doen ze hier allemaal.'

Thomas 'TD' Dwyer zat in zijn kantoor met zijn voeten op zijn bureau.

In zijn hand had hij een proefschrift over de natuurlijke vorming van Buckminster-fullereneen, beter bekend als buckyballs, bij meteorieten. Deze perfect sferische bollen – genoemd naar de beroemde Amerikaanse architect R. Buckminster Fuller, die zijn roem vooral te danken heeft aan de door hem ontworpen geodetische koepel – zijn de meest ronde en symmetrische moleculen die men kent. Sinds ze in 1985 bij een ruimtevaartexperiment met koolstofmoleculen werden ontdekt, hebben wetenschappers zich steeds weer over buckyballs verbaasd.

Wanneer men de holle ruimte in de bollen met cesium vult, werken ze als de beste organische halfgeleider die men ooit heeft getest. Experimenten met zuivere koolstof-buckyballs hebben een smeermiddel vrijwel zonder weerstand opgeleverd. De toepassingsmogelijkheden zijn ongekend en beslaan uiteenlopende gebieden als de ontwikkeling van schone motoren, gedoseerde toediening van medicijnen en precisieapparatuur in de nanotechnologie.

Hoewel toekomstig gebruik interessant is, ging Dwyers belangstelling daar niet naar uit. Het heden was belangrijker voor hem. In de kraters van ingeslagen meteorieten waren in de natuur gevormde buckyballs aangetroffen. Uit onderzoek was gebleken dat de holle ruimte van de bollen met de gassen argon en helium waren gevuld.

Dwyer dacht hier enige tijd over na.

Eerst stelde hij zich voor hoe twee geodetische koepels samen een bol vormden ter grootte van een voetbal, ofwel ongeveer dezelfde omvang als van de meteoriet op de foto. Vervolgens stelde hij zich voor dat de ruimte erbinnen met gassen was gevuld. Wanneer je met een spies in de bol prikte of er met een hakmes een stuk van afsloeg, zou het gas dat erin zat, eruit ontsnappen. En dan? Helium en argon waren ongevaarlijk en komen al in overvloed in de natuur voor. Maar als er nu eens een heel ander soort gas in zat? Iets wat op deze wereld helemaal niet voorkwam?

Hij raadpleegde een telefoonlijst in zijn computer, pikte er een nummer uit en liet de computer de verbinding tot stand brengen. Zodra de computer aangaf dat de bel aan de andere kant van de lijn overging, pakte Dwyer de hoorn van zijn telefoon op. Aan de andere kant van het land, drie tijdzones van hem verwijderd, liep een man naar de rinkelende telefoon.

'Nasuki,' zei een stem.

'Mike, ouwe boef, met TD.'

'TD, je Mensa heeft je er uitgegooid, hoe staat het met het spionnetje spelen?' vroeg Nasuki.

'Dat zou ik je wel willen vertellen, maar het is zo geheim, dat zou pure zelfmoord zijn.'

'Behoorlijk geheim dus,' moest Nasuki toegeven.

'Ik wil je om een gunst vragen,' zei Dwyer.

Miko 'Mike' Nasuki was een astronoom in dienst van de National Oceanographic and Atmospheric Administration. De NOAA is een onderdeel van het ministerie van Handel. Deze instelling had een heel breed terrein waarop ze wetenschappelijk onderzoek deden, maar ze hielden zich toch hoofdzakelijk bezig met hydrografische projecten.

'Is dit weer zo'n dit-gesprek-heeft-nooit-plaatsgevonden-gunst?'

'Klopt,' antwoordde Dwyer, 'volstrekt hypothetisch en strikt vertrouwelijk.'

'Goed,' zei Nasuki, 'laat maar horen dan.'

'Ik ben bezig met meteorieten, en in het bijzonder met de vorming van buckyballs.'

'Dat ligt helemaal in mijn straatje,' zei Nasuki, 'behoorlijk actueel.'

'Weet je of er theorieën bestaan over de totstandkoming van de gassen in de bollen?' vroeg Dwyer. 'Waarom het meestal helium en argon zijn, bijvoorbeeld?'

'Omdat dat nu eenmaal de gassen zijn die het meest op andere planeten voorkomen.'

'Maar in principe,' zei Dwyer, 'is het mogelijk dat de bollen met een andere substantie gevuld zijn? Iets wat normaal niet op aarde voorkomt?'

Nasuki dacht een moment na. 'Jazeker, TD. Ik ben een paar maanden geleden op een symposium geweest waar iemand een lezing hield over de these dat de dinosauriërs door een virus uit de ruimte zijn uitgestorven.'

‘Hiernaartoe gebracht door een meteoriet?’ vroeg Dwyer.
‘Precies,’ antwoordde Nasuki. ‘Maar er is één probleem.’
‘En dat is?’
‘Tot op heden is er op aarde nooit een meteoriet van 65 miljoen jaar oud gevonden.’
‘Kun je je nog iets meer van die theorie herinneren?’
Nasuki groef diep in zijn geheugen. ‘De kerngedachte was dat er bij de inslag buitenaardse bacteriën zijn vrijgekomen die in het helium zaten, en dat degene die niet waren verbrand al het leven dat toen bestond hebben vergiftigd. Er waren twee hoofdpunten,’ vervolgde Nasuki. ‘Het eerste was dat de bacteriën een virus vormden dat zich als een supergriep, SARS of aids razendsnel verspreidde en de dinosauriërs fysiek aantastte.’
‘En het tweede punt?’ vroeg Dwyer.
‘Dat de stof die in het helium zat in feite ook de samenstelling van de atmosfeer zelf heeft aangetast,’ zei Nasuki, ‘en wellicht tot een verandering van de moleculaire structuur van de lucht heeft geleid.’
‘Zoals?’ vroeg Dwyer.
‘Een uitdunning van de zuurstof, zoiets.’
‘Dus dan zouden de dinosauriërs in feite gestikt zijn?’ vroeg Dwyer ongelovig.
Nasuki grinnikte zachtjes. ‘TD,’ zei hij, ‘het is maar een theorie.’
‘Stel, je hebt een meteoriet die vrijwel geheel uit iridium bestaat,’ zei Dwyer, ‘en niet door de inslag is beschadigd, wat gebeurt er dan?’
‘Iridium is, zoals je weet, extreem hard en tamelijk radioactief,’ antwoordde Nasuki. ‘Het zou een vrijwel perfect overdrachtssysteem voor een gasvormige ziekteverwekker zijn. Onder invloed van de straling zou het virus kunnen muteren en veranderen. Het zou sterker kunnen worden of anders, of wat dan ook.’
‘Het is dus mogelijk,’ zei Dwyer, ‘dat er in de moleculen een gemuteerd virus zit, miljoenen jaren oud van miljarden kilometers hiervandaan?’

'Absolutemans,' zei Nasuki.
'Ik moet door,' zei Dwyer gehaast.
'Ik wist het,' zei Nasuki, 'ik wist dat je dat zou gaan zeggen.'

20

Ongeveer op hetzelfde moment dat Cabrillo voet op Groenlandse bodem zette, kwamen er aan de andere kant van de wereld in een leegstaand gebouw aan de waterkant in Odessa, Oekraïne, twee mannen bijeen. In tegenstelling tot de overdrachtsscènes in Hollywoodfilms, waarbij een groep zwaarbewapende mannen in een afgelegen streek opduikt om munitie voor contanten te ruilen, was deze bijeenkomst beslist heel wat minder spectaculair. Twee mannen, één grote houten kist en een grote nylontas, dat waren alle ingrediënten van deze transactie.

'Het geld is gemengd, zoals afgesproken,' zei een van de mannen in het Engels, 'Amerikaanse dollars, Britse ponden, Zwitserse francs en euro's.'

'Bedankt,' zei de tweede man in het Engels met een zwaar Russisch accent.

'En u hebt de papieren veranderd zodat er nu staat dat dit wapen in 1980 in het geheim aan Iran is verkocht?'

'Ja,' antwoordde de tweede man. 'Door de oude communistische regering aan de radicale Khomeini-aanhangers die de sjah hadden afgezet. De opbrengst is door de Russen gebruikt voor de bezetting van Afghanistan.'

'De ontsteker?'

'We hebben er een nieuwe bijgedaan.'

'Bijzonder attent van u,' zei de eerste man glimlachend. Hij schudde de tweede man de hand. 'U hebt het nummer dat u kunt bellen als er problemen zijn.'

'Ja, dat doe ik,' zei de tweede man.

'U gaat weg uit de Oekraïne, hè?' vroeg de eerste man, terwijl hij de kist over een laadplank de bak van een eentonner in duwde.

'Vannacht nog.'

'Ik zou héél ver weg gaan,' zei de eerste man, terwijl hij de klep dichtdeed en vergrendelde.

'Is Australië ver genoeg?'

'Australië lijkt me prima,' antwoordde de eerste man.

Daarna liep hij naar de voorkant van de vrachtwagen, klom achter het stuur, sloot de deur en startte de motor. Nog geen uur later werd de kist aan een andere kade aan boord van een oud vrachtschip gehesen voor de oversteek van de Zwarte Zee: de eerste etappe van een veel langere reis.

Na het vertrek uit Odessa en het oversteken van de Zwarte Zee voer het Griekse vrachtschip *Larissa* westwaarts door de Middellandse Zee. Aan stuurboord rezen de rotsachtige klippen van Gibraltar op.

'Vuile dieselolie,' zei de met olievegen besmeurde machinist. 'Ik heb het filter schoongemaakt en het zou nu goed moeten zijn. En wat dat bonken betreft, dat is gewoon een zuigerklep. De dieselmotoren moeten nodig gereviseerd.'

De kapitein knikte, nam een trek van een sigaret en krabde aan zijn arm. Ter hoogte van Sardinië had hij een huiduitslag gekregen die zich nu van zijn elleboog tot aan zijn pols over zijn onderarm had verspreid. De kapitein kon er niet veel aan doen; de *Larissa* was nog ruim tweeduizend kilometer en vier dagen van zijn bestemming verwijderd. Hij keek op en zag een grote olietanker passeren. Vervolgens pakte hij een pot vaseline en smeerde er wat van op de aangetaste huid.

De deadline voor de aflevering van zijn mysterieuze vracht was nieuwjaarsavond. Nu het brandstofprobleem was opgelost, begon hij het idee te krijgen dat hij wel eens op tijd in

Londen zou kunnen zijn. Daar aangekomen, wilde hij na aflevering van de lading in een café aan de haven gaan drinken op het nieuwe jaar en dan de volgende dag naar de dokter gaan om naar zijn uitslag te laten kijken.

De man kon onmogelijk weten dat de eerstvolgende dokter die hij onder ogen kwam een lijkschouwer zou zijn.

21

Het zicht door de voorruit van de helikopter werd gedomineerd door een zee van licht. Op bevel van Hanley had de bemanning van de *Oregon* alle beschikbare lampen aangestoken en het schip stak als een kerstboom af tegen de donkere lucht. Het uitsluitend op de instrumenten vliegen was zenuwslopend en Adams was blij dat ze spoedig aan de grond stonden. Toen ze boven het achterschip waren gekomen, liet hij het toestel iets zakken tot ze recht boven de achtersteven hingen, waarna hij voorzichtig iets naar voren stuurde tot de Robinson boven het vliegdek hing. Vervolgens landde Adams op het platform en zette opgelucht de motoren uit.

'Lastige vlucht,' zei Cabrillo terwijl hij wachtte tot de rotorbladen tot stilstand kwamen.

'Het was vrijwel de hele tijd behoorlijk inspannend, ja,' gaf Adams toe.

'Prima gedaan, George,' zei Cabrillo.

Voordat Adams kon antwoorden, kwam Julia Huxley, de scheepsarts, naar de heli gerend. Terwijl de rotorbladen nog traag uitwiekten, trok ze de deur open. Achter haar dook Franklin Lincoln op.

'Hij ligt achterin,' zei Cabrillo.

Huxley knikte, waarop zij de achterdeur opende en snel Ackermans polsslag voelde. Daarna deed ze een paar passen achteruit, zodat Lincoln erbij kon om de archeoloog met slaapzak en al uit de helikopter te tillen. Met Ackerman in zijn armen op buikhoogte voor zich uit dragend holde hij met Huxley op zijn hielen naar de ziekenboeg. Hanley kwam aangelopen toen Cabrillo uitstapte. Hij verspilde geen tijd aan een uitbundige begroeting.

'Murph belde vanaf de *Akbar*.'

'Hij is ontmaskerd?' vroeg Cabrillo.

'Nee,' zei Hanley, terwijl hij met Cabrillo naar een deur liep die toegang gaf tot het inwendige van de *Oregon*, 'hij hoorde nogal wat kabaal en heeft zichzelf toen bevrijd. Nadat hij nog enige tijd heeft gewacht tot de kust veilig was, is hij de hut waarin hij opgesloten zat uitgegaan en heeft het hele schip doorzocht. Er was niemand meer aan boord en er was ook niets waaruit hij kon afleiden waar Al-Khalifa en zijn bemanning gebleven waren. Toen durfde hij het wel aan om te bellen.'

De mannen waren van het achterdek door een gang naar de controlekamer gelopen.

'Heeft hij de meteoriet?' vroeg Cabrillo.

'Die was weg,' zei Hanley, terwijl hij de deur naar de controlekamer opende. 'We ontvangen signalen van de zendertjes die je eroverheen hebt gestrooid, maar ze zijn nogal inconsistent.'

De mannen gingen de controlekamer binnen.

'Waar kwamen de signalen oorspronkelijk vandaan?' vroeg Cabrillo.

Hanley wees op een monitor. 'Daar,' zei hij, 'het spoor liep eerst naar het noorden, maar nu is het oostwaarts gedraaid boven de zee bij IJsland.'

'Hij is naar een ander schip gebracht,' zei Cabrillo, 'maar waarom?'

'Goeie vraag,' zei Hanley.

'Hoever zijn we nog van de *Akbar* verwijderd?'

Zonder te antwoorden toetste Stone gegevens in, waarop er een grote monitor aan de muur aanfloepte. Een op de boeg van de *Oregon* gemonteerde camera toonde wat er in het felle licht van schijnwerpers voor het schip te zien was.

De *Akbar* lag vlak voor hen.

De *Free Enterprise* voer op volle kracht door de kolkende zee.

'Leg aan bij de Faerøereilanden,' zei een man door een beveiligde verbinding. 'Op het plaatselijke vliegveld is iemand die het pakketje van ons overneemt.'

'Waarheen wilt u dat we daarna gaan?' vroeg de kapitein.

'Calais,' antwoordde de man, 'daar is de rest van het team.'

'Komt in orde,' zei de kapitein.

'Nog iets,' vervolgde de man.

'Ja, zegt u het maar.'

'U kunt het team meedelen dat ze elk een bonus van vijftigduizend dollar kunnen verwachten,' zei hij, 'en ze moeten ook weten dat de familieleden van Hughes voor hun verlies op een ruime financiële compensatie kunnen rekenen.'

'Dat zal ik zeggen,' antwoordde de kapitein.

De man verbrak de verbinding, waarna hij een map van zijn bureau oppakte. Hij nam er de koopakte van de Britse textielfirma uit, evenals de betaalopdracht. Hij onderteken-de beide documenten, stak ze in het faxapparaat en wachtte op een ontvangstbevestiging. Nadat hij die ontvangen had, bleef hij een ogenblik peinzend staan.

Het eerste deel van zijn plan was uitgevoerd. Nu was het tijd voor de eindafrekening.

Terwijl de fax via de telefoonlijn naar Engeland werd verzonden, voer het vrachtschip *Larissa* langs de Spaanse kust en rondde Cabo de Finisterre. De kapitein zette koers naar Brest, dat aan de Franse kust ongeveer het begin van Het Kanaal markeert. De avondlucht was koel en aan de heldere hemel schitterde een deken van miljarden sterren.

Hij zag hoe er in een flits een komeet oplichtte.

Instemmend knikkend stak hij een sigaret op, nam een slok uit een zilveren heupfles met ouzo en krabde aan de jeukende plek op zijn arm. Er welde een dun straaltje bloed op.

Over twee dagen was hij in Londen en dan kon hij er een arts naar laten kijken.

Met behulp van de computergestuurde stuwraketten legde Hanley de *Oregon* langszij de *Akbar*. Cabrillo was de eerste die overstapte, gevolgd door Seng, Jones, Meadows en Linda Ross. Murphy stond op het dek te wachten. Bij zijn haarlijn waren nog stukjes van zijn synthetische masker zichtbaar. Toen Cabrillo aan dek stapte, gebaarde Murphy naar een openstaande deur.

'Vertel wat je precies hoorde en wat er daarna gebeurde,' zei Cabrillo, terwijl hij Murphy door de deur naar de grote salon volgde.

Murphy vertelde dat hij zacht bonkende geluiden had gehoord, waarna er een gemaskerde man zijn hut binnenkwam.

'Het heeft alles bij elkaar nog geen vijf minuten geduurd,' zei hij toen ook de rest van het team in de salon om hen heen stond. 'Ik heb nog vijf minuten gewacht voordat ik me naar buiten waagde.'

'Doorzoek alle ruimtes,' zei Cabrillo. 'Ik wil weten wat hier is gebeurd.'

De groep verspreidde zich over het schip. In de passagiershutten lagen geweren en handwapens, evenals kleren, persoonlijke spullen en koffers. De bedden waren beslapen en van sommige was het beddengoed weggeslagen. In elke hut lag een exemplaar van de koran en de schoenen stonden nog keurig bij de bedden op de grond.

Het was alsof er een ufo was neergedaald en vervolgens de hele bemanning had meegenomen de hemel in.

Aan boord van de *Oregon* zette Hanley de stuwraketten in de juiste stand en wendde zich tot Stone. 'Neem het roer,' zei hij, 'ik ga daar ook een kijkje nemen.'

Stone ging op Hanleys plaats zitten en stelde de camera's aan dek zo in dat hij kon zien wat er gebeurde.

Hanley stapte over op de *Akbar* en liep naar de grote salon. Meadows bewoog een geigerteller langs de lange eettafel.

'Hij is hier geweest,' zei hij toen Hanley hem passeerde.
In de gang stond Ross met een spuitbus met een blauwe vloeistof in haar hand. Ze besproeide de wanden en zette, toen Hanley achter haar langsliep, een bril op. Hanley liep door naar een trap.
'Als ze op een ander schip zijn overgestapt,' zei Cabrillo tegen Murphy toen Hanley de deur van de hut opendeed, 'waarom hebben ze hun persoonlijke spulletjes dan niet meegenomen?'
'Misschien wilden ze voorkomen dat ze iets meenamen waardoor hun spoor eventueel naar hier terug te leiden zou zijn,' zei Hanley.
'Dat is niet erg logisch,' merkte Cabrillo op. 'Ze doen toch niet al die moeite om iemand te ontvoeren van wie zij denken dat het de emir van Qatar is, om hem dan hier op een jacht, dat miljoenen moet hebben gekost, onbewaakt achter te laten?'
'Dan is het waarschijnlijk de bedoeling dat ze terugkomen,' gaf Murphy als mogelijkheid aan.
Op dat moment stak Seng zijn hoofd om de hoek van de deur. 'Heren, Ross heeft iets gevonden dat ze wil laten zien,' zei hij.
De vier mannen liepen achter elkaar door de gang naar de plek waar Ross stond. Op de muur had ze plekken met stroken schuim gemarkeerd. De op deze manier omlijste stukken muur waren lichtblauw gekleurd. Ross zette de veiligheidsbril af en gaf hem zwijgend aan Cabrillo.
Cabrillo trok de bril over zijn hoofd en keek naar de plekken. De fluorescerende glans van bloedspetters deed aan een schilderij van Jackson Pollock denken. Hij zette de bril af en gaf hem door aan Hanley.
'Ze hebben geprobeerd het weg te poetsen,' zei Ross, 'maar het was smerig werk dat ze nogal haastig hebben uitgevoerd.'
Door de portofoon aan de riem van Cabrillo klonk de stem van Jones.
'Cabrillo, Hanley,' zei hij, 'hier is iets wat u echt moet zien.'

De twee mannen liepen door de gang en de grote salon naar het achterdek, vanwaar ze op de *Oregon* overstapten. Daar begaven ze zich haastig naar de controlekamer.

Cabrillo opende de deur, waarop Stone onmiddellijk naar een monitor aan de muur wees.

'Ik dacht dat het een dode babywalvis was,' zei hij, 'tot het omkiepte en ik een gezicht zag.'

En net op dat moment dook er aan de oppervlakte nog een lijk op.

'Laat Reyes en Kasim ze opvissen,' zei Cabrillo tegen Hanley. 'Ik ga terug.'

Cabrillo verliet de controlekamer en stapte weer op de *Akbar* over. Seng stond in de grote salon toen Cabrillo daar binnenkwam. 'Meadows gaat ervan uit dat het object alleen in deze ruimte is geweest,' zei Seng. 'Hij doorloopt het hele schip, maar verder lijkt alles vrij van straling te zijn.'

Cabrillo knikte.

'Ross heeft bloed in de stuurhut en de passagiershutten gevonden, en ook hier in de salon en in vrijwel alle gangen. De kapitein was op de brug, de bewakers en de overige bemanning sliepen. Dat is mijn conclusie.'

Opnieuw knikte Cabrillo.

'Wie het ook waren,' vervolgde Seng, 'het is een keiharde en razendsnelle actie geweest.'

'Ik ga naar de stuurhut,' zei Cabrillo, terwijl hij doorliep.

Daar aangekomen bekeek hij het logboek. De laatste notitie was net twee uur oud en betrof niets ongewoons. Wie de bezoekers ook waren geweest, ze kwamen onaangekondigd.

Cabrillo stapte de stuurhut weer uit en liep door de gang toen hij via de portofoon werd opgeroepen.

'Cabrillo,' zei de stem van Huxley, 'kunt u meteen naar de ziekenboeg komen?'

Cabrillo liep terug naar het achterdek en stapte weer op de *Oregon* over.

Reyes en Kasim stonden op het dek met bootshaken in hun handen over de reling gebogen. Ze trokken een lijk naar een net, dat ze met behulp van een kraan aan een kabel hadden laten zakken. Cabrillo liep naar binnen en snelde door een gang naar de ziekenboeg.

Ackerman lag onder elektrisch verwarmde dekens op een onderzoektafel.

'Hij probeert te praten,' zei Huxley. 'Ik heb het allemaal opgeschreven, maar tot een paar minuten geleden was het voornamelijk wartaal.'

'Wat heeft-ie dan gezegd?' vroeg Cabrillo, terwijl hij naar Ackerman keek, wiens ogen begonnen te knipperen. Eén oog opende zich tot een spleetje.

'Hij had het over de geest,' zei ze, 'niet *een* geest, maar *de* Geest, alsof het een bijnaam is.'

Opeens begon Ackerman weer te praten. 'Ik had de Geest nooit mogen vertrouwen,' zei hij met een stem die met ieder woord zwakker werd. 'Hij financierde de uni... versi... teit.'

Ackerman verkrampte. Zijn lichaam begon te schudden als een hond die uit het water komt.

'Mam,' zei hij zwakjes.

En toen stierf hij.

Hoezeer Huxley ook haar best deed om hem te reanimeren, zijn hart kwam niet meer op gang. Even na middernacht verklaarde ze hem officieel dood. Cabrillo boog zich voorzichtig over Ackerman heen en sloot zijn ogen, waarna hij een deken over zijn hoofd trok.

'U hebt meer dan uw best gedaan,' zei hij tegen Huxley. Daarna verliet hij de ziekenboeg en liep door de gang naar het achterschip van de *Oregon*.

De woorden van Ackerman spookten hem nog door het hoofd.

Op het achterdek trof hij Hanley aan, die daar een drietal lijken bekeek. Hanley had een computerfoto van 21 bij 28 cm in zijn hand.

'Ik heb de foto in de computer vergroot en het opgezwollen gezicht een beetje bijgewerkt zodat het beter herkenbaar is,' zei hij toen Cabrillo naast hem kwam staan.

Cabrillo nam de foto van Hanley over, bukte bij een van de lijken en hield de foto naast het gezicht. Aandachtig vergeleek hij het gezicht op de foto met dat van het lijk.

'Al-Khalifa,' zei hij langzaam.

'Ze hebben hem verzwaard en overboord gegooid,' zei Hanley. 'De moordenaars wisten alleen niet dat de bodem van de oceaan hier vol zit met geothermische bronnen. Door het warme water zwellen de lichamen al heel snel op en dan houdt geen gewicht ze meer tegen. Als dat niet was gebeurd, hadden we ze nooit gevonden.'

'Hebt u de anderen ook kunnen identificeren?' vroeg Cabrillo.

'Daar heb ik nog geen gegevens over gevonden,' zei Hanley, 'plus dat er nu steeds meer opduiken. Waarschijnlijk allemaal volgelingen van Al-Khalifa.'

'Geen volgelingen,' zei Cabrillo, 'dwazen.'

'De vraag is alleen...' zei Hanley.

'Waarom de ene imbeciel,' onderbrak Cabrillo, 'de andere besteelt?'

22

Langston Overholt IV zat in zijn kantoor met een balletje aan een houten racket te spelen. Met zijn schouder drukte hij de telefoonhoorn tegen zijn oor. Het was nog maar net acht uur in de ochtend, maar hij was al ruim twee uur aan het werk.

'Ik heb een paar van mijn technici aan boord gelaten,' zei Cabrillo tegen Overholt. 'We willen wel graag een bergingspremie.'

'Dat is een mooie buit dan,' zei Overholt.

'Wees maar niet bang, daar hebben we wel een bestemming voor,' reageerde Cabrillo.

'Wat is uw locatie momenteel?' vroeg Overholt.

'We bevinden ons ten noorden van IJsland, varend naar het oosten. We proberen de zendertjes op de meteoriet te volgen. De lieden die Al-Khalifa hebben gedood en nu de meteoriet in bezit hebben, zitten beslist ook op een schip.'

'U weet zeker dat het door u gevonden lijk inderdaad Al-Khalifa is?' vroeg Overholt.

'We zullen u de vingerafdrukken en digitale foto's van het lichaam sturen,' zei Cabrillo, 'dan laat ik een definitieve identificatie aan uw mensen over, maar ik ben er voor negenennegentig procent zeker van.'

'Nadat u me vanochtend had gewekt, heb ik een paar mensen de identiteit laten uitzoeken van de passagier aan boord van de Eurocopter. We hebben niets kunnen vinden. Ik stuur een team naar Groenland om de lichamen op te halen, dan komen we hopelijk meer te weten.'

'Sorry dat ik u midden in de nacht belde, maar ik dacht dat dit iets was wat u wel zo snel mogelijk wilde horen.'

'Geeft niet, ik heb waarschijnlijk meer slaap gehad dan u.'

'Nadat we bij de *Akbar* wegvoeren, heb ik een paar uur kunnen slapen,' zei Cabrillo.

'Wat denkt u?' vroeg Overholt. 'Als Al-Khalifa dood is, dan is de dreiging van een aanslag met een vuile bom zo goed als geweken. De meteoriet is radioactief, maar zonder een katalysator is het gevaar aanzienlijk kleiner.'

'Klopt,' zei Cabrillo aarzelend, 'maar de vermiste Oekraiense kernbom zwerft nog ergens rond en wij weten niet of Al-Khalifa wellicht door een aantal van zijn eigen mensen is vermoord, lieden die de missie nu zelf willen afmaken.'

'Dat zou veel verklaren,' zei Overholt, 'bijvoorbeeld hoe de moordenaars zo eenvoudig en ongezien op de *Akbar* konden komen.'

'Als het geen mensen van Al-Khalifa zelf zijn geweest, dan hebben we dus met nog een andere groep te maken. Als dat het geval is, moeten we op onze hoede zijn. Degenen die de aanval op de *Akbar* hebben uitgevoerd, waren uitzonderlijk goed getraind en zo genadeloos als gifslangen.'

'Terroristen?'

'Dat betwijfel ik,' zei Cabrillo. 'Deze actie lijkt absoluut niet het werk van religieuze fanatici. Het lijkt meer op een militaire operatie. Geen emoties of onnodige drukte: gewoon een uitgekiende en onberispelijk uitgevoerde eliminatie van tegenstanders.'

'Ik ga zoeken,' zei Overholt, 'en dan zie ik wel wat ik kan vinden.'

'Als u dat wilt doen, graag.'

'Goed werk dat u de meteoriet van zendertjes hebt kunnen voorzien,' voegde Overholt nog toe.

'De enige troef die we konden uitspelen,' reageerde Cabrillo.

'Nog iets?'

'Vlak voordat hij stierf, sprak de archeoloog over een Geest,' zei Cabrillo, 'en dat op een manier alsof hij over een persoon sprak en niet over een geestverschijning.'

'Ik doe wat ik kan,' zei Overholt.

'Dit begint wel heel erg op een aflevering van *Scooby-Doo* te lijken,' zei Cabrillo. 'Zoek uit wie de Geest is en de klus is geklaard.'

'Ik kan me niet herinneren dat er ooit een *Scooby-Doo*-aflevering is geweest waarin het om kernwapens ging,' zei Overholt.

'Een modernisering voor de eenentwintigste eeuw,' zei Cabrillo voordat hij ophing, 'de wereld is heel wat gevaarlijker geworden.'

De *Free Enterprise* koerste door de koude zee naar de Faerøereilanden. Het team begon zich te ontspannen; nadat ze de meteoriet hadden afgeleverd, zouden ze een poosje rustig aan kunnen doen. Eenmaal terug in de haven van Calais was het een kwestie van wachten op een oproep voor een nieuwe actie. De stemming aan boord was gemoedelijk.

Ze hadden er geen flauw benul van dat er een zeemonster op de loer lag in de onschuldig ogende vermomming van een oud vrachtschip dat hen volgde.

En ook wisten ze niet dat de Corporation en de machtige hand van de Amerikaanse regering zich binnenkort tegen hen zouden keren. Ze verkeerden in een zalige onwetendheid.

'Het is belangrijk,' benadrukte Dwyer tegen de receptioniste.

'Hoe belangrijk?' vroeg ze. 'Hij bereidt zich voor op een bijeenkomst in het Witte Huis.'

'Heel belangrijk,' antwoordde Dwyer.

De receptioniste knikte en belde Overholt. 'Hier is een zekere Thomas Dwyer van Theoretische Toepassingen. Hij zegt dat hij u dringend moet spreken.'

'Laat hem maar komen,' zei Overholt.

De receptioniste stond op, liep naar Overholts kamer en opende de deur. Overholt zat achter zijn bureau. Hij sloeg een map dicht, draaide zich met stoel en al om en stak de map door een gleuf in de kluis die achter hem stond.

'Oké,' zei hij, 'kom binnen.'

Dwyer glipte langs de receptioniste en sloot de deur achter zich.

'Ik ben TD Dwyer,' zei hij. 'Ik ben als wetenschapper verantwoordelijk voor het onderzoek naar de meteoriet.'

Overholt kwam achter zijn bureau vandaan en schudde Dwyer de hand, waarna hij naar een paar stoelen in een zithoek wees. Toen ze allebei zaten, zei hij: 'Wat wilde u me zeggen?'

Toen Dwyer een minuut of vijf over zijn dissertatie had gesproken, onderbrak Overholt hem. Hij liep naar zijn bureau en sprak in de intercom. 'Julie, het is noodzakelijk dat de heer Dwyer me naar de bijeenkomst in het Witte Huis vergezelt. Kun je dat regelen?'

'Kunt u hem naar zijn betrouwbaarheidsclassificatie vragen?' vroeg Julie.

'Eén-A superieur,' antwoordde Dwyer.

'Dan kunnen we naar de frontlinie,' zei Overholt tegen Julie, 'alles zoals afgesproken.'

'Ik zal het doorgeven.'

Overholt liep terug naar de stoel en ging weer zitten. 'Wanneer wij aan de beurt zijn, wil ik dat u uw bevindingen zonder enige overdrijving uit de doeken doet. Vertel de feiten zo duidelijk mogelijk. Wanneer men u om uw mening vraagt – wat hoogstwaarschijnlijk het geval zal zijn – zeg die dan, maar benadruk dat het uitsluitend úw mening is.'

'Doe ik,' zei Dwyer.

'Prima,' zei Overholt. 'En nu, onder ons, wil ik graag de rest van het verhaal horen, inclusief alle gewaagde theorieën en conclusies.'

'De essentie van de theorie is dit: de mogelijkheid bestaat dat wanneer de moleculaire structuur van de meteoriet wordt doorboord, er een virus vrijkomt, waarvan de gevolgen niet te overzien zullen zijn.'

'In het ergste geval?'

'Destructie van al het organisch leven op aarde.'

'Nou,' verzuchtte Overholt, 'je kunt rustig stellen dat u mijn ochtend grondig hebt verziekt.'

In de controlekamer van de *Oregon* bestudeerde Eric Stone aandachtig een monitor. Hij probeerde de exacte locatie van de meteoriet te traceren, maar die leek zich weer te verplaatsen. Met behulp van alle gegevens probeerde Stone het object nauwkeuriger te lokaliseren. Hij typte nog wat commando's op het toetsenbord van de computer en keek naar een ander scherm. Stone maakte gebruik van ruimte die de Corporation op een commerciële satelliet huurde.

Het beeld dat op de monitor verscheen vulde het hele scherm, maar de zee ging schuil onder een dicht wolkendek.

'Chef,' zei hij tegen Cabrillo, 'het moet via de KH-30. Er is te veel bewolking.'

De KH-30 was de nieuwste supergeheime satelliet van het ministerie van Defensie. Hij beschikte over lenzen waarmee je dwars door wolken en zelfs door water kon kijken. Ondanks herhaalde pogingen was Stone er nog niet in geslaagd tot dit systeem door te dringen.

'Als ik Overholt spreek, zal ik het hem vragen,' zei Cabrillo. 'Wellicht kan hij het Nationaal Verkennings Instituut onder druk zetten om hem tijd ter beschikking te stellen. Goed gedaan, Stone.'

Hanley keek naar de kaart met de routes op een andere monitor. De *Oregon* vloog vooruit, maar het andere schip had een aanzienlijke voorsprong. 'Als ze deze snelheid aanhouden, hebben we ze in ieder geval vóór Schotland ingehaald.'

Cabrillo wierp een blik op de monitor. 'Volgens mij zijn ze op weg naar de Faerøereilanden.'

'Als dat zo is,' zei Hanley, 'bereiken ze de haven voordat wij ze te pakken hebben.'

Cabrillo knikte en dacht hier even over na. 'Waar zijn onze vliegtuigen?'

Hanley liet een wereldkaart op het scherm verschijnen. 'Dulles, Dubai, Kaapstad en Parijs.'

'Welk toestel is in Parijs?'

'De Challenger 604,' antwoordde Hanley.

'Stuur dat naar Aberdeen in Schotland,' zei Cabrillo. 'De landingsbaan op het vliegveld van de Faerøereilanden is niet lang genoeg, en Aberdeen is de dichtstbijzijnde grote stad. Zorg dat het toestel bijgetankt klaarstaat voor het geval we het nodig hebben.'

Hanley knikte en liep naar een andere computer om er de instructies in te voeren. De deur van de controlekamer ging open en Michael Halpert kwam binnen. Hij had een manilla envelop in zijn hand. Hij liep naar de koffieautomaat, nam een kop koffie en richtte zich tot Cabrillo.

'Chef,' zei hij bezorgd, 'ik heb alle mogelijke bestanden afgezocht, maar er zijn geen terroristen of andere criminele figuren bekend onder de bijnaam de Geest.'

'En op andere gebieden?'

'Er is een Hollywoodacteur die zich als vertegenwoordiger van de duistere machten afficheert, een schrijver van boeken over vampiers, een industrieel, en 4.382 e-mailadressen.'

'De acteur en de schrijver kunnen we uitsluiten,' zei Cabrillo. 'Alle acteurs en schrijvers die ik ben tegengekomen waren nog te dom om een lunch te organiseren, laat staan een overval op een terroristenschip. Wie is die industrieel?'

'Ene Halifax Hickman,' las Halpert van zijn lijst op, 'een steenrijke Howard Hughes-achtige figuur met zakelijke belangen in een heel scala van ondernemingen.'

'Ga alles na wat je over hem kunt vinden,' zei Cabrillo. 'Ik wil echt alles van hem weten, tot en met de kleur van het ondergoed dat hij draagt.'

'Komt voor elkaar,' zei Halpert, waarna hij de controlekamer weer uitliep.

Het zou twaalf uur duren voordat Halpert zijn kantoor uitkwam. En vanaf dat moment zou de Corporation heel wat wijzer zijn dan nu.

Als TD Dwyer zou beweren dat hij niet zenuwachtig was, dan loog hij.

De mensen die om de vergadertafel zaten, waren de absolute kopstukken van het landelijke politieke machtsspel. Een aantal van hen verscheen vrijwel dagelijks in de actualiteitenprogramma's en de meesten waren bekend bij iedereen die niet in een kluizenaarsgrot leefde.

De hier bijeengekomen lieden waren leden van het kabinet, de minister van Buitenlandse Zaken, de president en zijn adviseurs, plus een handvol viersterrengeneraals en topfunctionarissen van de veiligheidsdiensten. Toen Overholt aan de beurt was om zijn zegje te doen, gaf hij een beknopt overzicht van de situatie en stelde Dwyer voor als degene die op de vragen zou ingaan.

De eerste vraag kwam van het grootste zwaargewicht aan tafel.

'Is deze mogelijkheid ooit in een laboratorium geverifieerd?' vroeg de president.

'Voor zover we weten zijn er isotopen van helium aangetroffen in buckyballs afkomstig uit brokstukken die men in de meteoorkrater in Noord-Arizona en in een onderzeese krater in de buurt van het Mexicaanse Cancun heeft ontdekt. Maar deze onderzoeken werden uitgevoerd door universiteitslaboratoria en de uitkomsten waren niet honderd procent overtuigend.'

'Dus dit is uitsluitend theoretisch,' zei de minister van BZ, 'en niet wetenschappelijk bewezen.'

'Meneer,' zei Dwyer, 'dit is een volstrekt nieuw terrein voor ons. We kennen dit pas sinds 1996, toen vier wetenschappers de Nobelprijs voor scheikunde kregen voor hun ontdekking van de zogenaamde buckyballs. Vanaf dat moment is dit onderzoek als gevolg van bezuinigingen en dergelijke voornamelijk voortgezet door bedrijven op zoek naar commerciële toepassingen.'

'Is het mogelijk om deze theorie te testen?' reageerde de minister van BZ.

'We zouden wat deeltjes kunnen verzamelen en de atomen in een daarvoor geschikte omgeving kunnen splitsen,' zei Dwyer, 'maar er is geen enkele garantie dat we over deeltjes beschikken waarin het virus nog intact is. In sommige deeltjes kan het aanwezig zijn en in andere niet.'

'Meneer Overholt,' zei de president, 'waarom hebt u mensen van buiten aangetrokken en geen eigen agenten naar Groenland gestuurd?'

'In de eerste plaats,' antwoordde Overholt, 'verkeerde ik op dat moment nog in de veronderstelling dat het hier om een relatief ongevaarlijk object handelde, en ik kon ook niet weten dat Echelon een lek had. De informatie over het enorme gevaar dat hierin schuilt, ontving ik pas vandaag van de heer Dwyer. In de tweede plaats werkten we aan een inbeslagname van het object en wilden we uw regering behoeden voor eventuele negatieve publiciteit.'

'Dat begrijp ik,' zei de president. 'Wie hebt u daarvoor ingeschakeld?'

'De Corporation,' antwoordde Overholt.

'Zij hebben indertijd toch de terugkeer van de Dalai Lama naar Tibet begeleid?'

'Inderdaad ja.'

'Ik dacht dat die ondertussen wel met vervroegd pensioen zouden zijn,' zei de president. 'Financieel hebben ze met die operatie toch een geweldige slag geslagen. Maar goed, ik twijfel niet aan hun deskundigheid. Als ik in uw schoenen had gestaan, had ik precies hetzelfde gedaan.'

'Dank u,' zei Overholt.

Nu nam de opperbevelhebber van de luchtmacht het woord. 'De feiten zijn dus dat we een iridiumbol kwijt zijn, terwijl er tevens een nucleair wapen wordt vermist. En als die twee bij elkaar komen, hebben we de poppen aan het dansen.'

De president knikte. Dat was de situatie in een notendop. Hij zweeg even.

'Dit kunnen we doen,' zei hij ten slotte. 'De heer Dwyer zorgt dat hij een paar van die buitenaardse buckyballs te pakken krijgt en doet er de nodige experimenten mee. Als inderdaad de mogelijkheid bestaat dat er een buitenaards virus vrijkomt, moeten we dat zo spoedig mogelijk weten. Ten tweede wil ik dat het leger en de inlichtingendiensten zich met vereende krachten op de opsporing van de meteoriet richten. Ten derde wil ik dat de heer Overholt zijn samenwerking met de Corporation voortzet; zij zitten hier al vanaf het begin bovenop, dus ik wil niet dat ze zich terugtrekken. Hiervoor zal ik alle benodigde financiële middelen ter beschikking stellen. Ten vierde wil ik dat dit geheim blijft. Als hier morgen ook maar iets over in de *New York Times* staat, kan degene die dat gelekt heeft ontslag op staande voet verwachten. En het laatste ligt het meest voor de hand: we moeten die Oekraïense kernbom en de meteoriet zo snel mogelijk in handen zien te krijgen, want we willen het nieuwe jaar niet met een crisis ingaan.' Hij zweeg een ogenblik en keek de kring rond. 'Goed, iedereen weet nu wat hem te doen staat. Doe je werk, dan wassen we dit varkentje wel.'

Terwijl de aanwezigen het vertrek verlieten, gebaarde de president naar Overholt en Dwyer dat ze moesten wachten. Nadat een marinier iedereen uitgeleide had gedaan, sloot hij de deur achter zich en posteerde zich voor de deur.

'TD, is het niet?'

'Inderdaad,' antwoordde Dwyer.

'Vertel eens, wat is het zwaard van Damocles?'

Dwyer keek naar Overholt, die knikte.

'Als zich inderdaad in de moleculen van de meteoriet een virus bevindt,' zei Dwyer traag articulerend, 'is een kernexplosie daar kinderspel bij.'

'Zeg dat Cabrillo me belt,' zei de president tegen Overholt.

23

Aan boord van de *Oregon* vond in de vergaderzaal druk overleg plaats.

'Op 560 kilometer afstand kunnen we de Robinson eropaf sturen,' zei Cabrillo. 'Met tegenwind halen we zo'n honderdzestig kilometer per uur en dan kunnen we ongeveer tegelijk met het onbekende schip bij de Faerøereilanden zijn.'

'Het probleem is,' zei Hanley, 'dat dan alleen Adams en jij daar ter plekke zijn, en met twee man is een bestorming van het schip uitgesloten, pure zelfmoord.'

'Die gasten,' vulde Seng aan, 'zijn genadeloos.'

Op dat moment ging de deur van de vergaderruimte open en stak Gunther Reinholt, de werktuigkundig ingenieur van de *Oregon*, zijn hoofd naar binnen.

'Chef,' zei hij, 'er is iemand voor u aan de lijn.'

Cabrillo knikte en stond van zijn stoel aan het hoofd van de tafel op, waarna hij Reinholt door de gang volgde. 'Wie is het?' vroeg hij.

'De president,' antwoordde Reinholt, terwijl hij Cabrillo voorging naar de controlekamer.

Cabrillo zweeg – wat moest hij hier ook op zeggen? In de controlekamer liep hij direct naar de telefoon en nam de hoorn op.

'Met Juan Cabrillo.'

'Moment alstublieft, hier komt de president van de Verenigde Staten,' zei de telefonist.

Een paar seconden later hoorde hij een stem met een sterk nasale klank. 'Meneer Cabrillo,' zei hij, 'goedemiddag.'

'Goedemiddag,' antwoordde Cabrillo, 'wat kan ik voor u doen?'

'De heer Overholt is hier bij mij en hij heeft me uitgebreid op de hoogte gesteld. Hoe is de actuele situatie?'

Cabrillo gaf een kort overzicht van de nieuwste feiten.

'Ik kan in Engeland gestationeerde vliegtuigen inzetten en het schip met een Harpoon-raket uitschakelen,' zei de president toen Cabrillo was uitgesproken, 'maar daarmee hebben we die bom nog niet, toch?'

'Inderdaad,' bevestigde Cabrillo.

'We kunnen geen manschappen naar de Faerøer invliegen,' vervolgde de president. 'Daarvoor blijkt het vliegveld te klein. Dat betekent dat we alleen met een helikopter een ploeg kunnen afzetten en de voorbereidingen daartoe zullen, schat ik, toch wel een uur of zes in beslag nemen.'

'Wij gaan ervan uit dat we nog drieëneenhalf uur de tijd hebben,' reageerde Cabrillo.

'Ik heb het bij de marine nagevraagd,' zei de president. 'Ze hebben daar niets in de buurt.'

'Meneer de president,' zei Cabrillo, 'we hebben een zender op de meteoriet. Zolang de meteoriet niet met het nucleaire wapen is samengebracht, is het gevaar niet al te groot. Als u daar toestemming voor geeft, denk ik dat wij de meteoriet kunnen volgen tot de plaats waar hij met de atoombom wordt samengebracht. Dan slaan we twee vliegen in één klap.'

'Dat lijkt me een riskante strategie,' zei de president, waarna hij zich tot Overholt wendde.

'Juan,' klonk de stem van Overholt vanuit de achtergrond, 'hoe liggen de kansen dat uw team dat tot een goed einde brengt?'

'Hoog,' antwoordde Cabrillo snel, 'maar er zit een adder onder het gras.'

'En dat is?' vroeg de president.

'We weten niet met wie we te maken hebben. Als de lieden die de meteoriet nu in handen hebben, een afsplitsing van de Hammadi Groep zijn, ben ik ervan overtuigd dat we ze kunnen hebben.'

De president zweeg een ogenblik. 'Goed,' zei hij ten slotte, 'laten we het zo doen.'

'Uitstekend,' zei Cabrillo.

'Maar,' vervolgde de president, 'we hebben nog een heel ander probleem wat die meteoriet betreft. Ik heb hier een deskundige die het u zal uitleggen.'

In enkele minuten deed Dwyer zijn theorie uit de doeken. Bij Cabrillo liepen de koude rillingen over zijn rug. Er dreigde een armageddon.

'Dat maakt de hele kwestie nog vele malen riskanter,' reageerde Cabrillo, 'maar onze tegenstanders zijn zich waarschijnlijk niet bewust van de mogelijkheid dat er een virus kan vrijkomen. Wijzelf weten dat pas sinds kort. Feit is dat ze hiermee ook hun eigen ondergang tegemoetgaan. Het enige scenario dat van hen uit bekeken logisch is, is dat ze de meteoriet voor de vervaardiging van een vuile bom willen gebruiken.'

'Dat klopt helemaal,' zei de president, 'en we hebben ons het hoofd suf gepiekerd om een scenario te verzinnen waarbij ze de moleculen zouden kunnen splitsen. Daarvoor moeten ze de meteoriet op de een of andere manier zien open te breken. Maar het gevaar bestaat, en de gevolgen zijn dan niet te overzien en onherstelbaar.'

'Stel dat de Corporation de opdracht had om die operatie uit te voeren,' vroeg Overholt, 'hoe zou u dat dan aanpakken?'

'U bedoelt wanneer de Corporation een kwaadaardig alter ego had en we zoveel mogelijk mensen tegelijk zouden willen doden?' zei Cabrillo. 'Dan zouden we proberen een zo groot mogelijk deel van de mensheid aan de radioactieve straling van het iridium bloot te stellen.'

'Dus dan zou u een verspreidingsmogelijkheid zoeken?' vroeg de president.

'Dat is correct,' antwoordde Cabrillo.

'Wanneer we de Britten hun luchtruim laten sluiten, is het gevaar van verspreiding door de lucht dus afgewend,' concludeerde de president. 'Dan hebben we alleen het gevaar van die bom nog.'

'De beveiliging van de metrostations en alle publieke ruimtes moet drastisch worden verhoogd,' vulde Cabrillo aan, 'voor het geval ze in openbare gelegenheden radioactief stof willen verspreiden. Misschien hebben ze de kernbom op de een of andere manier ontmanteld en zijn ze van plan de kern met het iridium tot een poeder te verwerken om daarmee de bevolking te besmetten.'

'Dan zullen de Britten hun totale post- en pakketbezorgingsapparaat uiterst secuur in de gaten moeten houden,' zei de president. 'En verder?'

De vier mannen waren enige ogenblikken in gepeins verzonken.

'Laten we hopen dat we de meteoriet en de bom samen te pakken krijgen,' zei de president ten slotte, 'en Engeland voor een ongekende ramp behoeden. Aan een andere afloop moeten we maar niet denken, die is te verschrikkelijk voor woorden.'

Nadat de verbinding was verbroken, liep Cabrillo terug naar de vergaderruimte. Wat hij niet wist, was dat terwijl Groot-Brittannië het doelwit voor de ene operatie was, er drie tijdzones oostelijker nog een heel ander gevaar dreigde.

Cabrillo stapte de vergaderruimte binnen. 'Ik heb zojuist de president aan de lijn gehad,' zei Cabrillo, terwijl hij naar het hoofd van de tafel liep. 'We hebben alle steun van de Amerikaanse regering.'

De aanwezigen zwegen, in afwachting van wat Cabrillo nog meer te vertellen had.

'Er is nog iets bijgekomen,' vervolgde hij. 'Een deskundige van de CIA heeft een uitgewerkte theorie dat de moleculen van de meteoriet gassen uit de ruimte kunnen bevatten. Deze gassen kunnen met een levensgevaarlijk virus of met een andere ziekteverwekker geïnfecteerd zijn. Hoe dan ook, als we de meteoriet in handen hebben, mag hij onder geen beding hoe dan ook beschadigd raken.'

Julia Huxley was als arts verantwoordelijk voor de veiligheid van de bemanning. 'Wat is het gevaar van blootstelling aan de buitenkant van de meteoriet?' vroeg ze. 'U bent er vlakbij geweest.'

'De deskundige zei dat wanneer er een virus aan de buitenkant zou hebben gezeten, dit bij het binnendringen van de dampkring volledig is verbrand. Het probleem ontstaat pas wanneer de meteoriet wordt opengeboord bijvoorbeeld. Wanneer de moleculen zich op een bepaalde manier hebben gerangschikt, bestaat de mogelijkheid dat ze ruimtes hebben gevormd die groter zijn dan de moleculen zelf en waarin het gas is opgesloten.'

'Hoe groot kunnen die ruimtes zijn?' vroeg Huxley.

'Het is maar een theorie,' antwoordde Cabrillo, 'maar de meteoriet kan een holle bol zijn, zoiets als een chocolade paasei. Of er zijn samengepakte holtes met gas zoals de natuurlijk gevormde geoden die uit kristallijne holtes bestaan. Niemand weet het precies, tot we de meteoriet in handen hebben en hem kunnen onderzoeken.'

'Enig idee wat voor virus het kan zijn?' vroeg Huxley. 'Wellicht kan ik een serum voorbereiden.'

'Nee,' antwoordde Cabrillo aarzelend, 'maar het komt uit de ruimte en als dat op aarde vrijkomt, berg je dan maar.'

Het was zo stil in het vertrek dat ze een vlieg konden horen zoemen.

Cabrillo keek Hanley aan.

'Adams is klaar om te vertrekken,' zei Hanley, 'en onze Challenger 604 zal over enkele minuten in Aberdeen landen.'

'Waar is Truitt?'

Richard 'Dick' Truitt was de onderdirecteur van de Corporation.

'Hij was aan boord van het toestel van de emir,' antwoordde Hanley. 'Hij heeft de emir veilig en wel in Qatar afgeleverd. Ik heb onze Gulfstream in Dubai opdracht gegeven naar Qatar te vliegen om hem op te halen. Ze zullen daar inmiddels wel vertrokken zijn en vliegen nu ergens boven Afrika, schat ik.'

'Laat ze naar Londen gaan,' zei Cabrillo. 'Zorg dat hij en de Gulfstream daar klaarstaan.'

Hanley knikte.

'Ik wil dat u doorgaat met de voorbereidingen voor een bestorming van het onbekende schip,' zei Cabrillo. 'Wanneer alles volgens plan verloopt, kunnen we dit binnen twaalf uur afronden. Zoals altijd heeft Hanley de leiding als ik weg ben.'

De aanwezigen knikten en namen hun werkzaamheden weer op, terwijl Cabrillo het vertrek verliet en door de gang naar het kantoor van Halpert liep, waar hij aanklopte.

'Binnen,' riep Halpert.

Cabrillo opende de deur en liep de hut in. 'Weet je al iets meer?'

'Ik ben nog bezig,' antwoordde Halpert. 'Op dit moment licht ik alle ondernemingen door die hij beheert.'

'Zorg ook dat je zoveel mogelijk over zijn privéleven te weten komt en maak een psychologische analyse.'

'Doe ik,' zei Halpert, 'maar voor zover ik nu kan zien is hij een loyale Amerikaan. Hij heeft geen strafblad en is bevriend met een aantal senatoren. Hij is zelfs ooit op de ranch van de president uitgenodigd.'

'Dat is de president van Noord-Korea ook,' merkte Cabrillo op.

'Dat is waar,' zei Halpert, 'maar maak je geen zorgen: als er ook maar ergens iets fouts van deze meneer te ontdekken valt, dan vind ik dat.'

'Ik moet nu weg. Als je iets vindt, meld dat dan aan Hanley.'

'Oké.'

Cabrillo liep aan het eind van de gang de trap naar het vliegdek op.

George Adams zat, gekleed in een kakikleurig gevechtspak al in de Robinson klaar. Hij moest de motoren nog starten en het was koud in de cockpit. Hij wreef in zijn handen en maakte een aantekening in het op een klembord bevestigde logboek.

Terwijl hij de controleprocedure van het instrumentenpaneel startte, keek hij op naar Cabrillo, die het toestel naderde, en drukte de deur aan de passagierskant voor hem open. Cabrillo tilde een plunjezak met wapens, extra kleding en elektronische apparatuur op de achterstoel, plus een tas met proviand. Toen hij de spullen stevig had vastgesnoerd, keek hij opzij naar Adams.

'Kan ik nog iets voor je doen?' vroeg hij.

'Nee, chef,' antwoordde Adams, 'alles is geregeld. Ik heb een weerbericht, een vluchtschema en alle herkenningspunten zijn in de GPS ingevoerd. Als u instapt en uw gordel omdoet, kunnen we er een mooi uitstapje van maken.'

Ondanks al die jaren dat Adams nu al bij de Corporation werkte, verbaasde Cabrillo zich toch iedere keer weer over de efficiëntie waarmee de helikopterpiloot te werk ging. Adams klaagde nooit en was niet van slag te krijgen. Cabrillo had diverse keren onder de ongunstigste omstandigheden met de man gevlogen, maar afgezien van af en toe een jolige opmerking leek Adams gespeend van angst en altijd de rust zelve.

'Soms wou ik dat ik je kon klonen, George,' zei Cabrillo, terwijl hij instapte en de veiligheidsgordel vastgespte.

'Dat zou jammer zijn,' reageerde Adams terwijl hij van zijn instrumenten opkeek, 'want dan heb ik nog maar de helft van de lol.'

Adams draaide het contactsleuteltje om, waarop de zuigermotor aansloeg. Hij liet de motor even stationair draaien tot hij voldoende was opgewarmd en nam contact op met de stuurhut.

'Is de wind oké?'

'Ja,' luidde het antwoord.

Daarop trok hij met een vloeiende beweging de collectieve spoed naar zich toe en steeg de helikopter op van het dek. Omdat de *Oregon* doorvoer, schoof het schip vrijwel direct onder de heli weg. Adams schakelde, gaf gas en zwenkte langs het schip. Een paar minuten later was de *Oregon* al uit het zicht verdwenen. Vanuit de helikopter waren alleen nog wolken en een zwart glimmende zee te zien.

'Dat is wat we op dit moment weten,' zei de president tegen de premier van Engeland.

'Ik zal de allerhoogste alarmfase uitroepen,' antwoordde de premier, 'en een persbericht doen uitgaan waarin we als reden aangeven dat er een lading ricinegif wordt vermist. De terroristen zullen hun plannen dan niet onderbreken.'

'Hopelijk hebben we dit snel opgelost,' zei de president.

'Ik zal onze MI5 en MI6 laten weten dat ze met uw mensen moeten samenwerken. Maar zodra de meteoriet zich op Britse bodem bevindt, zullen wij de coördinatie moeten overnemen.'

'Dat begrijp ik,' zei de president.

'Succes,' zei de premier.

'Hetzelfde.'

Truitt keek uit het zijraam van de Gulfstream, terwijl het toestel met een snelheid van ruim achthonderd kilometer per uur door de lucht raasde. Diep beneden hem glinsterde de kust van Spanje in het zonlicht. Hij stond op, liep naar voren en klopte op de deur van de cockpit.

'Kom binnen,' riep Chuck 'Tiny' Gunderson.

Truitt opende de deur. Gunderson bediende het besturingsmechanisme en naast hem zat Tracy Pilston op de stoel van de copiloot. 'Hoe staan de zaken hier?' vroeg hij.

'Een hele opsomming,' antwoordde Pilston. 'Tiny heeft eerst roggebrood met kalkoen gegeten, daarna een hele zak M&M's en een half blikje gerookte amandelen. Ik zou uit de buurt van zijn mond blijven als ik jou was.'

'Er zijn twee dingen waar ik een berehonger van krijg,' reageerde Gunderson. 'Van vliegen, en dat andere kun je wel raden.'

'Op forel vissen?' zei Truitt.

'Dat ook,' bevestigde Gunderson.

'Mountainbiken?' zei Pilston.

'Dat ook,' gaf Gunderson toe.

'We zijn waarschijnlijk sneller klaar als we gaan opnoemen waar je géén honger van krijgt,' suggereerde Truitt.

'Slapen,' zei Gunderson, terwijl hij voorover zakte en deed alsof hij in slaap was gevallen.

'Wat kunnen we voor je doen, Dick?' vroeg Pilston, terwijl Gunderson bleef doen alsof hij sliep. De Gulfstream volgde zijn koers op eigen kracht.

'Ik vroeg me alleen af of we op Gatwick of op Heathrow landen.'

'Volgens de laatste instructies op Heathrow,' antwoordde Pilston.

'Bedankt,' zei Truitt, terwijl hij zich omdraaide om weg te gaan.

'Zou je iets voor me willen doen?' vroeg Pilston.

'Natuurlijk,' zei Truitt, zich weer omdraaiend.

'Zeg Tiny dan alsjeblieft dat hij mij eens laat vliegen. Hij zit echt aan die knoppen vastgeroest.'

Haast zonder zijn lippen te bewegen reageerde Gunderson: 'We vliegen op de automatische piloot.'

'Geen ruzie, jongens,' zei Truitt, terwijl hij de cockpit uitliep.

'Je krijgt een Snickers van me als ik mag vliegen,' bood Pilston aan.

'Bingo, dame,' zei Gunderson, 'waarom zei je dat niet meteen?'

24

Uit het oosten waaide een stevige wind die alles op zijn pad met een laag van het fijne meegevoerde poederachtige zand bedekte. In Saoedi-Arabië is zand eenzelfde onveranderlijke constante als de getijdenbewegingen in de oceanen. De lage temperatuur van die dag was daarentegen net zo zeldzaam als een biefstuk op een hindoebruiloft.

Saud Al-Sheik keek naar de lege ruimte in het gigantische stadion van Mekka.

Saoedi-Arabië was gezegend met enorme olievoorraden, uitstekende ziekenhuizen en scholen, en het heiligste heiligdom van de islamieten: Mekka. Het is gebruik dat een vrome moslim ter bevestiging van zijn geloof minstens eenmaal in zijn leven een pelgrimstocht naar Mekka maakt, ook wel hadj genoemd. Ieder jaar komen er, meestal begin januari, weer vele duizenden gelovigen bijeen, die dan meestal ook het nabijgelegen Medina bezoeken, waar de profeet Mohammed is begraven.

De toestroom van zoveel pelgrims in zo'n kort tijdsbestek is een logistieke nachtmerrie. Het verzorgen van onderdak, voedsel, medische verzorging en beveiliging van de mensenmassa's is niet alleen een zenuwslopende maar ook peperdure operatie.

Saoedi-Arabië betaalt de kosten van alle voorzieningen voor de bezoekende pelgrims, evenals alle eventuele onkosten in het geval er iets fout gaat.

De aanwezigheid van Amerikaanse en Britse troepen in Irak en Afghanistan had de sluimerende haat tegen alles wat westers was in die regio aangewakkerd tot een waar kruitvat. De beveiliging in Mekka zou dit jaar strenger zijn dan ooit. Fundamentalistische moslims wilden het Westen verpulveren en als een plaag van de aardbol uitroeien.

Deze haat bleef niet onbeantwoord door de westerse wereld, die na 11 september en talloze terroristische bedreigingen en aanslagen alle geduld met de fundamentalistische boodschap had verloren. Als er opnieuw een aanslag werd gepleegd waarbij Saoedi's betrokken waren, zouden de meeste burgers van de Verenigde Staten een bezetting van het olierijke land bepleiten. De opinies in de westerse wereld waren steeds eenduidiger geworden: er waren twee soorten mensen op onze planeet: vrienden en vijanden. Vriendschap werd beloond en vijandschap afgestraft.

Te midden van alle spanningen, haat, geweld en woede moest in Mekka alles in goede banen worden geleid voor een veilige en ongestoorde hadj, die op 10 januari zou beginnen. Men had nog een kleine veertien dagen om alle noodzakelijke voorbereidingen te treffen.

Saud Al-Sheik las een aantal documenten op zijn klembord door. Er waren nog duizend en één dingen te doen en het tijdstip van de pelgrimage kwam met rasse schreden naderbij. Er was een nieuw probleem gerezen: de nieuwe bidkleedjes die hij in Engeland had besteld. Ze waren nog niet klaar en de fabriek was onlangs in andere handen overgegaan.

Dat, plus het feit dat Engeland in zijn land vanwege de Engelse steun aan de door de Verenigde Staten geleide bezetting van Irak nu niet bepaald in hoog aanzien stond, zou ongetwijfeld tot ongewenste commotie leiden. Al-Sheik vroeg zich af of steekpenningen aan de fabriek zinvol zouden zijn. Hij zou hun een extra bonus betalen voor een snelle levering van de bestelde artikelen en ze vervolgens ter camouflage van het oorspronkelijke land van herkomst via een tussenhandelaar in Parijs importeren.

Daarmee waren beide problemen in één keer opgelost.

Tevreden met dit idee nam hij een slok thee en pakte zijn gsm om de fabriek te bellen.

Inmiddels was het Griekse vrachtschip *Larissa* op haar laatste krachten Het Kanaal ingevaren. De kapitein bestudeerde zijn zeekaarten. Hij had opdracht gekregen om in de haven van het Isle of Sheppey af te meren, en dat was iets wat hij nooit eerder had gedaan. Dover, Portsmouth en Felixstowe waren de havens die hij normaal gesproken aandeed. Maar de kapitein wist uiteraard niet dat de Britse autoriteiten in die havens recentelijk stralingsdetectoren had geïnstalleerd. Het eiland Sheppey daarentegen was wat dat betreft een gapend gat zo groot als de Grand Canyon. En de lieden die hem hadden ingehuurd wisten dat maar al te goed.

De kapitein bekeek de kaart, waarna hij een koerswijziging doorgaf. Daarna krabde hij weer aan de uitslag op zijn arm. Het vrachtschip ploegde moeizaam voort, terwijl er een dikke rookpluim van de oude dieselmotor uit de schoorsteen walmde. De *Larissa* was een stervend schip met een dodelijke lading.

25

Dwyer keek omlaag naar de droge woestijn van noordelijk Arizona die onder de helikopter van het type Sikorsky S-76 doorgleed. Links van hem zag hij op enkele kilometers afstand de besneeuwde toppen van een gebergte. Dat daar sneeuw lag, verbaasde hem. Net als de meeste mensen die deze staat nooit eerder hadden bezocht, verkeerde Dwyer in de veronderstelling dat er niet veel meer dan een eindeloze zandvlakte vol cactussen te zien zou zijn. Maar Arizona had, zo bleek hem nu, veel meer te bieden.

'Hoe vaak sneeuwt het daar?' vroeg hij via de headset aan de piloot.

'Die toppen liggen in de buurt van Flagstaff,' antwoordde de piloot. 'Er valt daar voldoende sneeuw voor de exploitatie van een heel skioord. De hoogste top is de Humphries, die is ruim 3600 meter hoog.'

'Dat had ik hier niet verwacht,' moest Dwyer toegeven.

'Dat zegt bijna iedereen,' zei de piloot.

De piloot was sinds hun ontmoeting in Phoenix twee uur geleden weinig spraakzaam geweest. Dwyer kon het hem niet kwalijk nemen. Hij wist zeker dat zijn superieuren in dienst van Arizona's eigen veiligheidsdienst hem niets hadden meegedeeld over Dwyers positie of het doel van de reis. De meeste mensen hebben op z'n minst toch graag enig idee van de bedoeling van wat hun is opgedragen.

'We vliegen naar die krater, opdat ik daar wat gesteentemonsters kan nemen,' zei Dwyer, 'die ik dan in het laboratorium kan onderzoeken.'

'Dat is alles?' vroeg de piloot hoorbaar opgelucht.

'Jep,' antwoordde Dwyer.

'Leuk,' zei de piloot, 'want je hebt geen idee van de opdrachten die ik de laatste tijd heb gehad. Er zijn dagen dat ik echt met tegenzin naar m'n werk ga.'

'Dat zal best.'

'Ik heb mijn dienst meer dan eens met een chemische ontsmettingsdouche moeten afsluiten,' vertelde de piloot, 'en dat is niet echt mijn idee van een relaxte werkdag.'

'Dit wordt een fluitje van een cent,' verzekerde Dwyer hem.

Na deze geruststellende opmerking ontspande het strakke gezicht van de piloot en weidde hij gedurende de rest van de vlucht aan één stuk door uit over de bezienswaardigheden die ze passeerden. Twintig minuten later wees hij door de voorruit. 'Daar is het.'

De meteoorkrater was een enorme kuil in de zanderige omgeving. Zo uit de lucht gezien was het niet moeilijk om je voor te stellen wat voor enorme krachten er nodig waren geweest om zo'n diep gat in de aardkorst te slaan. Het leek alsof een reus de aarde met een enorme moker had bewerkt. De bij de inslag opgeworpen stofwolken moeten nog maandenlang zichtbaar zijn geweest. Voor hen doemde de rand van de krater als een ronde pasteikorst op.

'Welke kant?' vroeg de piloot.

Dwyer zocht de bodem af. 'Daar,' zei hij, 'bij die witte pickup.'

De piloot minderde vaart, bleef even hangen en zette de Sikorsky vervolgens netjes aan de grond.

'Ik moet aan boord blijven,' zei de piloot, 'om het radioverkeer in de gaten te houden.'

Nadat de piloot de landingsprocedure had afgerond en de rotorbladen helemaal stilstonden, klom Dwyer het toestel uit en liep naar een man die, in cowboylaarzen en een dito hoed op het hoofd, op enige afstand stond te wachten. De mannen begroetten elkaar hartelijk met een ferme handdruk.

'Bedankt dat u me wilt helpen,' zei Dwyer.

'Kom nou,' reageerde de man, 'een verzoek van de president van de Verenigde Staten sla je niet af. Ik ben blij dat ik kan helpen.'

De man liep naar zijn pick-up, boog zich over de laadbak en pakte er wat handgereedschap en een mand uit, waarna hij Dwyer een schep in de hand drukte. Vervolgens wees hij naar de rand.

'Wat u zoekt, ligt volgens mij daar.'

Nadat ze over de opgestuwde richel zand waren geklommen die de krater omgaf, liepen ze een meter of twintig de krater in. De temperatuur steeg naarmate ze dieper kwamen.

De man met de cowboyhoed bleef staan. 'Dit is een goede plek in de rand van de krater,' zei hij, terwijl hij zijn voorhoofd met een felgekleurde halsdoek droogwreef. 'Hier heb ik altijd de grootste brokken gevonden.'

Dwyer keek om zich heen en koos een plek uit waar hij begon te graven.

Terwijl Dwyer in Arizona zijn spade in de opgewarmde grond stak, was het aan dek van de *Oregon* voor de kust van IJsland aanzienlijk frisser. Benedendeks bekeek Michael Halpert een computeruitdraai. Halpert had urenlang doorgewerkt en zijn ogen prikten van het voortdurende turen op de monitor. Na het intoetsen van enkele codes verscheen het bestand van de missie in beeld, waarna Halpert nogmaals de aantekeningen van Cabrillo doorlas.

Na nog een laatste blik op de uitdraai zocht hij zijn eigen aantekeningen bijeen en liep ermee naar de controlekamer.

'Richard,' zei Hanley, toen Halpert er binnenstapte, 'zeg dat ze de Gulfstream voltanken en klaarmaken voor vertrek. Ik bel je zodra we je nodig hebben.'

Terwijl hij ophing, wendde hij zich tot Halpert. 'Heb je iets ontdekt?'

Halpert overhandigde het document, dat Hanley snel

doorlas. 'Dit kan van belang zijn,' zei Hanley aarzelend, 'maar misschien ook niet. Het is inderdaad een enorm bedrag dat Hickman aan de universiteit heeft gedoneerd, maar dat is misschien iets wat hij wel vaker doet.'

'Dat heb ik nagezocht,' zei Halpert, 'en dat is zo. Maar het is allemaal voor de archeologische faculteit.'

'Interessant,' zei Hanley.

'Vergeet niet wat de archeoloog vlak voor zijn dood zei,' vervolgde Halpert. '*Hij financierde de universiteit.*'

'Ik begrijp waar je heen wilt,' zei Hanley. 'Ik vond het al raar dat Ackerman wel eerst Hickman op de hoogte had gesteld, maar daarna niet de moeite heeft genomen om die vondst aan het hoofd van zijn afdeling te melden.'

'Hickman en Ackerman hebben waarschijnlijk onder één hoedje gespeeld,' zei Halpert, 'zodat Ackerman er zeker van kon zijn dat de roem voor de eventuele vondst hem ten deel zou vallen en niet zijn baas aan de universiteit.'

'Dat verklaart nog niet waarom Hickman er zeker van kon zijn dat Ackerman inderdaad iets zou vinden,' zei Hanley, 'en dat het daarbij om een meteoriet van iridium zou gaan.'

'Mogelijk was Hickmans betrokkenheid aanvankelijk toch gewoon altruïstisch,' zei Halpert peinzend. 'Ackerman klopt bij hem aan en Hickman vindt Eric de Rode wel interessant en besluit de expeditie te financieren. Pas wanneer de meteoriet daadwerkelijk wordt gevonden, ziet hij opeens andere mogelijkheden.'

'We weten niet eens of Hickman hier überhaupt bij betrokken is,' zei Hanley, 'maar zo ja, waarom zou zo'n rijke vent opeens gaan moorden en zo zijn hele imperium op het spel zetten?'

'Het gaat altijd om één van twee mogelijkheden,' zei Halpert, 'liefde of geld.'

De vage omtrekken van de Faerøereilanden doemden uit de mist op toen Hanley Cabrillo in de helikopter belde en hem vertelde wat Halpert had ontdekt.

'Verdorie,' zei Cabrillo, 'dat is wind uit weer een heel andere hoek, zeg. Wat vind jij?'

'Ik vind dat we het moeten natrekken,' antwoordde Hanley.

De eilanden namen een steeds groter deel van het gezichtsveld in beslag.

'Is Dick al in Londen aangekomen?' vroeg Cabrillo.

'Ik heb hem een paar minuten geleden gesproken,' antwoordde Hanley. 'De jet is bijgetankt, waarna hij naar een hotel in Londen is gegaan. Daar wacht hij nu op bericht van ons.'

'En de Challenger staat klaar in Aberdeen?'

'Ja,' antwoordde Hanley, 'volgetankt en al.'

'Bel Truitt en zeg dat hij naar Las Vegas vliegt om te kijken of hij daar meer over Hickman te weten kan komen.'

'Wat kunnen mensen het soms roerend met elkaar eens zijn,' zei Hanley.

Door de voorruit van de helikopter kwam de haven steeds duidelijker in zicht, terwijl Cabrillo de verbinding verbrak en zich tot Adams richtte. 'Zet 'm maar aan de grond, beste vriend.'

Adams knikte en zette de daling in.

De *Free Enterprise* voer net buiten de branding toen de motoren stopten en het schip vrijwel stil kwam te liggen. Even later kwam er een kleine, open, door twee 250 pk buitenboordmotoren voortgestuwde vissersboot langszij. Bij een tot aan de waterspiegel reikende ladder minderde de kapitein van de vissersboot vaart tot ze vrijwel stillagen, waarna een van zijn bemanningsleden de doos aanpakte die hem door een van de dekknechten van de *Free Enterprise* werd aangereikt. Het bemanningslid schoof de doos in een visruim, terwijl de kapitein van het grotere schip wegzwenkte en weer gas gaf.

Bonkend over de woeste golven stuurde de kapitein de vissersboot een kleine baai in. Daar aangekomen sprong het bemanningslid met de doos van boord en liep naar de weg, waar een rode bestelwagen van een plaatselijke pakketbezorgingsdienst wachtte. Tien minuten later had de bestelwagen de doos op het vliegveld afgeleverd.

Daar lag het pakket klaar om in een vliegtuig te worden geladen dat zich op dat moment nog slechts op een paar kilometer afstand bevond.

Adams sloot beide tanks af en doorliep de hele controlelijst. Daarna maakte hij notities in het logboek. De helikopter had gedurende de hele vlucht vanaf de *Oregon* als een zonnetje gevlogen, dus viel er weinig te noteren, alleen de vluchttijden, de weersomstandigheden en het feit dat hij een licht trillinkje had gevoeld. Adams was hier net mee klaar toen Cabrillo in een kleine huurauto op de helikopter afkwam. Hij stuurde tot naast Adams en liet het raampje zakken.

'Hé, chef,' zei Adams, 'heeft u die voor de halve prijs?'

'Dit noemen ze hier een Smart,' zei Cabrillo droogjes. 'Dit is alles wat ze hadden, anders hadden we moeten lopen. Maar schiet op, pak de kijker en de ontvanger en stap in.'

Vanonder de stoel trok Adams een verrekijker tevoorschijn en het metalen kistje waarmee ze de signalen van het over de meteoriet gestrooide zand konden opvangen. Vervolgens begaf hij zich naar de Smart, waar hij op de passagiersstoel plaatsnam. De verrekijker legde hij voor zich op de grond en het metalen kistje hield hij op zijn schoot. Terwijl Cabrillo optrok, stelde Adams de ontvanger op de signalen van de zendertjes af.

'Volgens dit ding moet het object vlak in de buurt zijn,' zei Adams.

Cabrillo reed over de kam van een heuvel bij het vliegveld; de haven lag aan de voet van de afdaling.

Op dezelfde weghelft naderde een rode bestelwagen. De chauffeur knipperde met de koplampen. Cabrillo realiseerde zich dat de Britten links reden en dat hij, zijn Amerikaanse gewoonte getrouw, aan de rechterkant van de weg reed. IJlings wisselde hij van baan.

'Chef,' zei Adams, 'hij komt recht op ons af.'

Cabrillo keek opzij toen ze de bestelwagen passeerden. De chauffeur zwaaide in het voorbijrijden vriendelijk met een belerend vingertje en verdween richting vliegveld. Cabrillo keek langs de helling omlaag naar de haven waar juist een groot schip aanmeerde.

'Kijk,' zei hij, naar beneden wijzend, 'dat is het schip.'

Het vaartuig had de bouw van een privéjacht, maar het was zo zwart als een Stealth bommenwerper. Cabrillo zag de dekknechten met de meertouwen klaarstaan, terwijl de kapitein het schip langs de kade manoeuvreerde.

'Het signaal wordt zwakker,' zei Adams.

Cabrillo parkeerde de auto langs de weg en bekeek het jacht door de verrekijker terwijl het werd vastgelegd. Langs de naar hem toegekeerde zijkant liep een ladder tot vrijwel aan de waterspiegel. Dit zette hem aan het denken.

Hij pakte zijn mobiel en belde de *Oregon*. Terwijl hij Hanley aan de lijn had, richtte hij zich tot Adams.

'Ze hebben het ding op zee overgegeven,' zei hij. 'Ik breng je terug naar de helikopter en dan volg ik het signaal.' Waarna hij tegen Hanley vervolgde: 'Bel Washington en vraag of ze de Deense autoriteiten opdracht willen geven het schip dat hier zojuist is afgemeerd aan de ketting te leggen.'

Na Hanleys bevestiging dat hij het begrepen had, verbrak Cabrillo de verbinding. Hij draaide het stuur zo ver mogelijk naar rechts en gaf gas. Met gierende banden draaide de Smart als een tol om zijn as en scheurde weg in de richting waaruit ze gekomen waren. Op het vliegveld aangekomen reed hij door tot vlak bij de Robinson. Adams stapte haastig uit en liet de ontvanger op de passagiersstoel liggen.

'Zorg dat je de lucht in komt,' riep Cabrillo hem achterna. 'Ik bel je.'

Daarna trapte hij het gaspedaal weer in en scheurde weg, het signaal achterna.

James Bennett had in het Amerikaanse leger leren vliegen, maar hij had nooit in een helikopter gevlogen. Hij was opgeleid als vlieger op toestellen met vleugels. Omdat de Amerikaanse luchtmacht haar domein zorgvuldig bewaakte, was hij een van de weinige piloten bij de landmacht met deze rating. De weinige vliegtuigen die de landmacht beheerde werden voor observatie en verkenning gebruikt, terwijl een tiental privéjetachtige toestellen voor het vervoer van generaals werd ingezet.

Bennett had in zijn diensttijd in Cessna-verkenningstoestellen gevlogen, dus de Cessna 206 waarmee hij nu vloog was oude kost. Bennett was met het bejaarde propellervliegtuig met een kruissnelheid van zo'n honderdzestig kilometer per uur noordwaarts gevlogen en minderde nu vaart voor de landing. Door de voorruit bekeek hij de landingsbaan, die kort was en recht op een steile rotswand afliep, maar alles leek in orde. Bennett was op banen geland die in de jungle waren uitgekapt, op smalle stroken langs berghellingen in Zuidoost-Azië en zelfs een keer op een boerenakker in Arkansas, nadat hij zijn motor had verloren.

Daarbij vergeleken was het vliegveld op de Faerøereilanden een makkie. Bennett beëindigde zijn aanvlucht en bereidde zich voor op de landing. Omlaag gedrukt door een lichte valwind stuurde hij de Cessna in de laatste seconde recht voor de baan. De Cessna raakte de grond met slechts een zacht piepen van de banden. Bennett remde af tot een vlot taxiënd tempo. Hij bekeek de instructies die op een vel papier op zijn klembord stonden.

Vervolgens remde hij nog meer af en draaide van de landingsbaan op een taxibaan naar een goederenloods.

In de Smart hield Cabrillo het gaspedaal helemaal ingedrukt. Het rijden in dit kleine autootje was alsof je na een paar koppen sterke koffie en een half pakje NoDoz-cafeïnetabletten op een kartbaan rondscheurde. De Smart raasde bonkend en schokkend over het slechte wegdek en slingerde van links naar rechts. Cabrillo reed langs een rij hangars en hield angstvallig de ontvanger in de gaten. Er was zojuist een Cessna van de landingsbaan afgedraaid en taxiede nu op een van de hangars af. Cabrillo keek naar de staart van het toestel, stopte en boog zich opzij om de afstemming van de ontvanger te controleren.

Drie minuten nadat hij was afgezet, had Adams de Robinson in de lucht. Ze waren zo kort weggeweest dat de motor nog niet volledig was afgekoeld. Terwijl hij langs de rand van het vliegveld vloog, liet hij de verkeersleiding weten dat hij een controlevlucht maakte, waarna hij trage rondjes begon te vliegen.

Het enige zichtbare vliegtuig was een Cessna die net was geland. Hij zag hoe het toestel voor een hangar tot stilstand kwam. Van de andere kant zag hij Cabrillo in de Smart naderen.

Een geüniformeerde bewaker liep op de Cessna af en riep boven het geluid van de motor uit: 'Komt u voor de onderdelen voor het boorplatform?'

'Ja,' gilde Bennett terug.

De bewaker knikte en rende terug naar de openstaande hangardeur. Even later dook hij weer op met een doos, waarmee hij tot vlakbij het vliegtuig liep. Nadat hij de doos op de grond had gezet, riep hij naar het raampje van de piloot: 'Achter of voor?'

'Voor op de passagiersstoel,' riep Bennett.

De bewaker pakte de doos weer op en liep achter het toestel langs.

Cabrillo wierp nogmaals een blik op het metertje van de ontvanger. De naald sloeg maximaal uit en wees op de tien aan het einde van de schaal. Hij keek weer op en zag door de voorruit hoe de bewaker met de doos achterlangs het vliegtuig liep. Het was dezelfde doos die Cabrillo in een flits in Groenland had gezien.

Hij trapte het gaspedaal in op het moment dat de bewaker de deur van het vliegtuig sloot nadat hij de doos op de voorstoel had gezet.

De Cessna taxiede weg. Het toestel had alle ruimte om vooruit weg te rijden en wilde juist de startbaan opdraaien toen Cabrillo op volle snelheid naderde. Cabrillo stuurde de Smart met zijn knieën, terwijl hij naar een holster tastte die hij onder zijn arm droeg. Met zijn rechterhand trok hij een .50 Smith & Wesson tevoorschijn en met zijn linkerhand liet hij het zijraampje zakken.

Terwijl Bennett de Cessna de startbaan opdraaide, zag hij de Smart achter zich aankomen. Heel even dacht hij dat het de bewaker was die hem wilde inhalen om hem om de een of andere reden een stopteken te geven. Tot Bennett zag dat er uit het raampje een hand met een glimmende revolver stak.

Bennett gaf gas en reed de startbaan op. De toestemming voor opstijgen had hij al gekregen en hij voerde de snelheid op. Dit werd spannend, kantje boord.

Cabrillo reed achter de Cessna de startbaan op en zette de achtervolging in. Het vliegtuig versnelde en het was duidelijk dat de piloot niet van plan was om te stoppen. Toen Cabrillo zo'n tachtig kilometer per uur reed, schakelde hij de cruise-control in en wrong zich door het raampje tot hij op de onderrand ervan zat. Zorgvuldig richtend begon hij op het vliegtuig te schieten.

Bennett voelde een kogel inslaan in de linker vleugelstijl, onmiddellijk gevolgd door meerdere schoten. Hij had nu voldoende snelheid om op te stijgen en trok het stuur naar zich toe. De Cessna kwam los van de grond en Bennett wachtte tot hij een hoogte van ruim negentig meter had bereikt, en keek toen pas om.

De Smart was aan het einde van de startbaan gestopt. De man die de Smart had bestuurd, rende nu naar een helikopter die daar in de buurt was geland. Bennett trok de gashendels zo ver mogelijk open, terwijl Cabrillo op de passagiersstoel van de Robinson plaatsnam.

'Denk je dat we hem kunnen inhalen?' riep hij naar Adams, terwijl ze opstegen.

'Het zal erom hangen,' antwoordde Adams.

26

Even ten zuiden van de Faerøereilanden hing het wolkendek net boven het wateroppervlak. Als de voorbode van een vanuit het zuiden oprukkende stormdepressie hadden de wolken de Britse eilanden de afgelopen twee dagen met regen en sneeuw geteisterd. Toen de Robinson R-44 de rand van de depressie bereikte, leek het alsof Adams en Cabrillo plotsklaps in een labyrint verzeild waren geraakt.

Het ene moment vlogen ze onder een strook heldere hemel en het volgende waren ze weer in een wolkenbank gedompeld, waarin de Cessna en het water onder hen uit het zicht verdwenen. Windvlagen geselden de helikopter, die woest heen en weer werd geslingerd als het balletje op een blaasvoetbalveld. De Schotse kust lag 450 kilometer zuidelijker en voor Inverness, de eerste stad waar ze konden bijtanken, moesten ze dan nog ruim honderdtien kilometer doorvliegen.

Met de twee volle tanks konden Adams en Cabrillo het vasteland halen, maar alleen als de wind niet al te veel tegenwerkte. De Robinson had zonder reservetanks een actieradius van maximaal 640 kilometer. De Cessna 206 haalde gemakkelijk het dubbele, maar Bennett had de 206 op de Faerøereilanden door het overhaaste vertrek niet kunnen bijtanken, dus deden ze wat dit betreft niet voor elkaar onder.

Ook de kruissnelheid van beide toestellen kwam met zo'n tweehonderdtien kilometer per uur overeen.

'Kijk,' zei Cabrillo, terwijl hij op een gat in het wolkendek wees. 'Hij ligt een paar kilometer op ons voor.'

Adams knikte; hij had de Cessna de afgelopen tien minuten voortdurend zien opduiken om meteen weer te verdwijnen. 'Ik betwijfel of hij ons ziet,' zei Adams. 'We zitten lager dan hij en zo ver achter hem dat hij ons niet vanuit de cockpit in het zicht heeft.'

'Maar hij kan ons toch op zijn radar zien,' merkte Cabrillo op.

'Ik denk niet dat hij die heeft,' zei Adams. 'Het is een Cessna van een vrij oud model.'

'Kunnen we niet sneller?'

'Nee, dit is ons absolute maximum,' zei Adams, op de snelheidsmeter wijzend, 'en van hem ook, geloof ik. Ik kan niet omhooggaan en me dan laten zakken om op die manier nog wat snelheid te winnen. Het klimmen zou te veel snelheid kosten en bovendien verliezen we de Cessna dan uit het oog.'

Cabrillo dacht een ogenblik na. 'Dan kunnen we dus alleen maar blijven volgen,' zei hij, 'en om assistentie vragen.'

'Klopt,' zei Adams.

James Bennett verkeerde in de veronderstelling dat hij niet meer op de hielen werd gezeten. De kruissnelheid van een Robinson R-44 was hem onbekend, maar hij wist dat de meeste kleinere helikopters een maximumsnelheid van rond de honderdzestig kilometer per uur haalden. Hij ging ervan uit dat de helikopter – als die hem nog achtervolgde – wanneer hij de Schotse kust bereikte minstens aan halfuur achterstand had opgelopen. Bennett pakte zijn satelliettelefoon.

'Ik heb het pakket opgepikt,' zei hij, 'maar ik vrees dat ik iemand achter me aan heb.'

'Weet u dat zeker?' vroeg de stem.

'Niet honderd procent,' antwoordde Bennett, 'maar als het wel zo is, denk ik dat ik hem wel afschud. Het probleem is alleen dat ik, als ik eenmaal geland ben, ongeveer een halfuur de tijd heb voor de overdracht. Zou dat lukken?'

De man aan de andere kant van de lijn dacht even na alvorens hij antwoordde. 'Ik kijk wat ik kan doen,' zei hij, 'en dan bel ik u terug.'

'Ik loop niet weg,' zei Bennett voordat hij ophing.

Nadat hij de gyrostabilisator had bijgesteld om de Cessna in evenwicht te houden, controleerde Bennett zijn instrumentenpaneel en met name de brandstofmeter. Het zou krap worden. Met een ruk aan de stuurknuppel compenseerde hij de thermische stroming die de Cessna omhoogstuwde, waarna hij wachtte tot het toestel zijn normale hoogte weer had bereikt. Daarna boog hij zich opzij en schonk uit een gedeukte Stanley-thermosfles die hij al bijna twintig jaar gebruikte een kop koffie in.

'Ik bel Overholt,' zei Hanley, 'en zeg dat hij de Britten moet vragen een stel jachtvliegtuigen de lucht in te sturen om dat toestel tot landen te dwingen. Dan hebben we ze.'

'Zorg dan wel dat de Britten daarmee wachten tot de Cessna boven het vasteland is,' zei Cabrillo. 'Ik wil die meteoriet niet op het laatste moment nog kwijtraken.'

'Ik zorg wel dat hij dat begrijpt,' zei Hanley.

'Hoever ben je al van de Faerøereilanden verwijderd?'

'Een minuut of twintig.'

'Hebben de Denen het jacht al aangehouden?' vroeg Cabrillo.

'Volgens het laatste bericht uit Washington hebben ze daar niet voldoende mankracht voor,' antwoordde Hanley. 'Maar ze hebben een politieman op de heuvel bij het vliegveld geposteerd die het schip in de gaten houdt. Dat is het beste wat ze op dit moment kunnen doen.'

Cabrillo dacht een ogenblik na. 'Hebben ze de kernbom al gevonden?'

'Volgens de laatste berichten die ik heb gehoord, nog niet.'

'Hij zou op het jacht kunnen zijn,' zei Cabrillo.

'De bron van Overholt beweert dat de bom in een oud vrachtschip is overgeladen.'

'Wat voor lieden dat ook zijn,' zei Cabrillo, 'het lijkt er sterk op dat ze hun spullen graag op zee overgeven. De kans is groot dat ze ergens het vrachtschip ontmoeten en het wapen dan aan boord nemen.'

'Wat gaan wij doen?'

'Laat Overholt ervoor zorgen dat het jacht toestemming krijgt om uit te varen,' zei Cabrillo. 'Hou de *Oregon* hierbuiten. Laat de Britse of Amerikaanse marine dit maar opknappen. Zij kunnen het jacht op volle zee enteren, en dat is niet zonder gevaar.'

'Ik ga nu Overholt bellen,' zei Hanley, 'en laat hem weten hoe wij erover denken.'

De verbinding werd verbroken en Cabrillo leunde achterover in zijn stoel. Hij wist niet dat de meteoriet en de kernbom zich in handen van twee verschillende partijen bevonden. De ene groep bereidde een aanslag voor namens de islam en de andere had het juist op de islam voorzien. Beide kampen werden door een felle haat gedreven.

27

Nadat de Gulfstream in Las Vegas was geland, liet Truitt Gunderson en Pilston bij het vliegtuig achter en nam een taxi. Het was er helder en zonnig, met een licht briesje uit de bergen buiten Las Vegas. De droge lucht leek het landschap te vergroten en de bergen, die kilometers ver weg lagen, leken zo dichtbij dat je ze haast kon aanraken.

Nadat hij zijn tas op de achterbank had gezet, ging hij zelf naast de chauffeur zitten.

'Waarheen de reis?' vroeg de chauffeur met een stem als die van Sean Connery met een rokershoestje.

'Dreamworld,' antwoordde Truitt.

De chauffeur gaf gas en scheurde weg van het vliegveld.

'Hebt u eerder in Dreamworld gelogeerd?' vroeg de taxichauffeur toen ze de beroemde Strip opdraaiden.

'Nee,' antwoordde Truitt.

'Dat is een hightechparadijs,' zei de chauffeur, 'een door de mens gecreëerde tuin.'

De chauffeur remde af en stopte aan het einde van een rij taxi's en particuliere auto's die voor een stoplicht wachtten tot ze de oprit in konden rijden. 'U moet beslist vanavond naar het onweer helemaal achter op het terrein gaan kijken,' zei hij, zich opzij naar Truitt wendend. 'Die show begint steeds op de hele uren.'

De rij kwam in beweging en de chauffeur stuurde de taxi

de inrit naar het hotel op. Na een aantal meters reden ze de overkapping binnen door een gordijn van plastic stroken die Truitt deden denken aan de doorgang van een koelmagazijn.

Nu bevonden ze zich in een tropisch bos. Boven hen hing een weelderige junglebegroeiing, en door het hoge vochtgehalte besloegen de ruiten in de taxi. De chauffeur reed naar de hoofdingang en stopte.

'Pas op voor de vogels als u uitstapt,' zei hij. 'Vorige week had ik een klant die vertelde dat hij was aangevallen en gepikt.'

Truitt knikte en betaalde de chauffeur. Vervolgens stapte hij uit en opende het achterportier om zijn tas te pakken. Nadat hij de deur had dichtgeslagen, gaf hij de chauffeur een teken dat hij kon gaan. Toen hij zich omdraaide, zag hij hoe een van de portiers met een bezem een dikke zwarte slang bij de hoofdingang verjoeg. Hij keek omhoog naar het bladerdek. Er scheen nergens zonlicht doorheen en het gesjirp van de vogels was oorverdovend.

Truitt pakte zijn tas op en liep naar de balie van de portier.

'Welkom in Dreamworld,' zei de portier. 'Wilt u een kamer?'

'Ja,' zei Truitt, terwijl hij de man een vals rijbewijs uit Delaware overhandigde, plus een creditcard waarvan de gegevens overeenkwamen met die van het rijbewijs.

De portier haalde beide door een machine, scheurde een sticker af die door het apparaat met een barcode was bedrukt en plakte deze op de tas van Truitt. 'Uw tas wordt via ons interne transportsysteem naar uw kamer gebracht,' zei hij. 'Uw kamer is...' hij zweeg even terwijl hij een computerscherm raadpleegde, 'over tien minuten gereed en uw tas is er dan ook. Binnen is een informatiebalie voor het geval u fiches voor het casino wilt of iets anders nodig hebt. Ik wens u een aangenaam verblijf in Dreamworld.'

Truitt gaf de man een briefje van tien, nam de sleutelkaart van de kamer aan en liep naar de ingang. De brede glazen deuren schoven automatisch open en eenmaal binnen keek Truitt zijn ogen uit. Hier was de levensechte natuur binnenshuis nagemaakt.

Direct achter de deur stroomde een beek waarin gasten in bootjes langsvoeren. Een heel stuk verder naar links ontwaarde Truitt hoog op een kunstmatige alpentop nog net de vage omtrekken van een paar bergbeklimmers. Hij zag een sneeuwlawine omlaag denderen die aan de voet van berg in een gat keurig werd opgevangen. Truitt schudde verwonderd zijn hoofd en liep door tot hij bij een informatiebalie kwam.

'Hoe kom ik bij de dichtstbijzijnde bar?' vroeg hij aan de baliemedewerker.

De man wees in de verte. 'Even voorbij Stonehenge aan de rechterkant.'

Truitt liep een koepelvormige ruimte in en passeerde een levensgrote replica van Stonehenge. Een kunstmatige zon scheen vanuit de stand waarop hij zich tijdens de zonnewende bevindt, en de schaduwen van de stenen vormden een arm die naar het midden wees. Truitt vond de deur van de bar – een van dikke ruwhouten planken opgetrokken geval onder een overhangend rieten dak – duwde hem open en stapte een schemerig verlichte ruimte binnen.

De bar was een replica van een oude Engelse herberg. Truitt liep naar een van hout, leer en everzwijntanden vervaardigde stoel, ging zitten en bekeek de bar, die uit één massief stuk hout was gevormd. Hier had een kraanwagen beslist nog een hele hijs aan gehad.

In de bar was Truitt de enige bezoeker en van opzij kwam de barkeepster op hem af.

'Grog of mede, my lord?' vroeg ze.

Truitt dacht hier even over na. 'Mede dan maar,' zei hij ten slotte.

'Goede keuze,' zei de barkeepster, 'het is nog iets te vroeg voor grog.'

'Dat dacht ik ook,' zei Truitt, terwijl de barkeepster een glas pakte dat ze met drank uit een houten vat achter de bar vulde.

De vrouw was gekleed als een middeleeuwse dienstmeid. Haar borsten puilden haast uit het decolleté van haar jurk. Met een buiginkje zette ze het glas voor Truitt neer en liep terug naar de bar. Truitt nam een slok en dacht na over de man uit wiens brein dit door de mens geschapen wonderland was gesproten. En hoe hij tot het kantoor van die man zou kunnen doordringen.

'Hoeveel ben ik u schuldig?' vroeg Truitt aan het meisje achter de bar.

'Ik kan het op uw kamernummer zetten,' bood ze aan.

'Ik betaal liever contant.'

'Ochtendkorting,' zei de barmeid, 'één dollar.'

Truitt legde er twee op de bar en liep door de schemerig verlichte ruimte naar de uitgang.

Nadat hij voorbij Stonehenge linksaf was geslagen, kwam hij op een enorm binnenplein. In de verte liep een stoeltjeslift naar een skipiste op een berg waarvan de top in de wolken verdween. Aan de voet van de berg gekomen, waar mensen op ski's in de rij stonden voor de stoeltjeslift, zag hij een stel skiërs de helling afrazen, waarbij de opspattende kunstsneeuw hen als echte poedersneeuw om de oren vloog. Nadat hij was doorgelopen, kwam hij opnieuw bij een informatiebalie.

'Hebt u een plattegrond van het hotel?' vroeg hij aan de receptionist.

De man glimlachte en pakte vanonder de balie een kaart, waarop hij met een viltstift de plaats markeerde waar ze zich bevonden. Truitt liet de man zijn sleutelkaart zien.

'Waar vind ik mijn kamer?' vroeg hij.

De receptionist haalde het kaartje door een scanner en bekeek de gegevens op een scherm. Hij pakte de pen weer op en krabbelde wat aantekeningen in de kantlijn van de plattegrond. 'Neem de Rivier der Dromen naar het Uilendal en stap uit bij de mijnschacht nummer zeventien. Daar neemt u lift 41, die u naar uw etage zal brengen.'

'Klinkt simpel zat,' zei Truitt, terwijl hij de plattegrond pakte en de sleutelkaart terug in zijn zak stopte.

'Die kant uit, meneer,' zei de man wijzend.

Een meter of dertig voorbij de balie kwam Truitt bij een

balustrade die langs de beek tot bij een instapplaats doorliep. Daar lag een rij kano's op passagiers te wachten. De kano's werden voortbewogen aan een kabel boven de beek die zonder eind of begin rond het hele hotelcomplex liep. Truitt stapte in de voorste kano en bekeek het bedieningspaneel. Nadat hij mijnschacht 17 had ingetoetst, ging hij zitten en voelde hoe de kano met een rukje losschoot en een kloof tussen steile neprotswanden in voer.

Bij zijn bestemming aangekomen stopte de kano automatisch, waarna Truitt uitstapte en naar een rij liften liep. Met de 41 ging hij naar zijn etage, waar hij via een lange gang ten slotte bij zijn kamer kwam. Met de sleutelkaart opende hij de deur.

De kamer was ingericht als een huis in een mijnstadje. De muren waren met verweerde houten planken bekleed. Tegen een van de muren stond een scheefgezakte boekenkast vol oude romans en naslagwerken. Aan de muur ertegenover hing een oud rek met een paar nagemaakte winchestergeweren. Het bed was van smeedijzer, met hoog opgetast beddengoed onder een ouderwetse sprei. Truitt waande zich in een lang vervlogen tijd.

Truitt liep naar het raam, trok de gordijnen open en keek neer op Las Vegas, alsof hij zich ervan wilde vergewissen dat de buitenwereld niet veranderd was. Daarna trok hij de gordijnen weer dicht en liep naar de badkamer. Hoewel het hele interieur een oude en krakkemikkige indruk maakte, ontbrak het niet aan een stoombad en een zonnebank. Nadat hij zich wat had opgefrist, liep hij terug de kamer in om Hanley te bellen.

'Hickman is tot het uitvoeren van grootse projecten in staat,' zei Truitt toen Hanley had opgenomen, 'daar is geen twijfel over mogelijk. Je weet hier niet wat je ziet, dit is een gigantisch pretpark met gokautomaten.'

'Halpert is nog steeds op zoek naar zijn antecedenten,' zei Hanley, 'maar die zijn nogal versluierd. Heb je al een plan hoe je zijn kantoor wilt doorzoeken?'

'Nog niet, maar ik ben ermee bezig.'

'Doe voorzichtig,' drukte Hanley hem op het hart, 'Hickman is een machtig man, en we willen geen heibel wanneer blijkt dat hij er niets mee te maken heeft.'

'Ik ga zo geruisloos mogelijk te werk,' zei Truitt.

'Succes, mister Phelps,' zei Hanley.

De herkenningsmelodie van *Mission: Impossible* neuriënd verbrak Truitt de verbinding.

Zittend achter een cilinderbureautje bestudeerde Truitt de hotelplattegrond en de bouwtekeningen die Hanley voor zijn aankomst hier naar de Gulfstream had gefaxt. Daarna nam hij een douche, trok schone kleren aan en verliet zijn kamer. Hij ging met de lift naar beneden, stapte in een kano en voer ermee naar de hoofdingang. Daar liep hij naar buiten en riep een taxi aan.

Nadat hij de chauffeur zijn bestemming had opgegeven, leunde hij naar achteren en wachtte af.

Een paar minuten later stopte de taxi voor een van de hoogste hotels van Las Vegas. Truitt betaalde voor de rit en stapte uit. Vervolgens liep hij de foyer in, kocht een kaartje en ging met een speciale snellift naar het observatieplatform. Hier lag heel Las Vegas aan zijn voeten.

Truitt bewonderde een paar minuten het imposante uitzicht, waarna hij naar een van de verrekijkers liep en er een paar muntjes in gooide. Terwijl de meeste toeristen met de verrekijker een zo groot mogelijk gebied aftuurden, hield Truitt de zijne op één punt gericht.

Nadat hij had gezien wat hij wilde zien, nam hij de lift weer naar beneden, riep opnieuw een taxi aan en liet zich naar Dreamworld terugbrengen. Het was nog steeds aan de vroege kant, dus ging hij naar zijn kamer terug en deed een dutje. Toen hij wakker werd, was het even na middernacht. Hij zette een kop sterke koffie, die hij tot de laatste slok opdronk om goed wakker te worden. Daarna schoor hij zich, nam nogmaals een douche en liep terug de kamer in.

Daar diepte hij uit zijn tas een zwart T-shirt, een zwarte spijkerbroek en een paar zwarte schoenen met rubberzolen op, die hij aantrok. Vervolgens pakte hij zijn tas in en belde de portier met het verzoek zijn tas op te halen. Gunderson zou de tas over tien minuten afhalen. Voordat hij de kamer verliet, sloeg hij een merkwaardig gevoerde jas over zijn schouders. Nadat hij de boot naar de foyer had genomen, ging hij naar het casino.

Aan de speeltafels en voor de gokautomaten zaten voornamelijk toeristen met door slaapgebrek roodomrande ogen. Zelfs zo diep in de nacht was het casino een ware goudmijn. Hij liep door naar het winkelcentrum aan de andere kant van het casino.

Het winkelcentrum was een walhalla van buitensporige consumptiedwang. Aan een met sierstenen bestrate passage lagen een kleine vijfenzeventig winkels en boetieks van beroemde merkartikelen. Behalve een twintigtal modezaken waren er schoenenwinkels, juweliers, restaurants en een boekwinkel. Truitt had nog tijd over, dus liep hij de boekenzaak in en pakte de nieuwste roman van Stephen Goodwin van een schap. Goodwin, een jonge auteur uit Arizona, voerde al enige tijd de lijst van bestverkopende titels aan. Truitt kon nu geen boek meenemen, maar hij knoopte in zijn oren dat hij dit boek beslist nog voor zijn vertrek uit Las Vegas moest aanschaffen. Vervolgens liep hij naar een grillrestaurant en bestelde een schotel spareribs en een glas ijsthee. Na deze voedzame maaltijd besloot hij dat het tijd was.

Het penthouse van Hickman op de bovenste verdieping van Dreamworld had terrassen aan alle vier de zijkanten. Grote glazen schuifdeuren gaven toegang tot de terrassen die volstonden met een heel woud van zorgvuldig in potten gekweekte planten en struiken. Het penthouse had een piramidevormig dak, afgezet met een als nieuw glimmende koperlaag. De begroeiing en het dak werden verlicht door kleine tuinlampen.

Nadat hij met de lift naar de op een na hoogste etage was

gegaan, haalde Truitt zich de bouwtekeningen voor de geest. Toen hij zag dat de gang leeg was, liep hij naar het uiteinde, waar hij een witte, aan de muur bevestigde metalen ladder aantrof. Via de ladder klom hij naar een deur die met een hangslot was afgesloten. Uit zijn zak diepte hij een plastic staafje op dat hij voorzichtig in de sleuf van het slot stak, waarna hij een minuscuul knopje aan het uiteinde van het staafje omdraaide.

Hierdoor kwam er een chemische stof vrij die zich in verbinding met het plastic in het slot verhardde. Na een paar seconden wachten draaide Truitt aan het staafje, waarop het slot opensprong. Daarna klikte hij het slot van de beugel, opende de deur naar een kruipruimte en klom naar binnen.

Volgens de bouwtekeningen was dit een doorgangskanaal voor alle mogelijke leidingen. Truitt trok de deur achter zich dicht en deed zijn zaklamp aan. Voorzichtig kroop hij tussen de buizen, draden en kabels door naar de plaats waar volgens de bouwtekeningen een luik moest zijn dat op een van de terrassen uitkwam.

Toen Truitt het terras vanaf het andere hotel had bekeken, was het hem opgevallen dat een van de schuifdeuren op een kiertje openstond. Deze openstaande deur bood zonder meer de beste mogelijkheid om ongemerkt binnen te komen. Het luik in de kruipruimte was aan de binnenkant met eenzelfde soort hangslot vergrendeld. Ook dit slot wist hij op dezelfde manier te openen, waarna hij het luik behoedzaam wegklapte en naar buiten keek.

Er ging geen alarm af en uit niets bleek dat zijn aanwezigheid was opgemerkt.

Gebukt lopend om zich zo klein mogelijk te maken, sloop hij over het terras naar de nog openstaande deur. Voorzichtig tuurde hij door de kier en toen hij niemand zag, stapte hij zo geruisloos mogelijk naar binnen.

Truitt bevond zich in de enorme woonkamer van het penthouse. Voor een natuurstenen haard stonden in een halve cirkel dik gestoffeerde banken opgesteld. In een van de hoeken was een slechts door één kleine lamp boven het fornuis verlicht keukenblok, terwijl de tegenoverliggende muur geheel in beslag werd genomen door een reusachtige bar met aan de wand bevestigde biertapplaatsen. Het vertrek werd schemerig verlicht door een indirecte verlichting die sterk was gedimd. Uit onzichtbare luidsprekers klonk zachtjes countrymuziek.

Truitt sloop door een gang naar de deur waarachter zich volgens de bouwtekeningen het kantoor van Hickman moest bevinden.

28

De *Larissa* had de haven van het eiland Sheppey bereikt en meerde af aan een van de aanlegsteigers. De kapitein pakte zijn verzegelde documenten en liep een helling op naar het douanekantoor. Bij de deur stond een man die deze juist voor de nacht afsloot.

'Ik hoef alleen maar mijn aankomst te melden,' zei de kapitein, terwijl hij de man de documenten liet zien.

De man draaide de deur weer van het slot en ging het piepkleine kantoortje binnen. Zonder de moeite te nemen het licht aan te doen, liep hij naar een borsthoge lessenaar en pakte een stempel uit een houder. Hij maakte een inktkussen open, drukte het stempel erop en wees op het document dat de kapitein in zijn hand hield. Nadat hij het had aangepakt, legde hij het op de lessenaar en stempelde het af.

'Welkom in Engeland,' zei de douanier, terwijl hij de kapitein gebaarde dat hij weer naar buiten kon gaan.

Toen de beambte de deur opnieuw op slot draaide, vroeg de kapitein: 'Weet u of hier ergens een dokter in de buurt is?'

'Twee blokken de heuvel op,' antwoordde de beambte, 'en dan de eerste straat naar het westen. Maar de praktijk is nu dicht. U kunt er morgenochtend naartoe, nadat u hier de overige formaliteiten hebt afgehandeld.'

De douanier liep weg en de kapitein keerde naar de *Larissa* terug.

Voor de stamgasten van het café aan de kade van het eiland Sheppey moet Nebile Lababiti eruit hebben gezien als een homo op zoek naar een minnaar. En dat was iets waar ze niet echt gecharmeerd van waren. Lababiti was gekleed in een Italiaans sportjasje, een glimmende zijden broek en een zijden hemd met een wijd openstaande kraag, waaronder een paar gouden kettingen glinsterden. Hij rook naar haargel, sigaretten en een overdaad aan parfum.

'Bier graag,' zei hij tegen de barkeeper, een kleine, gespierde en getatoeëerde man met een kaalgeschoren hoofd in een groezelig T-shirt.

'Heb je niet liever een vruchtensapje, kerel?' vroeg de barkeeper rustig. 'Even verderop is een zaak waar ze een lekkere bananendaiquiri voor je mixen.'

Lababiti tastte in de zak van zijn sportjasje, haalde een pakje sigaretten tevoorschijn, stak er een op en blies de rook in het gezicht van de barkeeper. De man zag eruit als een ex-kermisklant die was ontslagen omdat hij de toeschouwers te veel afschrok.

'Nee,' zei Lababiti, 'een Guinness is prima.'

De barman dacht hierover na, maar maakte geen aanstalten om een pint te tappen.

Lababiti trok een biljet van vijftig pond uit zijn portefeuille en schoof het over de bar. 'En geef de andere heren hier ook iets van mij te drinken,' zei hij met een zwaaibeweging naar de tien overige aanwezigen. 'Zo te zien hebben ze dat wel verdiend.'

De barman keek naar het uiteinde van de bar, waar de eigenaar, een gepensioneerde visser die twee vingers van zijn rechterhand miste, met een pint ale in zijn handen stond. De eigenaar knikte en de barkeeper pakte een glas.

Ook al was deze Arabisch ogende vent dan duizendmaal een mietje op mannenjacht, dit was geen tent waar ze het zich konden veroorloven contant betalende gasten te deur te wijzen. Meteen nadat het bier voor hem op de bar was gezet, pakte hij het glas op en nam een flinke slok. Vervolgens wreef hij met de rug van zijn hand zijn bovenlip droog en keek om zich heen. Dit café was een zwijnenstal. Rond wankele, bekraste houten tafels stond een allegaartje aan haveloze stoelen. In een zwartgeblakerde open haard aan de andere kant van het vertrek brandde een houtvuur. De toog waaraan Lababiti stond, was in de loop der jaren door talloze messen als een hakblok bewerkt. Het stonk er naar zweet, visafval, dieselolie, urine en smeervet.

Lababiti nam nog een slok en keek op zijn gouden Piaget-horloge.

Niet ver van het café vandaan stonden op een heuvel met uitzicht op de haven twee van Lababiti's mannen door nachtkijkers naar de *Larissa* te turen. Het merendeel van de bemanning had het schip verlaten voor een avondje stappen aan wal en alleen achter het raam van de luxehut in het achterschip brandde nog licht.

In de haven duwden twee andere Arabieren een op het oog met vuilnis gevuld karretje over de steiger. Toen ze langs de *Larissa* liepen, hielden ze in en zwaaiden met een geigerteller naar de romp. Het geluid hadden ze afgezet, maar de uitslaande wijzer vertelde hun wat ze weten wilden. Langzaam liepen ze door naar het einde van de steiger.

Benedendeks kamde Milos Coustas, de kapitein van de *Larissa*, zijn haar. Vervolgens smeerde hij wat zalf op zijn arm. Waarom hij dat deed, wist hij eigenlijk ook niet, want sinds hij de zalf had gekocht, leek het effect nihil. Hij hoopte vurig dat de arts die hij de volgende dag zou opzoeken hem iets beters zou voorschrijven.

Keurig gekamd en geboend liep hij de hut uit en de trap op naar het dek; klaar om naar zijn klant te gaan die in het café onder aan de heuvel op hem wachtte.

Lababiti zette juist zijn tweede pint Guinness aan zijn mond toen Coustas het café binnenkwam. Lababiti draaide zich om naar de nieuwkomer en begreep onmiddellijk dat dit de man was die hij moest hebben. Als Coustas een T-shirt had gedragen met de tekst 'Griekse scheepskapitein' was die mededeling volstrekt overbodig geweest. Hij droeg een wijde pofbroek, een loshangend wit nethemd met touwtjes door de kraag en de schuine muts waar kennelijk alle in de buurt van water wonende Grieken mee vergroeid zijn.

Lababiti bestelde een ouzo voor Coustas en gebaarde hem aan een tafeltje plaats te nemen.

Ze waren dan misschien terroristen, maar beslist niet dom. Zodra de mannen met de nachtkijkers zich ervan hadden overtuigd dat Coustas het café was binnengegaan, duwden de beide mannen het karretje haastig over de steiger terug tot ze weer bij de *Larissa* waren. Snel klommen ze aan boord en begonnen het schip te doorzoeken. Binnen enkele minuten hadden ze de kist met de kernbom gevonden en gaven dit via hun mobilofoon door aan de mannen die op enige afstand achter het stuur van een gehuurde bestelwagen op de uitkijk stonden. Zachtjes reden ze naar het begin van de steiger, terwijl de beide terroristen aan boord van de *Larissa* de kist aan land brachten. Nadat ze een plastic hoes met wat opgeplakt vuilnis over de kist hadden getrokken, zetten ze hem op het versterkte karretje. Terwijl de een duwde en de ander trok, liepen ze met het karretje naar het begin van de steiger.

Lababiti en Coustas waren aan een tafeltje achter in het café gaan zitten. De stank van het aangrenzende toilet was er nauwelijks te harden. Coustas had al een tweede glas op en werd steeds spraakzamer.

'Wat is dat toch voor een speciale vracht, dat u er zoveel voor over hebt om die kist hier te krijgen?' vroeg hij glimlachend. 'Omdat u een Arabier bent en de kist zo zwaar is, denk ik dat er goud in zit.'

Lababiti knikte zonder dat hij daarmee die veronderstelling bevestigde of ontkende.

'Als dat zo is,' zei Coustas, 'dacht ik dat een bonus wel op zijn plaats zou zijn.'

Zodra de kist in de bestelwagen was geladen, scheurden de twee mannen die op de uitkijk hadden gestaan ermee weg. Het andere stel duwde het karretje over de kaderand het water in. Vervolgens renden ze naar een motorfiets. Ze sprongen erop, startten en reden de heuvel op naar het café.

Lababiti haatte de Grieken niet zo erg als westerlingen in het algemeen, maar echt aardig vond hij ze ook niet.

Hij vond ze luidruchtig, vrijpostig en in de meeste gevallen behept met een totaal gebrek aan manieren. Coustas had al twee drankjes van hem gehad, maar geen aanstalten gemaakt op zijn beurt Lababiti er een aan te bieden. Terwijl hij de barman gebaarde nog een rondje te brengen, stond hij op.

'Op een eventuele bonus kom ik zo terug,' zei hij. 'Ik moet eerst even naar de wc. De barman schenkt een nieuw rondje in. Maak je nuttig en ga ze even aan de bar halen.'

'M'n glas is nog niet leeg,' zei Coustas grinnikend.

'Dat loopt niet weg,' reageerde Lababiti, terwijl hij zich omdraaide.

Een bezoek aan het toilet was alsof je een duister steegje instapte. Het stonk er en er was nauwelijks licht. Maar Lababiti wist precies waar hij het tablet had weggestopt, en op de tast diepte hij het in folie gewikkelde pakje uit zijn zak op en vouwde het open. Met het tablet in de hand liep hij haastig terug naar het tafeltje.

Coustas stond nog bij de bar en probeerde de barman over te halen zijn glas wat voller te schenken. Hij keek gespannen toe hoe de barman ten slotte vooroverboog en de fles naar zijn glas bracht om het tot de rand met ouzo te vullen. Op dat moment stak een magere, donkergetinte man zijn hoofd om de hoek van de deur. Hij nieste en verdween weer. Dit teken voor Lababiti dat de kraak was geslaagd, kwam net toen hij bij het tafeltje was teruggekeerd.

Hij verkruimelde het tablet en strooide het poeder in de overgebleven slok ouzo in Coustas' glas.

Hij ging zitten toen de Griek met de volle glazen van het nieuwe rondje terugkwam. Van buiten drong het geluid van een langsrazende motor tot in de gelagkamer door. 'De barkeeper wil meer geld zien,' zei Coustas, terwijl hij zich op zijn stoel liet zakken. 'Wat u hem hebt gegeven is op.'

Lababiti knikte. 'Dan moet ik even naar m'n auto om meer geld te halen. Drink rustig door, ik ben zo terug.'

'En praten we dan over een bonus?' vroeg Coustas, waarna hij het bijna lege glas naar zijn lippen bracht en in één teug achteroversloeg.

'Over de bonus en de overdracht van de lading,' zei Lababiti, terwijl hij opstond. 'Ik neem aan dat betaling in goud geen bezwaar is?'

Coustas knikte en Lababiti liep naar de deur. Coustas verkeerde in een roes van de ouzo en de nieuw verworven rijkdom. Alles leek rozengeur en maneschijn... tot hij een stekende pijn in zijn borst voelde.

Lababiti gebaarde met een uitgestoken vinger naar de barman dat hij zo terugkwam, waarna hij het café uitliep en de straat overstak naar zijn Jaguar. Er was geen mens te zien. De slechts door een paar lantaarns spaarzaam verlichte straat lag bezaaid met rotzooi.

Het was een boulevard van verloren liefdes en misplaatste hoop.

Lababiti weifelde geen moment en handelde resoluut. Met een druk op het contactsleuteltje ontsloot hij de centrale deurvergrendeling, trok het portier open, stapte in en startte. Nadat hij het volume van de cd-speler had afgesteld, schakelde hij de auto in de eerste versnelling en reed rustig weg.

Toen de eigenaar van het café naar buiten stormde om de zo keurig geklede buitenlander te laten weten dat zijn vriend onwel was geworden, zag hij nog net hoe de achterlichten van de Jaguar achter de kam van de heuvel verdwenen.

De Britse politie laat zich over het algemeen niet zien wanneer er iemand in een café sterft. Dat gebeurt te vaak en de doodsoorzaak is meestal duidelijk. Er was dan ook een telefoontje van het kantoor van de lijkschouwer voor nodig om inspecteur Charles Harrelson uit zijn bed te krijgen. En aanvankelijk was hij flink geïrriteerd. Pas nadat hij een pluk tabak in zijn pijp had gepropt en aangestoken, wierp hij een eerste blik op het lijk. Vervolgens schudde hij zijn hoofd.

'Macky,' zei hij tegen de lijkschouwer, 'heb je me híérvoor gewekt?'

David Mackelson, de lijkschouwer, werkte al bijna twintig jaar samen met Harrelson. Hij wist dat de inspecteur altijd nogal humeurig was als hij uit zijn bed was gehaald.

'Wil je een kop koffie, Charles?' vroeg Macky bedaard. 'Als ik het vraag, zetten ze die hier wel voor ons.'

'Nee, want ik ga zo weer naar bed,' zei Harrelson, 'want zoals die arme ziel erbij ligt, lijkt het me niet dat ik hier nog nodig ben.'

'Nou,' zei Macky, 'dan denk ik dat je juist wel wat koffie kan gebruiken.'

Nadat hij het laken dat over het lichaam van Coustas lag had weggeslagen, wees hij op de rode plekken op diens arm.

'Weet je wat dat is?' vroeg hij.

'Geen idee,' antwoordde Harrelson.

'Dat is stralingseczeem,' zei Macky, waarna hij een blikje snuiftabak tevoorschijn haalde en een plukje in zijn neus stak. 'En, Charles, toch niet een beetje blij dat ik je heb gewekt?'

29

Adams ving een glimp op van de Cessna, wenkte Cabrillo en wees op het scherm van het navigatiesysteem.

'In de komende vijf minuten komt hij boven land,' zei Adams door de intercom.

'Hopelijk vangt de RAF hem daar dan op. Dan kunnen we de boel afronden en hebben we dit eindelijk achter de rug. Hoe zit het met de brandstof?'

Adams wees op de meter. De tegenwind had zijn tol geëist en de naald stond in het rood. 'We vliegen al een tijdje op reserve, maar het vasteland halen we nog wel. Hoe het dan verder moet, weet ik niet.'

'We landen ergens en tanken bij,' zei Cabrillo welgemoed, 'zodra Hanley ons laat weten dat de straaljagers het toestel hebben onderschept.'

Maar op dat moment kampte Hanley met een onbuigzame bureaucratie op twee continenten.

'Wat bedoelt u in hemelsnaam met: ze hebben geen toestellen?' zei hij tegen Overholt.

'De Britten hebben op z'n vroegst over een minuut of tien een straaljager in de lucht,' zei Overholt, 'vanaf Mindenhall, dat is vrij ver in het zuiden. In Schotland hebben ze momenteel niets paraat. Erger nog, hun materieel in het zuiden is net zo uitgedund als bij ons. Vrijwel al hun jachtvliegtuigen zijn ingezet om ons bij te staan in Irak en Afrika.'

'Is er geen vliegdekschip van de VS in de regio?' vroeg Hanley.

'Nee,' zei Overholt, 'het enige schip dat wij daar op zee hebben is een met geleide projectielen bewapend fregat, dat de opdracht heeft gekregen om het van de Faerøereilanden wegvarende jacht te onderscheppen.'

'Meneer Overholt,' zei Hanley, 'we hebben een probleem. Uw vriend Juan zal ondertussen wel laaiend zijn. Als we hem niet snel te hulp komen, ontglipt ons de meteoriet opnieuw. Wij doen ons werk hier, maar we kunnen het niet alleen.'

'Dat begrijp ik,' zei Overholt. 'Ik zal zien wat ik kan doen en dan bel ik u terug.'

De verbinding werd verbroken en Hanley staarde naar de kaart op de monitor in de controlekamer. Het radarsignaal van de Cessna was zojuist de kustlijn gepasseerd. Hij toetste weer een nummer in.

'Ja,' zei de piloot van de in Aberdeen gestationeerde Challenger 604. 'Om het kwartier starten we de motoren om ze warm te houden. We kunnen onmiddellijk de lucht in als we een seintje krijgen.'

'Het doel heeft zojuist bij Cape Wrath het vasteland bereikt,' zei Hanley. 'Dus vlieg eerst naar het westen en dan naar het noorden. Hun huidige koers wijst erop dat ze naar Glasgow vliegen.'

'Wat doen we als we zichtcontact hebben?'

'Alleen maar volgen,' antwoordde Hanley, 'tot de Britse jagers het overnemen.'

Terwijl de piloot met Hanley sprak, had de copiloot de toestemming om op te stijgen doorgekregen. Hij gebaarde naar de piloot.

'We kunnen opstijgen,' zei de piloot tegen Hanley, 'is er nog iets anders?'

'Kijk of je onze baas ergens ziet. Hij zit in een Robinson-helikopter en zijn brandstof raakt op.'

'Doen we,' zei de piloot, terwijl hij een gashendel opentrok en naar de startbaan taxiede.

Door de lichte mist besloeg de voorruit van de Challenger aan de buitenkant toen de piloot het toestel de startbaan opdraaide. Aan het dichte wolkendek te zien, dat in het noorden hing, zou het alleen maar erger worden. Aan het begin van de startbaan gekomen, doorliep de piloot de laatste controleprocedure.

Vervolgens trok hij de gashendels helemaal open en raasde over de startbaan.

James Bennett keek bezorgd naar de brandstofmeter. Hiermee zou hij Glasgow niet halen, dus verlegde hij de koers iets naar bakboord. Bennett wilde boven land blijven voor het geval het tot een noodlanding zou komen. Dus besloot hij eerst Inverness aan te houden en dan naar het oosten richting Aberdeen af te buigen. Met wat geluk zouden ze de Schotse haven net halen. Maar Bennett had geen geluk.

Op dat moment ging de telefoon.

'We hebben een probleem,' zei de stem. 'We hebben zojuist een Brits memo onderschept waarin ze zeggen dat ze een stel jagers gereedmaken om je op te vangen. We hebben misschien een kwartier tot ze bij je zijn.'

Bennett keek op zijn horloge. 'Dan hebben we inderdaad een probleem,' zei hij gehaast. 'Door gebrek aan brandstof moest ik van koers veranderen. Glasgow haal ik niet. Misschien dat Aberdeen net lukt, maar zeker niet voordat die straaljagers hier zijn.'

'Al had u wel de gelegenheid gehad om op de Faerøereilanden bij te tanken, dan nog hadden we vanwege die Britse jagers Glasgow niet als gepland aan kunnen houden. Hoe is het met de helikopter? Denkt u dat u nog wordt gevolgd?'

'Ik heb hem sinds het vertrek niet meer gezien,' zei Bennett. 'Volgens mij zijn ze omgekeerd.'

'Goed,' zei de stem, 'dan lukt het wel wat ik heb bedacht. Hebt u een kaart bij de hand?'

Bennett sloeg een kaart van Schotland open. 'Ja,' zei hij.

'Ziet u Inverness liggen?'

'Ja.'

‘Iets zuidelijker is een groot meer, ziet u dat?’

‘Dat meent u niet!’ reageerde Bennett.

‘Jawel,’ luidde het antwoord. ‘Loch Ness. Volg de oostelijke oever. Daar zijn mensen van ons met een vrachtwagen. Ze zullen rook schieten zodat u ze kunt vinden.’

Rook schieten, ofwel *popping smoke*, was een militaire uitdrukking voor het afschieten van rookgranaten om een positie te markeren.

‘En dan?’ vroeg Bennett.

‘Vlieg er zo laag mogelijk overheen en drop de vracht door de deur,’ antwoordde de stem. ‘Zij pikken die dan op en nemen het transport over.’

‘En wat doe ik dan?’ vroeg Bennett.

‘U laat u door de jagers tot een landing op een vliegveld dwingen,’ zei de stem. ‘Want als ze de Cessna zonder iets te vinden hebben doorzocht, zullen ze denken dat het vals alarm is geweest.’

‘Briljant,’ zei Bennett.

‘Dat dacht ik ook,’ zei de stem alvorens er werd opgehangen.

De Robinson-helikopter met Cabrillo en Adams aan boord passeerde de rotsachtige kust. Adams stak zijn duim op naar Cabrillo en zette de microfoon aan.

‘Het ziet ernaar uit dat we het hebben gered,’ zei Adams. ‘Als de brandstof nu opraakt, krijg ik ons altijd nog wel met autorotatie aan de grond.’

‘Als het zover komt, hoop ik wel dat je dat eerder hebt gedaan.’

‘Iedere week een paar keer,’ antwoordde Adams, ‘voor het geval dat.’

Het wolkendek verdichtte zich naarmate ze verder landinwaarts vlogen. Zo nu en dan vingen de mannen een glimp op van de met sneeuw bedekte Schotse heuvels onder hen. Een halve minuut eerder had Cabrillo in een flits het staartlicht van de Cessna boven hen gezien.

‘De straaljagers zullen nu inmiddels wel onderweg zijn,’ zei

Cabrillo, terwijl hij de satelliettelefoon oppakte en Hanley belde.

De *Oregon* voer op volle kracht in zuidelijke richting van de Faerøereilanden weg. Ze zouden spoedig moeten besluiten of ze aan de westkant van Schotland richting Ierland zouden varen of dat ze naar het oosten zouden afbuigen om tussen de Shetland- en Orkney-eilanden door naar de Noordzee te gaan. Hanley bekeek de beelden die zich op de monitors afwisselden toen zijn telefoon ging.

'Hoe is de situatie?' vroeg Cabrillo zonder omwegen.

'Overholt had moeite om de Britse jagers in de lucht te krijgen,' antwoordde Hanley. 'Volgens de laatste berichten zijn ze zojuist van Mindenhall opgestegen. Met een snelheid van mach één-plus zijn ze er over een halfuur, meer zit er niet in.'

'Voor een halfuur hebben we geen brandstof meer,' zei Cabrillo.

'Sorry, Juan,' zei Hanley. 'Ik heb de Challenger in Aberdeen opdracht gegeven de achtervolging over te nemen tot de jagers er zijn. Zodra zij de Cessna gevonden hebben, laten ze me dat weten. We krijgen die vent te pakken, maak je daar maar geen zorgen over.'

'En het jacht?'

'Dat is tien minuten geleden de haven op de Faerøereilanden uitgevaren,' zei Hanley. 'Er is een Amerikaans fregat onderweg om het op de Atlantische Oceaan te onderscheppen.'

'Eindelijk,' zei Cabrillo, 'toch ook nog goed nieuws.'

Hanley keek op de monitor waarop de posities van de Cessna en de Robinson werden aangegeven. Tegelijkertijd luisterde hij naar wat de copiloot van de Challenger via de luidspreker in de controlekamer meldde. In de Challenger hadden ze het radarsignaal van beide toestellen in beeld, die snel naderden.

'De Cessna vliegt nu boven Inverness,' zei Hanley. 'De Challenger heeft hem op de radar. Hoeveel brandstof heb je nog?'

Door de headset vroeg Cabrillo aan Adams: 'Halen we Inverness nog?'

'Ik denk het wel,' antwoordde Adams. 'Sinds we boven land vliegen hebben we een goede rugwind.'

'Voldoende voor Inverness,' zei Cabrillo tegen Hanley.

Hanley wilde Cabrillo en Adams zeggen dat ze daar moesten landen om bij te tanken, maar zo ver kwam het niet. Op datzelfde moment meldde de copiloot van de Challenger zich weer met de mededeling dat de Cessna plotseling een landing had ingezet.

'Juan,' zei Hanley snel, 'de Challenger laat net weten dat de Cessna aan het dalen is.'

De kaart op het scherm in de Robinson gaf aan dat ze zich op een paar kilometer van Inverness bevonden.

'Waar wil hij dan gaan landen?' vroeg Cabrillo.

'Zo te zien bij Loch Ness, op de oostelijke oever.'

'Ik bel je terug,' zei Cabrillo tegen Hanley voordat hij de verbinding verbrak.

De weersomstandigheden verslechterden en de regen liep in straaltjes over de voorruit van de Robinson. Adams zette de ventilator van de voorruitverwarming aan en keek aandachtig naar de brandstofmeter.

'Geloof je in monsters?' vroeg Cabrillo aan Adams.

'Ik geloof in monsterzeges,' antwoordde Adams, 'maar hoezo?'

Cabrillo wees naar de kaart op het scherm. De sigaarvorm van Loch Ness schoof langzaam het beeld in. 'Volgens Hanley is de Cessna aan het dalen voor een landing op de oostelijke oever van Loch Ness.'

Enkele minuten eerder had Adams, voordat het wolkendek zich helemaal sloot, een paar keer een glimp van het terrein onder hen opgevangen. 'Daar geloof ik niks van,' zei hij.

'Hoezo?' vroeg Cabrillo.

'Veel te bergachtig,' antwoordde Adams, 'daar is nergens plek voor een landingsbaan.'

'Dan zou dat betekenen...' begon Cabrillo.

'Dat ze het pakket gaan droppen,' vulde Adams aan.

Meteen nadat hij van Bennett had gehoord dat de Cessna van de Faerøereilanden was opgestegen en werd gevolgd, had de leider van de operatie twee van de vier in Glasgow wachtende mannen de opdracht gegeven zo snel mogelijk naar het noorden te rijden. De beide mannen hadden de ruim honderdzestig kilometer naar Loch Ness in minder dan twee uur overbrugd en daar op nadere instructies gewacht. Tien minuten geleden hadden ze te horen gekregen dat ze naar de oostelijke oever moesten rijden om daar een afgelegen plek te zoeken. Zojuist hadden ze doorgekregen dat ze de rookgranaten moesten afschieten en uit moesten kijken naar een pakket dat bij hen in de buurt zou worden gedropt.

De mannen zaten achter in het bestelbusje met de deuren wijdopen te kijken hoe de rook door de regen uiteen werd geslagen. Het vliegtuig zou nu elk ogenblik moeten komen.

'Hoorde je dat?' vroeg een van de mannen toen hij een brommend geluid hoorde naderen.

'Ja, en het komt dichterbij,' antwoordde de andere man.

'Ik dacht dat onze man in een...'

Met beide handen stevig om de stuurkolom geklemd had Bennett alle moeite om de Cessna recht te houden in de turbulentie van de straalmotoren van de Challenger. Die vent is hartstikke gek of hij kan niet vliegen, dacht hij. Al was zijn vliegtuigje niet groot, op het radarscherm moest het toch duidelijk zichtbaar zijn.

'Zestig meter,' zei de copiloot van de Challenger. 'Als er nu een motor uitvalt, zijn we de klos.'

'Blijf goed opletten,' zei de piloot. 'Ik vlieg er één keer langs en trek dan weer op.'

De Challenger scheerde zo laag over de grond dat ze de heuveltoppen bijna raakten. In het zog van de straaljager woei de sneeuw in woest wervelende wolken op. Een aanzienlijk hogere heuveltop vulde het blikveld door de voorruit en de piloot trok de stuurknuppel naar zich toe om direct nadat ze over de top waren weer een daling in te zetten. Ze vlogen nu boven het meer.

'Daar,' zei de copiloot, terwijl hij op een bestelwagen wees die aan de oostelijke oever stond geparkeerd. 'Ik zie daar ook rook.'

De piloot keek in de aangewezen richting en trok de stuurknuppel naar zich toe, waarop het toestel snel weer aan hoogte won. '*Oregon*,' zei hij toen ze weer met een veilige kruissnelheid vlogen, 'op de oostelijke oever hebben we een bestelwagen en rooksignalen. Hoelang duurt het nog voor de Britse jagers hier zijn?'

'Challenger,' antwoordde Hanley, 'de jagers zijn er over een kwartier.'

'Ze gaan een dropping proberen,' zei de piloot van de Challenger.

'Bedankt zover,' zei Hanley.

'Ze gaan een dropping proberen,' zei Cabrillo toen Hanley opnam.

'Weten we,' zei hij, 'ik wilde je net bellen. De Challenger heeft een duikvlucht over het meer gemaakt en op de oostelijke oever een met rookgranaten gemarkeerde bestelwagen waargenomen.'

'We hebben zojuist de Cessna weer even gezien,' zei Cabrillo. 'Hij is nog vlak voor ons. We zijn allebei binnen enkele minuten boven het meer.'

'Hoe staat het met de brandstof?'

'Brandstof?' vroeg Cabrillo aan Adams.

'Ik heb de naald nog nooit zo ver in het rood zien staan,' antwoordde Adams.

Cabrillo herhaalde Adams' woorden.

'Laat ze gaan,' zei Hanley snel, 'en land nu het nog kan.'

De Robinson vloog juist onder een stuk vrije hemel en Cabrillo keek omlaag. Daar zag hij het met witte schuimkoppen bedekte water van Loch Ness. 'Te laat, Max,' zei Cabrillo, 'we zijn al boven het meer.'

De twee bij het meer wachtende mannen hadden de opdracht gekregen absolute radiostilte in acht te nemen tot ze de meteoriet in handen hadden en op veilige afstand van de droppingplaats waren. Daarom maakten ze geen melding van de laag overvliegende straaljager. Waarschijnlijk was het een zakenjet van een oliemaatschappij die problemen had, en zo niet, dan konden ze er toch niets tegen doen. Ze bleven gespannen luisteren en de lucht afturen naar een naderende Cessna.

De Tornado ADV luchtverdedigingsjager vloog boven het Schotse Perth en de Britse officier meldde hun positie. Ze waren nog zo'n honderdtwintig kilometer van Loch Ness verwijderd en naderden snel.

'Kijk uit naar een Challenger zakenjet en een helikopter,' gaf de officier aan de piloot door. 'Die zijn van ons.'

'Begrepen,' antwoordde de piloot, 'het doelwit is een Cessna 206 propellervliegtuig.'

'Nog vijf minuten,' meldde de officier aan de basis.

Bennett tuurde gespannen voor zich uit of hij de rook zag waar hij volgens de instructies naar uit moesten kijken zodra hij de oostelijke oever van het meer had bereikt. Het was nevelig en de mist boven het water vermengde zich met de rook. Hij liet de vleugelkleppen zakken, waarop de Cessna vaart minderde. Er flitsten knipperlichten aan de oever van het meer en hij vloog die richting op.

'Daar is het meer,' zei Cabrillo.

De Robinson haalde de Cessna nu snel in en Adams remde af. 'Hij mindert vaart,' zei hij door de headset tegen Cabrillo.

Cabrillo keek naar de kaart op het scherm. 'Daar is geen vliegveld, dus gaat hij er droppen, zoals we al dachten.'

De helikopter vloog halverwege het meer achter de Cessna aan, die was afgebogen en nu de oostelijke oever volgde. Net toen ook Adams in die richting draaide, begon de motor te sputteren.

Aan boord van de Cessna 206 keek Bennett strak voor zich uit. Hij zag nu de rook, de flitsende zwaailichten en de bestelwagen. Terwijl hij dichter naar de grond zakte, boog hij opzij, deed de deur aan de passagierskant van het slot en schoof het pakket met de meteoriet naar de rand van de stoel tot tegen de deur. Zodra hij in de buurt van de bestelwagen was, kon hij het toestel iets laten overhellen, de deur openen en het pakket naar buiten duwen.

Billy Joe Shea reed in een zwarte MG TC uit 1947 langs de oostelijke oever van Loch Ness. Shea was een handelaar in olieboorinstallaties uit Midland in Texas, die de oldtimer een paar dagen daarvoor bij een garage in Leeds had gekocht. Zijn vader had ooit een dergelijk model bezeten, dat hij had gekocht toen hij als luchtmachtmilitair in Engeland was gestationeerd, en Billy Joe had erin leren autorijden. Shea's vader had de auto nu alweer bijna drie decennia geleden verkocht en Shea had sindsdien de geheime wens gekoesterd er zelf een te kopen.

Na enig zoeken op internet, het afsluiten van een tweede hypotheek op zijn huis en het opsparen van wat extra vakantiedagen, had hij zijn droom ten slotte kunnen verwezenlijken. Na de aanschaf wilde Shea nog een paar weken door Schotland en Engeland toeren tot hij de auto in de haven van Liverpool moest afleveren voor de verscheping naar Amerika. Ook met de gesloten kap sijpelde het regenwater langs de portieren naar binnen. Shea pakte zijn cowboyhoed van het passagiersgedeelte van de voorbank en sloeg het water eraf. Vervolgens wierp hij een blik op het dashboard en reed door. Hij passeerde een aan de kant van de weg geparkeerde bestelwagen en daarna was de weg weer leeg.

Het was een rustige dag en de lucht rook naar vochtige turf en modderige wegen.

'Ik heb de jagers op mijn radar,' zei de piloot van de Challenger door de satelliettelefoon tegen Hanley.

'Wat is je afstand tot de Cessna?' vroeg Hanley.

'Niet zo ver meer,' zei de piloot. 'Op dit moment bereiden we ons voor op een duikvlucht van zuid naar noord langs de oostelijke oever. We scheren zo dicht mogelijk over hem heen.'

Bennett was nu vlak bij de droppingplaats. Hij boog opzij, drukte de deur open en liet de Cessna iets overhellen. In zijn ooghoeken zag Bennett over de weg een auto naderen. Vervolgens concentreerde hij zich op de dropping zo dicht mogelijk bij de bestelwagen.

Op dat moment dook de zakenjet in zijn blikveld op.

'Er staat een bestelwagen langs de weg aan de oostelijke oever,' zei de piloot van de Challenger tegen Hanley toen hij rakelings langs Bennett scheerde.

'Wat doet...' begon Hanley, maar hij werd ruw onderbroken.

'Ik zie de Robinson,' riep de piloot.

'Kunnen zij die bestelwagen zien?' vroeg Hanley.

'Waarschijnlijk wel,' antwoordde de piloot, terwijl hij het toestel uit de duikvlucht omhoogtrok, 'maar ze zijn nog wel op enige afstand.'

'Smeer 'm maar,' zei Hanley. 'Ons is zojuist door de Britse autoriteiten gemeld dat hun jagers er over een paar minuten zijn. Zij handelen het verder af.'

'Begrepen,' zei de piloot van de Challenger.

Op de grond zagen de twee mannen bij de bestelwagen de Cessna naderen.

'Volgens mij zie ik daar in de verte een helikopter,' zei een van de mannen.

De andere man tuurde in de mist. 'Dat betwijfel ik,' zei hij. 'Als die zo dichtbij is, zouden we hem toch moeten horen.'

Op dat moment zagen ze de deur van de Cessna opengaan.

De twee mannen hadden de motor van de helikopter inderdaad van die afstand moeten kunnen horen, maar alleen als hij niet was afgeslagen. In de cockpit was het daarentegen akelig stil geworden, met als enige geluid het suizen van de wind langs de romp, terwijl Adams zich op een autorotatie concentreerde. Hij stuurde daarbij zoveel mogelijk op de oever aan en kon alleen nog maar hopen dat ze het zouden halen.

Op het moment dat ze serieus wegzakten, zag Cabrillo in een flits de bestelwagen en de zwaailichten. Hij gaf dit niet aan Adams door, want die had zijn handen meer dan vol.

Bennett gaf het pakket een duw, waardoor het naar buiten viel. Daarna legde hij de Cessna weer recht en maakte een wijde boog om naar het vliegveld van Inverness terug te vliegen. Hij won snel aan hoogte omdat hij de bergkam aan het uiteinde van het meer over moest, toen hij in een flits de helikopter op nog geen honderdvijftig meter boven de grond onder zich zag.

Zodra hij de Cessna op de juiste hoogte had gestabiliseerd, maakte hij melding van wat hij had waargenomen.

Een kei in een doos valt recht naar beneden. De meteoriet smakte zonder te breken met een doffe plof in de vochtige veenbodem. De twee mannen renden ernaartoe en wilden de doos juist uit de modder optillen, toen ze het hoge gieren van de motoren van snel naderende gevechtsvliegtuigen hoorden. Opkijkend zagen ze de straaljagers laag over scheren.

'Laten we maken dat we hier wegkomen,' zei de ene man toen ze de doos uit de zachte bodem hadden losgewrikt.

De tweede man holde al naar de cabine van de bestelwagen, terwijl de eerste hem met de doos volgde.

'Ik denk dat we de weg nog net halen,' riep Adams in de headset.

De Robinson was in een wegdraaiende glijvlucht geraakt en werd alleen nog in de lucht gehouden door de door de voorwaartse snelheid veroorzaakte wind, die de rotorbladen draaiende hield. Adams had de helikopter nog onder controle, maar hun snelheid nam snel af.

De oever van het meer en de weg waren nu niet ver weg meer en hij ontstak de landingslichten.

De straaljagers doken met zo'n snelheid achter Bennett in zijn Cessna op dat het leek alsof ze letterlijk uit de lucht vielen. Ze schoten aan beide kanten rakelings langs hem heen en zwenkten van hem weg voor een nieuwe aanvlucht, toen zijn radio kraakte.

'Dit is de Royal Air Force,' zei een stem, 'ga naar het dichtstbijzijnde vliegveld en land onmiddellijk. Als u niet gehoorzaamt of anderszins handelt, zijn we genoodzaakt u neer te halen. Bevestig ontvangst van dit bericht.'

De beide straaljagers waren gedraaid en kwamen nu recht op Bennett af. Hij reageerde met een lichte zwaaibeweging van zijn vleugels en pakte de satelliettelefoon.

Zo dichtbij en toch zo ver weg.

Cabrillo keek door het zijraampje tot een heuveltop het zicht versperde. Ze bevonden zich op nog geen anderhalve kilometer van de bestelwagen en de droppingplaats. Maar zelfs wanneer Adams hen heelhuids aan de grond kreeg, dan nog was de bestelwagen – met de meteoriet – voordat ze waren uitgestapt en ernaartoe waren gerend, al lang en breed verdwenen.

Hij drukte de satelliettelefoon tegen zijn borst en zette zich schrap voor de landing.

De chauffeur ramde de bestelwagen in de eerste versnelling en gaf gas. De achterwielen maaiden slippend door de natte aarde en de modder spatte in hoge stralen op. Wild heen en weer glibberend bereikte hij het vaste wegdek en scheurde weg in zuidelijke richting.

Een vluchtige blik in de achteruitkijkspiegel zei hem dat de weg leeg was.

Adams bestuurde de Robinson met de finesse van een concertviolist. Met minuscule bewegingen van de cyclische spoed manoeuvreerde hij met kunst en vliegwerk tot ze zich nog maar een paar meter boven de grond bevonden. Door het nu volledig ontbreken van vaartwind vielen de rotorbladen met nog een paar laatste slagen stil en de Robinson hing nog een volle seconde boven de grond voordat hij de laatste halve meter omlaag viel. De landingsslede sloeg met een dreun op de grond, maar die klap viel nog mee. Met een blik opzij naar Cabrillo slaakte Adams een zucht van verlichting.

'Mijn god, wat goed, zeg!' zei Cabrillo

'Dat was geen kinderspel,' zei Adams, terwijl hij zijn koptelefoon afzette en de deur opende.

De helikopter versperde de weg vrijwel volledig.

'Anderhalve kilometer... een paar druppels brandstof meer,' zei Cabrillo, 'en we hadden ze te pakken gehad.'

De mannen liepen een paar passen over de weg en rekten zich uit.

'Het lijkt me handig als u Hanley laat weten dat we ze kwijt zijn,' zei Adams, toen Shea in zijn MG in het zicht verscheen en afremde omdat hij de weg geblokkeerd zag.

'Doe ik zo,' zei Cabrillo, terwijl hij naar de stoppende MG keek.

Shea stak zijn hoofd door het zijraampje. 'Hebt u hulp nodig?' vroeg hij met een nasaal Texaans accent.

Cabrillo liep naar de MG. 'Bent u Amerikaan?'

'Geboren en getogen,' antwoordde Shea met onverholen trots.

'We werken hier in opdracht van de president aan een zaak van nationaal belang,' zei Cabrillo haastig. 'Ik heb uw auto nodig.'

'Man,' reageerde Shea, 'die heb ik net drie dagen geleden gekocht.'

Cabrillo stak zijn arm uit en opende het portier. 'Het spijt me, het is een kwestie van leven en dood.'

Shea trok de handrem aan en stapte uit.

Cabrillo wenkte Adams met zijn satelliettelefoon en stapte achter het stuur van de MG. 'Ik zal de *Oregon* bellen,' zei hij, 'en zeggen dat ze iemand met extra brandstof moeten sturen.'

'Oké,' zei Adams.

Cabrillo drukte de starter in, ontkoppelde, pakte de versnellingspook en schakelde de oude MG in de eerste versnelling. Terwijl hij gas gaf, draaide hij aan het stuur en maakte een bocht van honderdtachtig graden.

'Hé,' zei Shea, 'wat moet ík nou?'

'Blijf bij de helikopter,' riep Cabrillo uit het zijraampje. 'Dan komt het allemaal goed, dat regelen wij wel.'

Nu hij weer recht op de weg reed, trapte hij het gaspedaal in en stoof weg. Binnen enkele seconden was hij achter de heuvel uit het zicht verdwenen. Shea liep naar Adams, die het landingsgestel controleerde.

'Ik ben Billy Joe Shea,' zei hij, zijn hand uitstekend. 'Kunt u me misschien vertellen wie die vent was die er met mijn auto vandoor is gegaan?'

'Die vent?' vroeg Adams. 'Die ken ik niet, die heb ik nooit eerder gezien.'

30

Richard 'Dick' Truitt zocht al Hickmans computerbestanden af. Er was zoveel opgeslagen dat hij niet erg opschoot. Ten slotte besloot hij om de totale inhoud van Hickmans computer naar die van de *Oregon* te sturen. Nadat hij de verbinding tot stand had gebracht, werden alle bestanden van Hickman via een satelliet razendsnel naar het schip gezonden. Daarna stond hij op van de bureaustoel en begon het kantoor te doorzoeken.

In een bureaula vond hij diverse vellen papier en een paar foto's die zijn interesse wekten. Hij vouwde ze op en stak ze in de binnenzak van zijn jas. Toen hij de boekenplank bekeek, hoorde hij de voordeur opengaan, waarna er een stem in de hal klonk.

'Nu?' vroeg de stem.

Er werd niet geantwoord. De man sprak in een mobieltje.

'Vijf minuten geleden?' zei de stem die hoorbaar dichterbij kwam. 'Waarom hebt u dan niet onmiddellijk iemand van de beveiliging omhooggestuurd?'

Het geluid van voetstappen in de gang naderde snel. Truitt glipte de badkamer aangrenzend aan het kantoor in en haastte zich door een logeerkamer naar een gang aan de andere kant van het appartement, die weer op de woonkamer uitkwam. Hij sloop zachtjes verder.

'We weten dat u hier bent,' zei de stem. 'Mijn mensen van

de beveiliging kunnen ieder moment hier zijn. De lift is al geblokkeerd, dus u kunt zich nu net zo goed overgeven.'

De essentie van een goed plan is dat je met eventualiteiten rekening houdt. De essentie van een briljant plan is dat je er geen enkele uitsluit. De bestanden in Hickmans computer werden door de lucht naar de *Oregon* gekopieerd. Driekwart van het totale gegevensbestand was al verstuurd toen Hickman zijn werkkamer binnenkwam. Toch had Truitt helaas iets over het hoofd gezien: hij had er niet aan gedacht de monitor uit te zetten. Zodra Hickman het scherm zag, realiseerde hij zich dat dit niet de screensaver was en dat er dus iemand aan zijn computer had gezeten.

Truitt glipte van de gang de woonkamer in. De glazen schuifdeur stond nog op een kier. Haastig sloop hij door de kamer en hij was bijna bij de deur toen hij tegen een beeldje opliep, dat omviel en op de grond kletterde.

Hickman hoorde dit en stormde de woonkamer in. Hij zag de in het zwart geklede indringer met kennelijk een duidelijk doel voor ogen het terras oplopen. Maar daar zat hij als een rat in de val en de bewakers waren onderweg.

Hickman hield in omdat deze gedachte hem niet tot haast noopte.

'Blijf staan waar u bent,' zei hij, langs de glazen deur naar buiten turend. 'U kunt echt geen kant meer op.'

De man draaide zich om en keek Hickman recht in de ogen. Hij glimlachte, klom over de borsthoge balustrade, knikte en zwaaide. Vervolgens draaide hij zich om en sprong van de richel de duisternis in. Hickman stond nog als aan de grond genageld bij de deur toen de bewakers de woonkamer instormden.

Blind vertrouwen is een machtig wapen.

En meer had Truitt niet toen hij aan het touw trok dat aan de voorkant van zijn jas zat. Een blind vertrouwen in de Magic Shop van de *Oregon*, ofwel in de uitvindingen van Kevin

Nixon. Nog geen seconde nadat hij aan het touw had getrokken, schoot er uit het rugpand van zijn jas een kleine, met klittenband bevestigde parachute los. Het volgende moment ontvouwden zich twee vleugels die veel op die van een Chinese vechtvlieger leken. Onder de beide vleugels klapten aan vanglijnen vierkanten flappen van ruim een meter uit die als de remkleppen van een vliegtuig dienden.

Truitts valsnelheid verminderde met een ruk en hij merkte dat hij de sprong nu onder controle had.

'Let op,' zei Gunderson, 'hij komt nu snel naar beneden.'

Pilston tuurde omhoog en zag Truitt in een flits in de heen en weer zwiepende lichtbundel van een schijnwerper in de buurt van de vulkaan. Truitt maakte een draai van 360 graden waarna hij vooruitschoot. Hij vloog zo'n drie meter boven het trottoir en raasde op twintig meter van de Jeep van hen vandaan. Gelukkig was het trottoir vrijwel leeg. Zo diep in de nacht waren de meeste toeristen al naar bed of zaten nog aan de speeltafels gekluisterd. Truitt bleef rechtdoor vliegen.

Gunderson startte de Jeep, schakelde en scheurde achter Truitt aan. Twee meter zeventig, twee meter veertig, maar Truitt kreeg hem kennelijk niet aan de grond. Hij raasde voort, zijn voeten vrij in de lucht bungelend.

Op de hoek stonden twee prostituees voor het stoplicht te wachten. Ze droegen latex jurkjes, liepen op plateauzolen en hadden hun haren hoog opgeborsteld. De ene rookte en de andere besprak in haar gsm een nieuwe afspraak. Truitt trok aan de lijnen van de remflappen, waardoor die geen lucht meer opvingen en hij als een blok omlaagging. Door een razendsnelle maaibeweging van zijn benen net voordat hij de grond raakte, slaagde hij erin zijn val te breken door hard mee te rennen om, zodra hij zijn evenwicht had hervonden, af te remmen. Op een krappe anderhalve meter voor de dames had hij zijn snelheid tot wandeltempo kunnen terugbrengen.

'Goedenavond, dames,' zei Truitt, 'een mooie avond voor een wandelingetje.'

Een heel eind achter hem draaide een rode SUV met het

Dreamworld-logo op de portieren van de uitrit van het hotel de straat op. De beveiligingsbeambte achter het stuur trapte het gaspedaal in, waarop de auto met gierende banden wegspoot.

Op dat moment doken Gunderson en Pilston in hun Jeep naast Truitt op.

'Stap in,' riep Gunderson.

Truitt sprong op de treeplank en vandaar op de achterbank van de Jeep. Zodra Truitt binnen was, gaf Gunderson gas en scheurde weg over de Strip. Truitts tas stond op de stoel naast hem. Hij ritste hem open en haalde er een metalen kistje uit.

'We worden gevolgd,' riep Gunderson naar achteren.

'Dat heb ik gezien,' zei Truitt. 'Als ik een seintje geef, zet de Jeep dan in z'n vrij en zet de motor uit.'

'Oké,' antwoordde Gunderson.

Ze reden ruim honderdveertig kilometer per uur, maar de rode SUV kwam dichterbij. Truitt draaide zich op de achterbank om en richtte het metalen kistje op de grille van de SUV.

'Nu,' gilde hij.

Gunderson zette de Jeep in z'n vrij en draaide het contactsleuteltje om. De lampen gingen uit en de stuurbekrachting viel weg, waardoor de Jeep aanzienlijk lastiger te besturen was. Gunderson had de grootste moeite om hem op de weg te houden. Truitt haalde een schakelaar op het kistje over, dat hierop een signaal uitzond dat de elektronische systemen van alle in de directe omgeving rijdende auto's liet doorbranden. De koplampen van de rode SUV doofden en de motor viel stil. Ook een paar taxi's die juist passeerden kwamen tot stilstand.

'Oké,' riep Truitt, 'je kunt weer starten!'

Gunderson draaide het contactsleuteltje om en de motor sloeg aan. Hij schakelde en voelde dat ook de besturing weer soepeler ging. 'Waar gaan we heen?' riep hij naar Truitt.

'Hebben jullie je bagage?'

'In het hotel hebben we alleen maar gedoucht,' antwoordde Pilston. 'We hebben onze bagage in het vliegtuig gelaten.'

'Naar het vliegveld dan,' zei Truitt. 'Goodbye, Vegas, we moeten hier snel weg.'

Max Hanley stond bij de computer in het kantoor van Michael Halpert aan boord van de *Oregon*. De twee mannen staarden gespannen naar het beeldscherm.

'En toen hield het op,' zei Halpert.

'Hoeveel bestanden hebben we ontvangen?' vroeg Hanley.

'Dan moet ik eerst alles een keer doornemen,' antwoordde Halpert, 'maar het is een hele hoop.'

'Begin maar,' zei Hanley, 'en laat me meteen weten als je iets interessants gevonden hebt.'

Hanleys portofoon piepte en Stone meldde zich. 'Van de Gulfstream is zojuist bericht gekomen dat ze uit Las Vegas zijn vertrokken,' zei hij.

'Ik kom eraan,' zei Hanley in de microfoon.

Haastig liep Hanley door de gang naar de controlekamer. Stone zat voor de monitors; hij draaide zich om toen Hanley binnenkwam en wees op een van de schermen. Op een kaart van het westen van de VS gaf een rood knipperlichtje de positie van de Gulfstream aan. De jet vloog boven Lake Mead naar het oosten. Hanleys telefoon ging over en hij liep naar zijn instrumentenpaneel om op te nemen.

'Hanley.'

'Heb je de computerbestanden ontvangen?' vroeg Truitt.

'Voor een deel,' antwoordde Hanley. 'Halpert is ze aan het bekijken. Het lijkt erop dat de verbinding halverwege is verbroken. Ging er iets fout?'

'Het doelwit kwam terug toen ik ermee bezig was,' zei Truitt boven het kabaal van de straalmotoren van de Gulfstream uit. 'Hij heeft de verbinding waarschijnlijk verbroken.'

'Dat betekent dus ook dat hij nu weet dat er iemand in hem geïnteresseerd is.'

'Precies,' zei Truitt.

'Verder nog iets?'

Truitt stak zijn hand in de binnenzak van zijn jas op de stoel aan de andere kant van het gangpad en trok de foto's tevoorschijn die hij uit het kantoor van Hickman had gestolen. Hij zette het faxapparaat aan dat met de satelliettelefoon was verbonden en begon de foto's in het geheugen te scannen.

'Ik stuur een paar foto's op,' zei Truitt.

'Van wat?' vroeg Hanley.

'Dat is nu net wat je moet uitzoeken.'

31

'Reken maar dat het een probleem is,' zei de president tegen Langston Overholt.

Een uur eerder had de Britse premier de president laten weten dat ze een Griekse kapitein met stralingswonden hadden gevonden op een locatie nog geen tachtig kilometer van het centrum van Londen. Tijdens dit overleg van de president met Overholt stonden de vaste lijnen tussen de twee landen roodgloeiend vanwege de voortdurende stroom informatie die werd uitgewisseld.

'We hebben zowel de Russen als de Corporation ingeschakeld om het wapen te pakken te krijgen,' zei Overholt, 'maar het is toch Engeland binnengekomen.'

'En dat moet ik nu onze trouwste bondgenoot gaan vertellen?' vroeg de president. 'Dat we ons best hebben gedaan, maar helaas, pech hebben gehad?'

'Nee, liever niet,' zei Overholt.

'Maar als degenen die hier achter zitten erin slagen de kernbom met de meteoriet te verenigen, staat er binnen de kortste keren in heel Londen en omgeving geen steen meer overeind. En wat u ook meent ter verontschuldiging van het verdwijnen van de kernbom naar voren te moeten brengen, het verlies van die meteoriet is wel degelijk geheel úw verantwoording.'

'Dat begrijp ik maar al te goed,' zei Overholt.

De president stond op uit zijn stoel in het Oval Office. 'Laat het u gezegd zijn,' zei hij op een toon waarin zijn ergernis doorklonk, 'ik wil resultaten zien, en wel onmiddellijk!'

Ook Overholt kwam overeind. 'Jazeker,' zei hij, waarna hij naar de deur liep.

'Cabrillo zit nog steeds achter de meteoriet aan,' zei Hanley via de beveiligde lijn tegen Overholt, 'althans volgens onze helikopterpiloot, die me een paar minuten geleden heeft gebeld.'

'De president is in alle staten,' zei Overholt.

'Hé,' zei Hanley, 'dat is onze schuld niet. De Britse jagers waren te laat. Als die op tijd waren gekomen, was de meteoriet nu veilig geweest.'

'Volgens de laatste berichten van de Britten hebben ze de Cessna bij Inverness tot landen gedwongen en zijn ze het toestel nu aan het doorzoeken.'

'Dan vinden ze niks,' zei Hanley. 'Onze piloot heeft verteld dat Cabrillo en hij hebben gezien dat de piloot van de Cessna het pakket heeft afgeworpen.'

'Waarom heeft Cabrillo dat niet gerapporteerd,' vroeg Overholt, 'zodat we hulp voor hem kunnen organiseren?'

'Dat, meneer Overholt, is een vraag die ík niet kan beantwoorden.'

'Belt u me zodra u hem weer aan de lijn hebt.'

'Doe ik,' zei Hanley, waarna de verbinding werd verbroken.

De MG TC reed als een boerenkar met een lading graan. De smalle banden, ouderwetse schokbrekers en verouderde ophanging voldeden in geen enkel opzicht meer aan de eisen die heden ten dage aan een moderne sportwagen worden gesteld. Cabrillo reed in de vierde en hoogste versnelling met het maximale toerental en toch reed de oldtimer maar net iets boven de honderdtien kilometer per uur. Met één hand aan het met hout afgezette stuur sloeg hij met de andere hand nog eens tegen de zijkant van zijn satelliettelefoon.

Niets. Misschien dat het apparaat tijdens de landing, ondanks dat hij zo goed mogelijk had geprobeerd het te beschermen, door de klap waarmee ze de grond raakten toch tegen het dashboard was geslagen. Of de accu was leeg. Satelliettelefoons hadden een energieverbruik dat niet onderdeed voor dat van een op volle toeren draaiende airco tijdens een hittegolf. Hoe dan ook, Cabrillo kreeg geen verbinding.

Op dat moment zag hij een paar kilometer voor zich uit de bestelwagen over de top van een heuvel rijden.

Eddie Seng keek opzij naar Bob Meadows die achter het stuur zat van de auto waarmee ze naar het eiland Sheppey reden. Nadat ze door het amfibievliegtuig van de Corporation van de *Oregon* waren opgepikt en naar een vliegveld in de periferie van Londen waren gebracht, had daar deze gepantserde Range Rover van de Britse inlichtingendienst MI5 voor hen klaargestaan.

'Zo te zien hebben we ook de gevraagde wapens gekregen,' zei Seng, terwijl hij de inhoud inspecteerde van een nylontas die op de achterbank lag.

'Als we nu ook nog even snel de plek vinden waar de leden van die Hammadi Groep zich in Londen schuilhouden,' zei Meadows vol goede moed, 'en de bom vinden en onschadelijk maken, terwijl onze chef de meteoriet bemachtigt, dan is het zakie gepiept.'

'Makkelijker gezegd dan gedaan.'

'Een zeven op een moeilijkheidsschaal van tien,' zei Meadows, terwijl hij afremde om de afslag naar de haven te nemen.

Seng sprong al uit de auto voordat Meadows de motor had uitgezet. Hij liep op een slungelachtige man met rossig haar af en stak zijn hand uit.

'Eddie Seng,' zei hij.

'Malcolm Rodgers, MI5,' zei de man.

Ook Meadows was uit de Range Rover gestapt en kwam op hen af.

'Dit is mijn collega, Bob Meadows. Bob, dit is Malcolm Rodgers van MI5.'

'Aangenaam,' zei Meadows terwijl hij Rodgers de hand schudde.

Rodgers begon in de richting van de steiger te lopen. 'De kapitein is hier in een café gevonden. Volgens de douanepapieren was hij diezelfde avond hier aangekomen.'

'Was de straling de doodsoorzaak?' vroeg Meadows.

'Nee,' zei Rodgers, 'bij een voorlopige autopsie zijn sporen van een gif aangetroffen.'

'Wat voor gif?' vroeg Seng.

'Dat hebben we nog niet kunnen vaststellen,' antwoordde Rodgers, 'een paralytisch agens.'

'Hebt u een telefoon?' vroeg Meadows.

Rodgers hield in en haalde een gsm uit zijn zak tevoorschijn, waarna hij Meadows vragend aankeek.

'Bel die lijkschouwer van u en laat hem contact opnemen met het Center for Disease Control in Atlanta. Vraag hun alle toxicologische rapporten op te sturen van op het Arabische schiereiland voorkomende schorpioen- en slangengiften, zodat hij kan kijken of dit gif er wellicht tussen zit.'

Rodgers knikte en toetste een nummer in. Terwijl hij telefoneerde, bestudeerde Seng de haven die schuin onder hen lag. Er lagen diverse oude vrachtschepen, drie of vier plezierjachten en een catamaran met op het dek een hele rij glimmende antennes en twee davits. Het achterdek was volgestouwd met kisten en elektronische apparatuur. Er stond een man over een tafel gebogen waarop een torpedovormig voorwerp lag.

'Oké,' zei Rodgers, 'ze gaan aan de slag.'

De mannen liepen de heuvel af en kwamen bij de haven. Ze wandelden de aanlegsteiger op, maar draaiden al vrij snel weer om, waarna ze een steiger opliepen die er dwars op stond. Op het dek van de *Larissa* waren drie mannen aan het werk. Het was duidelijk dat er ook benedendeks mensen bezig waren.

'We hebben iedere vierkante centimeter doorzocht,' zei

Rodgers. 'Niets. Het logboek was vervalst, maar uit ondervraging van de bemanning bleek dat ze de vracht in de buurt van Odessa in de Oekraïne hebben opgepikt en dat ze daarna in één ruk hierheen zijn gevaren.'

'Wist de bemanning wat ze vervoerden?' vroeg Seng.

'Nee,' antwoordde Rodgers. 'Het gerucht ging dat het gestolen kunst was.'

'Ze waren leveranciers, meer dus niet,' concludeerde Seng.

Meadows tuurde naar de catamaran verderop aan de steiger.

'Wilt u dat onze mannen daar een kijkje gaan nemen?' vroeg Rodgers.

'Heeft iemand de man uit het café zien komen nadat hij met de kapitein had gesproken?' vroeg Meadows.

'Nee,' antwoordde Rodgers, 'en dat is nu juist het probleem. We weten niets van die man.'

'Maar de kapitein heeft die bom niet meegenomen naar het café,' vroeg Meadows zich hardop af, 'dus heeft iemand van de bemanning hem afgegeven of hij is van boord gestolen.'

'In de pub heeft niemand een bom gezien,' zei Rodgers, 'en daar is de kapitein gestorven.'

'En u hebt de bemanning hierover goed aan de tand gevoeld?' vroeg Seng.

'Wat ik nu vertel, blijft strikt onder ons,' zei Rodgers.

Seng en Meadows knikten.

'Bij de ondervraging van de bemanning hebben we ons niet helemaal aan de internationale richtlijnen gehouden, maar ze hebben ons alles verteld wat we wilden weten,' zei Rodgers doodkalm.

De Engelsen lieten zich niet onbetuigd: de Grieken waren gemarteld of gedrogeerd of beide.

'En niemand van de bemanning heeft de bom overgedragen?' vroeg Meadows.

'Nee,' antwoordde Rodgers. 'Wie de man in het café ook was, hij heeft handlangers gehad.'

'Eddie,' zei Meadows, 'als jij nou eens naar de *Larissa* gaat om dit te verifiëren. Dan loop ik even door en ga een praatje maken met die vent op de catamaran.'

'Die hebben we al ondervraagd,' zei Rodgers. 'Hij is een beetje raar, maar ongevaarlijk.'

'Ik ben zo terug,' zei Meadows, terwijl hij verder de steiger opliep.

Seng gebaarde naar Rodgers en liep achter hem de loopplank naar de *Larissa* op.

'We moeten het nu echt weten,' zei Stone, 'de Atlantische Oceaan of de Noordzee?'

Hanley keek naar de kaart op de monitor. Hij had geen flauw idee welke kant Cabrillo was opgegaan, maar ze moesten nu iets doen.

'Waar is het amfibievliegtuig?'

'Daar,' antwoordde Stone, naar een knipperend stipje op de kaart wijzend dat zich boven Manchester in noordelijke richting bewoog.

'De Noordzee dan maar,' zei Hanley. 'Londen is het uiteindelijke doel. Laat het amfibievliegtuig naar Glasgow vliegen zodat ze Cabrillo kunnen helpen.'

'Oké,' zei Stone, terwijl hij de microfoon greep.

'Hali,' zei Hanley over zijn schouder tegen Kasim, die aan een tafel achter hem zat, 'hoe zit het met de brandstof voor Adams?'

'Het vliegveld van Inverness wilde niet meewerken,' antwoordde Kasim, 'en toen heb ik een benzinepomp in de buurt van Loch Ness bereid gevonden de brandstof in blikken van twintig liter ter plekke af te leveren. Ze kunnen er nu ieder moment zijn. Ik neem aan dat Adams ons dat dan meteen laat weten.'

'Verdorie,' zei Hanley, 'we hebben George nodig om onze chef daar te assisteren.'

Linda Ross, de beveiligingsdeskundige aan boord van de *Oregon*, zat naast Kasim aan de tafel. 'Ik heb contact opgenomen met de Britse autoriteiten en verteld wat wij weten: dat er van Loch Ness een witte bestelwagen naar het zuiden rijdt waarvan wij vermoeden dat zich daarin de meteoriet bevindt, en dat Cabrillo de bestelwagen in een oude zwarte MG achtervolgt. Ze sturen er helikopters op af, maar het zal ongeveer een uur duren voordat die ter plaatse zijn.'

'Kan de Challenger de situatie niet vanaf iets grotere hoogte in de gaten houden?' vroeg Hanley.

Het was even stil in de controlekamer. Stone toetste wat codes in en wees op de monitor. 'Kijk, zo ziet het er daar op dit moment uit,' zei hij.

Het landschap ging schuil onder een dichte, grijze, wollige deken van mist. In het noorden van Schotland werd het zicht op de grond nog slechts in meters uitgedrukt. Hulp uit de lucht behoorde voorlopig niet tot de mogelijkheden.

Halifax Hickman was razend. Nadat hij zijn beveiligingsmensen de huid vol had gescholden, richtte hij zich tot de leider van de groep. 'U bent ontslagen,' riep hij.

De man liep naar de deur en verliet het penthouse.

'U,' zei hij tegen de assistent van de leider, 'waar is de inbreker naartoe gegaan?'

'Onze mensen hebben hem een eind verderop in de straat voor Dreamland zien neerkomen,' antwoordde de man. 'Daar werd hij opgepikt door twee mannen in een open Jeep. Twee van onze mensen zijn er in een auto achteraangegaan, tot de motor door een storing in het elektrisch systeem stilviel en ze de achtervolging moesten staken.'

'Ik wil dat al onze mensen de hele stad naar die Jeep afzoeken,' zei Hickman. 'Ik moet weten wie er de gore moed heeft gehad om hier in mijn appartement boven op het hotel in te breken.'

'We doen ons best,' zei de zo plotseling tot hoofd van de beveiligingsdienst gepromoveerde man snel.

'Dat is u geraden ook,' zei Hickman, terwijl hij zich omdraaide en naar zijn kantoor liep.

De bewakers liepen achter elkaar het penthouse uit, maar deze keer niet voordat ze de schuifdeur zorgvuldig hadden gesloten. Hickman pakte zijn telefoon en toetste een nummer in.

In zijn werkkamer aan boord van de *Oregon* werkte Michael Halpert zich door de eindeloze reeks bestanden die Truitt had doorgezonden. Het was één grote warwinkel van zakelijke documenten, bankafschriften, onroerendgoedoverzichten en eigendomsbewijzen. Ofwel er waren helemaal geen persoonlijke bestanden, of die waren nog niet verzonden voordat de verbinding werd verbroken.

Halpert liet de computer op trefwoorden zoeken en concentreerde zich vervolgens op de foto's die Truitt vanuit de Gulfstream had gefaxt. Zich met zijn voet afzettend, rolde hij op zijn stoel naar een andere computer, waar hij de foto's op een scanner legde en verbinding maakte met de computer van het Amerikaanse ministerie van Binnenlandse Zaken voor een vergelijkende controle van alle pasfoto's. Dat bestand was gigantisch, en het doorzoeken zou enkele dagen kunnen duren. Hij liet de computers het werk doen en liep zijn werkkamer uit naar de messroom. Vandaag stond er biefstuk stroganoff op het menu, Halperts lievelingseten.

'Hoort u mij?' zei de stem luid door de telefoon. 'We zijn door een fregat van de Amerikaanse marine aangehouden.'

'Wat zegt u?' vroeg Hickman.

'Als we niet bijdraaien brengen ze ons tot zinken,' zei de kapitein van de *Free Enterprise*.

Hickman dacht koortsachtig na.

'Kunt u ze afschudden?' vroeg hij.

'Uitgesloten.'

'Val ze dan maar aan,' beval Hickman.

'Dat,' reageerde de kapitein gedecideerd, 'is pure zelfmoord.'

Hickman dacht een ogenblik diep na.

'Stel een overgave dan in ieder geval zo lang mogelijk uit,' zei hij ten slotte.

'Begrepen,' zei de kapitein.

Hickman hing op en leunde achterover. Het team op de *Free Enterprise* had van het begin af aan nooit het ware verhaal te horen gekregen. Om hen tot medewerking over te halen, had hij hun verteld dat hij de meteoriet samen met het kernwapen voor een aanval op Syrië wilde gebruiken. En dat hij Israël die aanval in de schoenen wilde schuiven, zodat er een volwaardige oorlog in het Midden-Oosten zou losbranden. Na afloop, zo had hij gezegd, zou de VS de hele regio onder controle hebben en daarmee was dan ook het terrorisme uitgebannen.

Zijn feitelijke plan was veel persoonlijker. Hij wilde de dood wreken van de enige persoon die hem in zijn leven echt dierbaar was geweest. En God helpe degenen die hem daarvan probeerden te weerhouden.

Hij pakte opnieuw de telefoon en belde het nummer van zijn hangar.

'Maak het vliegtuig klaar voor een vlucht naar Londen.'

'Ahoi,' zei Meadows tegen de man op het dek van de catamaran.

'Ahoi,' zei de man terug.

Het was een lange, magere man van minstens één meter negentig. Hij had een verweerd gezicht met diepe groeven en dikke, borstelige wenkbrauwen. Zijn heldere ogen glinsterden alsof alleen hij een geheim wist dat niemand anders kende. De man, die zo op het oog al aan de foute kant van de zestig was beland, deed iets met zijn handen in het torpedovormige voorwerp.

'Mag ik aan boord komen?'

'Komt u voor de sonar?' vroeg de man grijnzend.

'Nee,' antwoordde Meadows.

'Goed, kom toch maar aan boord,' zei hij, op een toon die een lichte teleurstelling verraadde.

Meadows stapte op het dek en liep naar de man toe, die hem vaag bekend voorkwam. Tot hij het gezicht opeens herkende. 'Hé,' zei Meadows, 'bent u niet de schrijver die...'

'Gepensioneerde schrijver,' zei de man glimlachend. 'En ja, die ben ik. Maar vergeet dat voorlopig even. Hebt u verstand van elektronica?'

'Dat is iets waar ik weinig kaas van gegeten heb,' moest Meadows bekennen.

'Jammer,' zei de schrijver. 'Ik heb het moederboard van deze sonar opgeblazen en ik wil dat het gerepareerd is voordat het weer opklaart en we uit kunnen varen. De monteur die ik heb gebeld, had hier al een uur geleden moeten zijn. Hij is zeker verdwaald of zo.'

'Hoelang ligt u hier al?' vroeg Meadows.

'Vier dagen,' antwoordde de schrijver. 'Als het nog langer duurt, kan ik voor al mijn mensen een nieuwe lever gaan bestellen. Ze houden nogal van de lokale drankjes hier. Dat wil zeggen, op één na, die heeft de drank jaren geleden afgezworen en is nu aan koffie en taart verslaafd. De vraag is: waar vind ik die gasten? Dit soort expedities heeft meer weg van een drijvende tbs-kliniek.'

'O, natuurlijk,' zei Meadows, 'u doet aan onderwaterarcheologie.'

'Op dit schip moet je dat geen archeologie noemen,' zei de schrijver grinnikend. 'Archeologen zijn voor deze gasten meer een soort necrofielen. Nee, wij spreken liever van avonturiers.'

'Sorry,' zei Meadows glimlachend. 'Maar goed, we zijn bezig met een onderzoek naar een inbraak op een van de schepen hier aan de steiger. Mist u iets aan boord?'

'U bent Amerikaan,' zei de schrijver. 'Hoe komt het dat u zich hier in Engeland met inbraken bemoeit?'

'Wat dacht u van de inlichtingendienst?'

'Ja, ja,' zei de schrijver. 'Waar was u toen ik nog boeken schreef? Ik moest het allemaal zelf verzinnen.'

'U meent het,' reageerde Meadows.

De schrijver dacht hier even over na. Ten slotte zei hij: 'Nee, we missen niets. Dit schip is met meer camera's uitgerust dan je bij een fotosessie met Cindy Crawford in bikini ziet. Onder water, boven water, beneden in de hutten bij de instrumenten, echt overal, je kunt het zo gek niet verzinnen. Ik heb ze gehuurd van een filmploeg.'

Meadows keek verbaasd. 'Hebt u de Britten dat verteld?'

'Ze hebben niets gevraagd,' antwoordde de schrijver. 'Ze leken meer geïnteresseerd in de vraag of ik iets had gezien... maar dat had ik niet.'

'Dus u hebt niets gezien?'

'Niet als het laat op de avond was, dan heb je toch echt een brand of een naakte vrouw nodig om me wakker te krijgen.'

'Maar al die camera's dan?' vroeg Meadows.

'Die nemen voortdurend alles op,' zei de schrijver. 'We maken een televisieprogramma over de expeditie; de banden zijn goedkoop en goede opnames zijn zeldzaam.'

'Zou ik ze mogen zien?' vroeg Meadows.

'Nou,' zei de schrijver, terwijl hij naar de deur van een hut liep, 'alleen omdat u het zo vriendelijk vraagt.'

Twintig minuten later had Meadows waar hij voor gekomen was.

32

Nebile Lababiti keek met enige bezorgdheid gebiologeerd naar de kernbom die op de vloer van de flat vlak achter de Strand lag. Het was een plomp geval – voornamelijk machinaal vervaardigd metaal en een paar koperdraden – maar het had iets angstaanjagends. De bom was meer dan zomaar een voorwerp; er zat leven in. Net zoals een schilderij of een beeldhouwwerk met de levenskracht van de kunstenaar is bezield, zo was ook deze bom niet zomaar een stuk metaal, maar het antwoord op alle gebeden van zijn volk.

Hiermee zouden ze de Britten rechtstreeks in hun hart treffen.

De gehate Engelsen die artefacten uit de piramiden hadden gestolen, de burgers van het Midden-Oosten onderdrukten en aan de zijde van de Amerikanen in oorlogen vochten waar ze zelf niets te zoeken hadden. Lababiti bevond zich in het hol van de leeuw. Hij zat midden in de bruisende metropool: het centrum van Londen, waar de bankiers zetelden die de onderdrukking financierden; de kunstgaleries, musea en de theaters, ze lagen allemaal binnen loopafstand. Downing Street nummer 10, de parlementsgebouwen, Buckingham Palace.

Het paleis. De woning van de koningin, het oude symbool van alles wat hij verachtte. De pracht en praal, de zogenaamde gerechtigheid en eigendunk. Spoedig zou het allemaal branden, ontstoken door het zwaard van de islam... en als het allemaal voorbij was, zou de wereld nooit meer hetzelfde zijn. Het hart zou uit het beest zijn weggesneden. De gewijde grond, doordrenkt van geschiedenis, zou in een kale woestenij veranderen waarin de menselijke ziel geen enkel houvast meer vond.

Lababiti stak een sigaret op.

Het zou niet lang meer duren. Vandaag arriveerde de jonge Jemenitische krijger die zich bereid had verklaard de springlading naar het doel te brengen. Lababiti zou de jongen rijkelijk van wijn en eten voorzien, en hem op hoeren, hasj en ander lekkers trakteren. Niets was hem te veel voor een man die bereid was zijn leven voor de goede zaak te geven.

Zodra de jongen was geacclimatiseerd en de route kende, zou Lababiti maken dat hij wegkwam.

De essentie van goed leiderschap was, zo dacht hij, niet dat je voor je land stierf, maar dat je ervoor zorgde dat een ander dat voor je deed. En Nebile Lababiti had niet de ambitie zelf een martelaar te worden. Als de bom ontplofte, zat hij al lang en breed aan de andere kant van Het Kanaal in Parijs.

Hij vroeg zich alleen wel af waarom hij al zo lang niets meer van Al-Khalifa had gehoord.

'Ik begrijp niet hoe we dat over het hoofd hebben kunnen zien,' zei Rodgers.

'Geeft niet,' zei Meadows. 'Nu hebben we in ieder geval het kenteken van de vrachtwagen. Trek dat na en de bom is al bijna binnen handbereik.'

'Kan ik die band meenemen?' vroeg Rodgers.

Meadows vermeldde er niet bij dat hij de schrijver om twee kopieën had gevraagd en dat de andere veilig en wel in de geleende Range Rover lag. 'Tuurlijk,' zei hij.

'Ik denk dat wij het nu wel kunnen overnemen,' zei Rodgers, in een poging de autoriteit naar zich toe te trekken. 'Ik zal ervoor zorgen dat mijn baas het hoofd van de Amerikaanse inlichtingendienst op het hart drukt u op passende wijze voor uw waardevolle hulp te bedanken.'

De voortdurende strijd tussen particuliere en overheidsinstellingen kwam hier weer eens om de hoek kijken. Rodgers had ongetwijfeld van zijn superieuren te horen gekregen dat MI5 er hoe dan ook voor moest zorgen dat zij alle eer voor het terugbezorgen van de bom kregen. Nu hij dacht alle informatie te hebben die hij nodig had om de bom in handen te krijgen, probeerde hij de Corporation naar de achtergrond te drukken.

'Dat begrijp ik,' zei Seng. 'Maakt het u iets uit als we de Rover nog een paar dagen van u lenen?'

'Nee, ga uw gang,' zei Rodgers.

'En is het oké als wij de eigenaar van het café nog wat vragen stellen, zodat we ons dossier kunnen afronden?' vroeg Meadows.

'We hebben de man al grondig aan de tand gevoeld,' zei Rodgers, waarna hij een moment pauzeerde om over het verzoek na te denken, 'dus ik zie eigenlijk niet in waarom niet.'

Rodgers pakte zijn gsm om het kenteken van de bestelwagen door te geven. Vervolgens keek hij de beide Amerikanen verwachtingsvol aan.

'Bedankt,' zei Seng, terwijl hij Meadows wenkte met hem mee te lopen naar de Range Rover. Rodgers maakte ten afscheid een half saluerend gebaar en begon te bellen.

Meadows stapte achter het stuur van de Range Rover, terwijl Seng naast hem ging zitten.

'Waarom heb je hem die videoband gegeven?' vroeg Seng toen ze beide deuren hadden dichtgetrokken.

Meadows wees op de kopie die bij zijn voeten lag, startte en maakte met een flinke ruk aan het stuur een scherpe draai, waarna ze van de steiger wegscheurden. 'Laten we de eigenaar van het café maar eens met een bezoekje gaan vereren,' zei hij. 'Je weet maar nooit.'

'Denk jij wat ík denk?' vroeg Seng even later toen ze voor het café stopten.

'Dat weet ik niet,' antwoordde Meadows. 'Maar heeft het te maken met de motorfiets die ook op de band te zien is?'

'Zal ik dat maar even doorgeven,' zei Seng, 'terwijl jij alvast naar binnen gaat?'

Meadows stapte uit. 'Je hebt een verdomd goed geheugen, jij,' zei hij.

Seng keek naar de palm van zijn hand, waarop hij met een pen het nummer had geschreven. Meadows sloeg het portier dicht en liep naar de ingang van het café.

De bomen in het St. James's en het Green Park bij Buckingham Palace waren kaal en op het wintersc gras lag een dikke rijplaag. Toeristen keken met witte wasemwolkjes uit hun mond naar de wisseling van de wacht. Een man op een scooter sloeg van Piccadilly linksaf Grosvenor Place in en reed langzaam langs de vijver in de Palace Gardens. Aan het einde van de straat gekomen sloeg hij opnieuw linksaf en reed Buckingham Palace Road uit tot deze in Birdcage Walk overgaat. Bij de vijver in het St. James's Park stopte hij langs de stoeprand om de exacte tijden en de actuele verkeerssituatie te noteren.

Daarna schoof hij het notitieboekje terug in zijn jaszak en reed langzaam verder.

Cabrillo stak zijn hoofd door het zijraampje van de MG. Een uur geleden, toen hij langs de Ben Nevis reed, de hoogste berg van Schotland, was hij een aanzienlijk stuk op de bestelwagen ingelopen. Maar nu de MG de hellingen van de Grampian Mountains op zwoegde, liep de bestelwagen weer op hem uit. Er moest snel iets gebeuren. Cabrillo verwachtte dat Adams in de Robinson ieder moment voor hem zou opduiken, of anders het Britse leger of de luchtmacht, of op z'n minst een politiewagen. Hij was ervan overtuigd dat de *Oregon* hulp zou sturen; hij zat ongewapend in een voor een achtervolging veel te trage auto.

Iemand zou toch ondertussen wel hebben uitgevonden waar hij was.

Aan boord van de *Oregon* leverden alle inspanningen wat dat betreft maar weinig op.

Het schip, dat op volle kracht naar het zuiden voer, bevond zich nog altijd op een afstand van ruim honderdvijftig kilometer van Kinnaird Head. Over een paar uur waren ze voor de kust van Aberdeen en het zou op z'n minst nog een aantal uren duren voordat ze ter hoogte van Edinburgh waren.

'Oké,' riep Kasim in de controlekamer tegen Hanley, 'Adams heeft zojuist gemeld dat hij voldoende brandstof heeft om naar het vliegveld bij Inverness te vliegen. Daar tankt hij vol en dan gaat hij de weg naar het zuiden volgen.'

'Wat is zijn actieradius dan?' vroeg Hanley.

'Moment,' zei Kasim, waarna hij de vraag aan Adams herhaalde.

'Een heel stuk Engeland in,' zei Kasim, 'maar Londen zal hij zonder bijtanken niet halen.'

'Dan moeten we zorgen dat we dit voor die tijd hebben opgelost,' zei Hanley.

'Oké,' riep Kasim, 'Adams zegt dat hij de motor aan de praat heeft.'

'Zeg hem dat hij de weg volgt tot hij Cabrillo heeft gevonden.'

Kasim herhaalde de instructie.

'Hij zegt dat de mist als een dikke deken over het land ligt,' zei Kasim, 'maar hij zal in ieder geval boven de weg blijven.'

'Prima,' zei Hanley.

Linda Ross liep naar Hanleys stoel. 'Chef,' zei ze, 'Stone en ik hebben de signaalfrequentie van de zenders op de meteoriet beter kunnen afstellen. Het signaal is nu stukken beter.'

'Welke monitor?'

Ross wees op een scherm aan de tegenoverliggende wand.

De meteoriet was bijna bij Stirling. De chauffeur van de bestelwagen zou nu spoedig het vervolg van zijn route kenbaar moeten maken. Ofwel hij sloeg af naar het westen, naar Glasgow, of hij reed oostwaarts door naar Edinburgh.

'Bel Overholt voor me,' zei Hanley tegen Stone.

Even later had hij Overholt aan de lijn.

‘Ik heb de Engelsen gevraagd alle wegen van en naar Glasgow en Edinburgh te controleren en alle vrachtwagens te doorzoeken.’

‘Gelukkig zijn daar niet al te veel wegen,’ zei Hanley. ‘Op die manier zal die bestelwagen hun niet zo makkelijk ontglippen.’

‘Laten we het hopen,’ zei Overholt. ‘Maar iets heel anders. Ik ben door het hoofd van MI5 gebeld om me te bedanken voor de inzet van Meadows en Seng bij het opsporen van het nucleaire wapen. Meadows had kennelijk een videoband gevonden waarop het kenteken van een vrachtwagen zichtbaar was, en nu denken ze dat ze daarmee de bom zelf wel zullen vinden.’

‘Blij toe,’ zei Hanley.

Overholt zweeg een ogenblik voordat hij vervolgde: ‘Daarbij kwam het officiële verzoek aan ons om ons terug te trekken. Ze willen het alleen doen.’

‘Ik zal het aan Meadows en Seng doorgeven zodra ze zich melden,’ reageerde Hanley.

‘Nou,’ zei Overholt, ‘als ik u was zou ik niet meteen opnemen als ze bellen.’

‘Ik begrijp wat u bedoelt,’ zei Hanley, waarna hij ophing.

‘Overholt zei dat de Engelsen willen dat Meadows en Seng zich terugtrekken en dat zij zich verder over de kernbom ontfermen,’ zei Hanley tegen Stone.

‘Had dat maar eerder gezegd,’ reageerde Stone. ‘Ik had ze net aan de lijn met het verzoek of ik het kenteken van een motorfiets wilde natrekken.’

‘En? Is dat gelukt?’

‘Naam en adres,’ antwoordde Stone.

‘Wat vroegen ze verder nog?’

‘Ik heb een aantal dossiers naar de laptop van Meadows gefaxt. Het nummer waarvan hij belde, was van een vaste aansluiting, volgens het telefoonboek van een café, de Pub ’n Grub, op het eiland Sheppey.’

Meadows had al lang geleden geleerd dat bedreigingen alleen maar zin hadden wanneer iemand iets te verliezen had. De agenten van MI5 en de plaatselijke politie hadden de eigenaar van het café duidelijk te verstaan gegeven wat er zou gebeuren wanneer hij niet meewerkte. Ze vergaten alleen erbij te vermelden wat er zou gebeuren als hij dat wel deed. Bijen lok je makkelijk met honing. Voor het verkrijgen van informatie werkt geld beter.

'Gouden horloge, hè?' zei Meadows toen Seng het café binnenkwam en knikte.

'Een echte Piaget,' zei de eigenaar.

Meadows schoof vijf briefjes van honderd dollar over de bar, terwijl Seng naast hem op een kruk aan de bar ging zitten. 'Wat wil jij drinken?' vroeg Meadows aan Seng.

'Een black-and-tan,' antwoordde Seng zonder te aarzelen.

De eigenaar stond op om er een pint van in te schenken. Meadows boog zich naar Seng toe en fluisterde: 'Wat heb jij nog contant?'

'Tien,' antwoordde Seng, waarmee hij duizend bedoelde.

Meadows knikte en draaide de laptop een halve slag, zodat hij samen met de eigenaar het scherm kon bekijken. 'We zullen u eeuwig dankbaar zijn. Ik ga u wat foto's laten zien. Als u de man herkent die u bij de scheepskapitein hebt gezien, zeg het dan meteen, dan stop ik.'

De eigenaar knikte en Meadows liet hem achtereenvolgens de foto's van handlangers van Al-Khalifa zien. Nadat ze er een stuk of twaalf hadden gehad, riep de eigenaar: 'Ho!' Aandachtig bekeek hij de digitale foto.

'Dit is hem, geloof ik,' zei hij ten slotte.

Meadows draaide de laptop naar zich toe, zodat de eigenaar niet meer mee kon kijken. Vervolgens klikte hij het bestand met de persoonlijke gegevens van de bewuste man aan.

'Rookte hij?' vroeg Meadows.

De eigenaar dacht even diep na. 'Ja, inderdaad.'

'Weet u het merk nog?' vroeg Meadows, terwijl hij Seng de informatie liet zien, alsof ze een vreedzaam bordspel speelden en niet in een situatie verkeerden waarin duizenden mensenlevens op het spel stonden.

‘Ojee,’ zei de eigenaar, diep in zijn geheugen gravend.

Meadows wees Seng op de aantekening dat Lababiti een gouden Piaget-horloge bezat.

‘Ik weet het weer,’ riep de eigenaar. ‘Morelands, en hij had een dure zilveren aansteker.’

Meadows klapte de laptop dicht en stond op.

‘Betaal hem maar,’ zei hij tegen Seng.

Seng diepte uit de binnenzak van zijn jasje een envelop met bankbiljetten op. Hij verbrak het zegel, telde er vijf uit en gaf ze aan de eigenaar. ‘Bob,’ riep Seng naar Meadows, die al bijna bij de deur was, ‘jij bent getuige.’

‘Ja hoor, je hebt hem er vijf gegeven,’ antwoordde Meadows, ‘dat heb ik eerlijk gezien.’

33

De *Oregon* ploegde zich als een walvis op speed door de Noordzee. In de controlekamer keken Hanley, Stone en Ross ingespannen naar een monitor waarop de locatie van de meteoriet werd aangegeven. Het signaal was na de verbeterde afstemming rustiger geworden. Afgezien van de storingen die af en toe optraden wanneer de zenders te dicht in de buurt van hoogspanningsdraden kwamen, was het signaal nu helder en tamelijk exact.

'Het amfibievliegtuig is zojuist in de Firth of Forth geland,' zei Stone, op een andere monitor kijkend. 'Het is te mistig om Cabrillo te gaan zoeken.'

'Zorg dat hij paraat blijft,' zei Hanley.

Stone gaf het via de radio door.

Via de beveiligde lijn belde Hanley met Overholt.

'De bestelwagen rijdt nu richting Edinburgh,' zei Hanley.

'De Britten hebben de toegangswegen naar de binnenstad en de doorgaande wegen naar het zuiden afgegrendeld,' zei Overholt. 'Als ze doorrijden naar Londen hebben we ze te pakken.'

'Ja, dat wordt tijd ook,' reageerde Hanley.

De chauffeur van de bestelwagen verbrak de verbinding en wendde zich tot zijn metgezel. 'De plannen zijn veranderd,' zei hij.

'Flexibel zijn, dat is een must bij goede seks en geheime operaties,' zei zijn metgezel. 'Waar gaan we nu naartoe?'
Na het antwoord van de chauffeur keek hij op de kaart en zei: 'Dan moeten we hier wel naar links.'

Cabrillo bleef de bestelwagen met behulp van zijn ontvanger volgen. Het was alweer bijna twintig minuten geleden dat hij de auto voor het laatst had gezien, maar nu ze door dorpjes in de periferie van Edinburgh kwamen, kon hij zijn snelheid weer iets opvoeren en wist hij veel van zijn achterstand goed te maken.
Hij liet zijn blik van de metalen doos over het omringende landschap gaan.
De mist was vrij dicht en hij zag niet veel meer dan de van zwerfkeien opgetrokken muurtjes langs de weg. De bladerloze bomen staken als kale staketsels af tegen de grijze achtergrond. Even eerder had Cabrillo een glimp van de Firth of Forth opgevangen, de baai die van de Noordzee tot vrij diep in het binnenland van Schotland doordrong. Het water was zwart en woelig; het silhouet van de hangbrug was zelfs aan de oever nauwelijks zichtbaar.
Terwijl hij het gaspedaal nog iets dieper indrukte, keek hij weer naar de ontvanger. Het signaal werd nu met de seconde sterker.

'Ik heb opdracht u bij de ingang af te zetten en dan meteen door te rijden,' zei de chauffeur. 'Een stukje verderop wordt u opgewacht.'
De chauffeur remde af voor het station van Inverkeithing en stopte bij een kruier met een bagagewagentje.
'Nog iets?' vroeg de man op de passagiersstoel, voordat hij het portier opende.
'Succes,' zei de chauffeur.
Op het trottoir staand, wenkte de man de kruier. 'Hier,' zei hij. 'Ik heb een vrachtje voor u.'
De kruier duwde het karretje naar de bestelwagen. 'Hebt u uw kaartje al?'

'Nee,' zei de man.
'Waar is uw bagage?' vroeg de kruier.
De man opende de achterdeur van de bestelwagen en wees op de doos.
De kruier bukte zich en tilde de doos op. 'Zo, da's een heel gewicht,' zei hij. 'Wat zit erin?'
'Testapparatuur voor boortorens,' zei de man. 'Voorzichtig alstublieft.'
De kruier zette de doos op het karretje en kwam overeind.
'U kunt nu beter eerst snel even een kaartje gaan kopen,' zei de kruier. 'De trein vertrekt over vijf minuten. Waar gaat u heen?'
'Londen,' zei de man, naar de ingang lopend.
'Dan zie ik u bij de trein,' zei de kruier.

Terwijl de meteoriet op het karretje door het station werd geduwd, sloeg de chauffeur van de bestelwagen linksaf en reed weg van het station. Hij was nog maar een paar kilometer in de richting van Edinburgh doorgereden toen het verkeer opeens begon af te remmen. Er stond een file. Langs de auto's voor hem turend probeerde hij te zien wat er aan de hand was. Het leek alsof de weg was afgezet voor een politiecontrole.
Langzaam schoof hij op in de file.

'Nu gaan,' zei Hanley via de radio tegen de piloot van het amfibievliegtuig.
De piloot zette de thermosfles met koffie weg, waarop hij met plakband een papiertje had geplakt en drukte de gashendels in. Het toestel schoot bonkend en huppend over het woelige wateroppervlak. Met een ruk kwam het vliegtuig los van het water en steeg op.
De piloot vloog zo laag als hij durfde. Hij tuurde naar beneden of hij de opvallende auto zag die Hanley hem had beschreven en scheerde rakelings over hoogspanningskabels toen hij de weg zag die hij zocht.

Het signaal verplaatste zich niet meer. Het probleem was dat Cabrillo geen kaart van de omgeving had, dus zat er niets anders op dan rondjes te rijden en te kijken wanneer het signaal sterker werd.

'Laatste oproep voor de 72 naar Londen,' klonk het uit de luidsprekers op het station. 'Instappen alstublieft.'

'Ik heb alleen Amerikaanse dollars,' zei de man. 'Twintig, is dat genoeg?'

'Dat is prima, meneer,' zei de kruier. 'Zal ik het pakket in uw coupé zetten?'

Langs de trein lopend vond de kruier de juiste coupé en opende de deur. In de coupé zette hij de doos met de meteoriet op de grond. Pas nadat de kruier weer was uitgestapt, ging de man met het kaartje nog in zijn hand de coupé in.

'Heb je de dienstregeling?' riep Hanley naar Stone.

'Op dit moment vertrekt er een trein naar Londen,' antwoordde Stone, op zijn monitor kijkend.

'Kijk wat de route is,' zei Hanley.

'Ik nader Edinburgh,' meldde Adams via de radio. 'Cabrillo heb ik nergens gezien.'

'Kijk of je het watervliegtuig ziet,' zei Hanley.

'Roger,' antwoordde Adams.

Shea sprak door de headset met Adams. 'Mijn auto blijft wel heel, hoop ik.'

'Maakt u zich geen zorgen,' zei Adams, 'mocht er iets gebeuren, dan wordt dat door mijn mensen weer in orde gebracht.'

'Dat is u geraden ook,' zei Shea.

'Houdt u de weg nu maar in de gaten.'

Aan boord van de *Oregon* pakte Hanley de microfoon van de radio en riep het amfibievliegtuig op.

'Ik geloof dat ik hem zie,' zei de piloot.

'Schrijf *trein naar Londen* op het briefje,' zei Hanley, 'en

Adams komt eraan, scheer dan laag over hem heen zodat hij u ziet en drop daarna de thermosfles.'

'Begrepen, chef,' antwoordde de piloot.

Nadat hij met een viltstift de extra mededeling op het papiertje had toegevoegd, maakte hij een scherpe bocht langs hoogspanningskabels en vloog op nauwelijks drie meter hoogte over Cabrillo in de MG heen.

'Wat is dit...' riep Cabrillo toen het staartvlak van het amfibievliegtuig in zijn blikveld opdook.

De piloot maakte een zwaaibeweging met de vleugels, versnelde en zwenkte weg om met een wijde boog nogmaals over hem heen te scheren. Toen Cabrillo de zijkant van het toestel zag, herkende hij het onmiddellijk en stopte hij langs de kant van de weg.

Hij vouwde de linnen kap naar achteren en zocht, met zijn hoofd draaiend, de lucht boven hem af. Het amfibievliegtuig hing weer boven de weg en kwam laagvliegend langzaam dichterbij. Toen het vlakbij was, zag Cabrillo dat er een cilindervormig voorwerp uit het zijraam werd gegooid dat kletterend op het asfalt terechtkwam.

De thermosfles rolde rinkelend nog een heel eind door tot hij op een paar meter voor de MG tot stilstand kwam. Cabrillo sprong uit de auto en rende ernaartoe.

'Watervliegtuig 8746,' meldde de verkeersleider van het vliegveld van Edinburgh, 'let op, er is een helikopter in uw directe nabijheid.'

De piloot van het amfibievliegtuig van de Corporation trok het toestel na een steile klim weer recht en nam even de tijd om te reageren.

'Toren, watervliegtuig 8746, helikopter in nabijheid,' zei de piloot, 'identiteit alstublieft.'

'Watervliegtuig 8746, identiteit is Robinson R-44.'

'Watervliegtuig 8746, heb visueel contact.'

'De Britten hebben de bestelwagen omsingeld,' zei Overholt tegen Hanley.

'Volgens mij is de meteoriet er allang uit en bevindt zich nu in de trein naar Londen,' zei Hanley.

'Dat meent u niet,' reageerde Overholt geïrriteerd. 'Daar moet ik onmiddellijk het hoofd van MI5 van op de hoogte stellen. Welke trein?'

'We zijn nog niet honderd procent zeker, maar de eerstvolgende trein die vertrekt gaat naar Londen.'

'Ik bel u terug,' zei Overholt, de hoorn neersmijtend.

Maar vrijwel onmiddellijk werd er weer gebeld, ditmaal was het de president.

De piloot van het amfibievliegtuig riep Adams op via de radio. 'Volg me, dan breng ik je linea recta naar hem toe.'

'Ga je gang,' zei Adams.

Na een wijde bocht vloog het amfibievliegtuig weer laag over de weg. De Robinson volgde hem op korte afstand.

'Daar,' riep Shea toen hij de MG zag staan.

Adams keek omlaag. Cabrillo liep voor de auto langs naar achteren.

Adams zette de Robinson in een weiland langs de weg aan de grond en liet de motor stationair draaien. Cabrillo kwam met een thermosfles in zijn hand en zijn satelliettelefoon onder zijn arm geklemd naar hen toe gerend. Hij rukte de deur aan de passagierskant open en gooide de spullen achter in de cabine. Shea frunnikte aan de sluiting van de veiligheidsgordel. Cabrillo klikte de gesp voor hem los en hielp hem uitstappen.

'De sleutel zit in het contact,' riep hij boven het kabaal van de motor en de rotorbladen uit, 'we nemen zo spoedig mogelijk contact met u op voor het betalen van de huur.'

Vervolgens sprong hij op de stoel naast de piloot en sloot de deur. Diep bukkend liep Shea onder de zwiepende rotorbladen door. Eenmaal bij de weg gekomen, rende hij naar zijn geliefde MG en inspecteerde de auto met een kritische blik, terwijl Adams opsteeg. Afgezien van de bijna lege benzinetank leek de auto verder in orde.

Adams was al bijna vijftig meter in de lucht voordat Cabrillo het zwijgen verbrak.

'Mijn telefoon doet het niet,' zei hij door de headset.

'Dat hebben we gemerkt,' zei Adams. 'We vermoeden dat ze de meteoriet naar een trein hebben overgebracht.'

'Dit bericht is dus overbodig,' zei Cabrillo, terwijl hij het op de thermosfles geplakte briefje lostrok.

'Zit er geen koffie in?' vroeg Adams. 'Daar heb ik best trek in.'

'Ik ook,' zei Cabrillo, terwijl hij de dop losdraaide en de warme damp hem tegemoet walmde.

34

'Ik begrijp het,' zei de president tegen de premier. 'Ik zal het onmiddellijk doorgeven.'

Hij hing op en vroeg zijn secretaresse via de intercom om Langston Overholt van de CIA voor hem te bellen. Met een zucht liet hij zich achterover in zijn stoel zakken en wachtte op het telefoontje.

'Ja, meneer de president,' zei Overholt, nadat hij door de secretaresse was doorverbonden.

'Ik heb zojuist de premier van Engeland gesproken,' zei de president. 'Die was niet echt vrolijk. Het schijnt dat u en de Corporation hen dat hele eilandje voor, zoals hij het uitdrukte, "de kat z'n kut" overhoop hebben laten halen. Vervolgens heeft de premier alle wegen naar twee grote steden in Schotland laten afzetten, maar toen ze de bewuste bestelwagen te pakken hadden, bleek die leeg te zijn. Ze willen dat de Corporation zich volledig terugtrekt en verder alles aan hen overlaat.'

'Als ik eerlijk ben,' zei Overholt, 'zou dat een enorme blunder zijn. Cabrillo en zijn mensen hebben zich tot dusver uitstekend van een behoorlijk lastige taak gekweten. Om te beginnen hebben ze zich als vliegen op de stroop aan de meteoriet geklampt. Ze hebben hem nog niet, maar ze zijn hem ook niet kwijt. En bovendien weten ze exact dat hij zich nu in een trein naar Londen bevindt. Cabrillo is weer in de lucht en bereidt zich voor op actie.'

'Geef deze informatie door aan MI5,' zei de president, 'en laat hen het doen.'

Overholt zweeg even voordat hij reageerde. 'We hebben ook die verdwenen Oekraïense bom nog. De Corporation zit daar met een team in de buurt van Londen achteraan. Kunnen ze daar wel mee doorgaan?'

'De opdracht voor die klus hebben ze van de Oekraïeners,' zei de president, 'en niet van inlichtingendiensten van de Amerikaanse overheid. Dus ik zie niet in hoe wij hen daarvan kunnen weerhouden.'

'Ik heb MI5 gevraagd met hen samen te werken,' zei Overholt. 'In zekere zin is dat voor de Corporation een soort wettiging.'

De president dacht hier een ogenblik over na voordat hij antwoord gaf. 'De premier heeft het niet specifiek over de verdwenen kernbom gehad,' zei hij langzaam sprekend. 'Hij maakte zich meer zorgen over de gebeurtenissen in Schotland.'

'Dus?' zei Overholt.

'Zeg dat ze daarmee door kunnen gaan,' zei de president ten slotte. 'Als zij de bom inderdaad onderscheppen, is de dreiging van een vuile bom in combinatie met de meteoriet in ieder geval uit de wereld.'

'Dat zie ik ook zo.'

'Laat ze voorzichtig te werk gaan,' zei de president, 'en zo onopvallend mogelijk.'

'Afgesproken,' zei Overholt, waarna de verbinding werd verbroken.

Adams vloog boven de achterste wagon van de trein nummer 72. Toen hij nog iets naar voren manoeuvreerde om Cabrillo op het dak af te zetten, meldde Hanley zich via de radio bij de mannen in de helikopter.

'We moeten ermee stoppen,' zei Hanley. 'De Britten gaan de trein stilzetten in een afgelegen gebied langs de kust bij Middlesbrough.'

'We zitten er nu letterlijk bovenop,' bracht Cabrillo hier tegenin, 'binnen vijf minuten ben ik in die trein en kan ik naar de meteoriet gaan zoeken.'

'Dit komt rechtstreeks van de president, Juan,' zei Hanley. 'Als wij een bevel van de president negeren, vrees ik dat we verdere opdrachten van het Witte Huis kunnen vergeten. Het spijt me, maar uit puur zakelijk oogpunt bezien is dat het niet waard.'

Adams luisterde mee en minderde vaart, maar bleef de trein wel volgen, voor het geval Cabrillo toch door wilde gaan. Hij keek opzij naar Cabrillo en haalde zijn schouders op.

'We kappen ermee, George,' zei Cabrillo door de headset.

Adams bewoog de cyclische spoed naar rechts, waarop de helikopter van de spoorlijn weg zwenkte en over de landbouwgrond vloog. Tegelijkertijd trok hij het toestel op naar een veilige vlieghoogte.

'Oké,' zei Cabrillo op matte toon tegen Hanley, 'je hebt gelijk. Als je jullie positie doorgeeft, kan Adams ons naar het schip terugbrengen.'

'We zijn ter hoogte van Edinburgh en varen op volle kracht naar het zuiden,' zei Hanley, 'maar als ik jou was, zou ik me door Adams in Londen laten afzetten. Meadows en Seng komen ook die kant op en zij hebben interessante aanwijzingen gevonden over de verblijfplaats van de vermiste kernbom.'

'Daar gaan we dus wel mee door?' vroeg Cabrillo.

'Zolang ons dat niet verboden wordt,' antwoordde Hanley.

'Dus de Corporation gaat achter de bom aan,' zei Cabrillo, 'terwijl wij onze meteoriet aan de Britten overlaten. Een tikkie terug, lijkt me zo.'

'Een tikkie terug, daar zullen we het voorlopig mee moeten doen,' zei Hanley.

Op het dek van de veerboot van Göteborg in Zweden naar Newcastle upon Tyne stond Roger Lassiter in de stromende regen in een satelliettelefoon te praten. Lassiter had voor de CIA gewerkt tot hij een aantal jaren geleden was ontslagen, nadat men had ontdekt dat er enorme bedragen van bankrekeningen op de Filippijnen werden vermist. Het was de bedoeling dat het geld voor steekpenningen werd gebruikt om bij de plaatselijke bevolking informatie los te krijgen over de islamitische terreurgroepen die in de zuidelijke provincies actief zijn. Lassiter had al het geld verspeeld in een casino in Hongkong.

Na zijn ontslag had de CIA meer onfrisse praktijken van hem blootgelegd. Lassiter ging niet opzij voor ongeoorloofde martelingen, het ten eigen bate benutten van overheidsgelden en openlijke misleiding en bedrog. Lassiter had geopereerd in gebieden waar de CIA nog weinig invloed had en had de privileges die daarmee gepaard gingen op schandalige wijze misbruikt. Er was zelfs sprake van dat hij als dubbelspion voor de Chinezen had gewerkt, maar dat was toen hij eenmaal ontslagen was niet verder nagetrokken.

Lassiter woonde nu in Zwitserland, waar hij zijn diensten aanbood aan de hoogste bieders.

In Zweden had hij blauwdrukken gestolen van een scheepsbouwer die een revolutionair aandrijfmechanisme had ontwikkeld. De opdrachtgever voor deze diefstal kwam uit Maleisië. De overdracht zou in Londen plaatsvinden.

'Ja,' zei Lassiter, 'ik herinner me het gesprek dat ik met u had. U wist niet zeker of u mij nodig had of niet.'

De Hawker 800XP naderde New Jersey, waar hij zou worden bijgetankt voor de vlucht over de Atlantische Oceaan. Hickmans plannen wijzigden zich voortdurend.

'Het blijkt nu van wel,' zei Hickman.

'Waar gaat het om?' vroeg Lassiter, terwijl hij een toerist nakeek die langs was gewandeld en nu haastig de warmte binnen weer opzocht.

'Een pakket ophalen en dat naar Londen brengen.'

'Dat ligt een behoorlijk eind uit mijn route,' loog Lassiter.

'Niet volgens de man die u in mijn opdracht in Zweden heeft geschaduwd,' zei Hickman. 'Hij vertelde me dat u zich aan boord bevindt van een veerboot die een paar uur geleden naar de oostkust van Engeland is vertrokken. Of was dat iemand anders?'

Lassiter ging hier niet op in. Voor leugenaars onder elkaar is beknopt formuleren van cruciaal belang.

'Waar bevindt zich dat pakket?' vroeg hij.

'Op een station,' antwoordde Hickman. 'In een kluis, en daar moet u het uithalen.'

'Wilt u dat ik het in een vliegtuig meeneem,' vroeg Lassiter, 'of in een auto?'

'In een auto,' zei Hickman.

'Dan is het iets wat met röntgenstralen waarneembaar is,' zei Lassiter. 'Dat verhoogt het risico.'

'Vijftigduizend,' zei Hickman, 'bij aflevering.'

'De helft nu,' reageerde Lassiter, 'en de rest na afloop.'

'Eénderde, tweederde,' zei Hickman. 'Ik wil garantie dat u op tijd levert.'

Lassiter dacht hier een kort moment over na. 'Wanneer krijg ik het voorschot?'

'Dat kan ik nu direct laten overmaken,' zei Hickman, 'als u me uw rekeningnummer geeft.'

Lassiter noemde een rekeningnummer van een bank op de Kanaaleilanden. 'Ik kan dat pas morgen verifiëren. Kan ik u vertrouwen?'

'Als u morgenochtend in de buurt van Londen bent, kunt u uw bank bellen. Dan weet u vóór de overdracht of u het geld ontvangen hebt.'

'En hoe krijg ik de rest?'

'Contant,' zei Hickman, 'die overhandig ik u persoonlijk.'

'Als u het zonnige strandleven voor de winterkille Britse eilanden wenst te verruilen,' zei Lassiter, 'dan moet het haast wel om iets groots gaan.'

'Bemoeit u zich nou maar met uw zaken,' zei Hickman, 'dan bemoei ik me met de mijne.'

'We hebben een Brits bericht onderschept,' zei Hickman tegen de man in de trein. 'Ze gaan de trein bij Middlesbrough stilzetten.'

'Dus hebben ze de overstap ontdekt?' vroeg de man.

'Ze hebben uw kameraad al vrij snel bij het binnenrijden

van Edinburgh gepakt,' zei Hickman.

De man dacht hier even over na. 'Dat betwijfel ik,' zei hij, 'althans niet zo snel al. Waarschijnlijk zit er nog iemand anders achter ons aan.'

Hickman vertelde de man niet over de inbraak in zijn kantoor. Hoe minder de man wist, hoe beter. Tot nu toe was hij zijn team op de *Free Enterprice* al kwijtgeraakt, evenals een van zijn mannen op Engelse bodem. Ook raakte hij door de financiële middelen heen die hem ter beschikking stonden. Deze man had hij nu in Maidenhead nodig.

'Hoe dan ook,' zei Hickman, 'ik heb hier een oplossing voor. U stapt in Newcastle upon Tyne uit en laat het pakket daar achter in een kluis. Daarna gaat u naar de dichtstbijzijnde wachtkamer en legt de sleutel in de spoelbak van de achterste wc in het herentoilet. Ik heb ervoor gezorgd dat er dan iemand anders komt die het pakket overneemt.'

'En wat doe ik daarna?' vroeg de man, terwijl hij naar buiten keek, waar hij een bord met daarop Bedlington zag staan. Het was nog een kleine twintig kilometer tot zijn nieuwe eindbestemming.

'Ga met een huurauto naar dit adres in Maidenhead,' zei Hickman, waarna hij een adres doorgaf, 'en voeg je bij de anderen die uit Calais komen.'

'Klinkt goed,' zei de man.

'Reken maar,' bevestigde Hickman.

Onderwijl waren Adams en Cabrillo in de Robinson onderweg naar Londen en passeerde de *Oregon* de vijfenvijftigste breedtegraad voor de kust van Newcastle upon Tyne. In zijn kantoor las Michael Halpert een stapel documenten door die hij had geprint van de bestanden die Truitt had doorgezonden. Halpert onderstreepte juist een passage met een gele markeerstift, toen er uit een van zijn computers een piepsignaal klonk en de printer aansloeg.

Halpert wachtte tot de printer was uitgerateld, pakte het document en begon te lezen.

Het gezicht op de foto's die Truitt had gestolen, was in de

gegevensbestanden van het Amerikaanse leger teruggevonden. Het ging hierbij om ene Christopher Hunt uit Beverly Hills in Californië. Hunt was als kapitein in het Amerikaanse leger in Afghanistan gesneuveld. Waarom had Halifax Hickman een foto van een dode officier in zijn kantoor? Wat had dit in hemelsnaam te maken met de diefstal van een meteoriet?

Halpert besloot dit eerst verder uit te zoeken voordat hij met Hanley contact opnam.

Nebile Lababiti bekeek de bom die in het felle licht van een zaklamp voor hem lag op de vloer van een winkel- annex kantoorpand recht onder de flat van Lababiti. Het kantoor stond al een aantal maanden leeg en Lababiti had een week geleden het slot geforceerd en door een nieuw vervangen. Zo was hij de enige die de sleutel had. Zolang er maar niemand de komende dagen het pand wilde bezichtigen, had hij er het rijk alleen.

De winkel was van een naar boven schuivende garagedeur voorzien. De ruimte was ideaal voor het inladen van de bom in de auto voor het transport naar het park. De puzzelstukjes vielen nu keurig op hun plaats, zo dacht hij.

Nadat hij de zaklamp had uitgedaan, ging hij naar buiten en stak de straat over naar een café in de buurt van het Savoy Hotel. Daar bestelde hij een pint en verloor zich in gedachten aan dood en vernietiging.

35

Het was 30 december 2005. Bob Meadows en Eddie Seng reden op de snelweg naar Londen. Er was vrij veel verkeer en het asfalt glom van de regen. Seng zocht op de radio naar een weerbericht en luisterde aandachtig toen hij er een vond. Het dashboard van de Range Rover gloeide op in de opkomende schemer en de kachel blies warme lucht naar binnen.

Seng zette de radio uit.

'Regen, overgaand in natte sneeuw,' zei hij. 'Hoe kan een mens hier wonen?'

'Dat is geen pretje, da's zeker,' zei Meadows, in de schemering turend, 'maar de mensen zijn hier opvallend goedgeluimd.'

Seng reageerde hier niet op. 'Vrijdagavondspits,' zei hij, 'dan gaat iedereen naar Londen voor de schouwburg of zoiets.'

'Ik vind het vreemd dat Hanley nog niet heeft teruggebeld,' zei Meadows.

Na hun bezoek aan de café-eigenaar had Meadows de *Oregon* gebeld om hun bevindingen door te geven.

'De weersomstandigheden op zee zullen voor de *Oregon* op het moment ook niet best zijn,' zei Seng, terwijl hij afremde om achter een langzaam rijdende file aan te sluiten die zich kilometers lang voor hen uitstrekte.

Het was koud op de Noordzee, maar de zee was niet extreem ruw. De storm die op komst was, kondigde zich aan door een zwaardere deining, maar de mensen aan boord merkten daar, afgezien van de plotselinge temperatuurdaling van een graad of tien, nog weinig van.

Benedendeks had Kevin Nixon het in de Magic Shop eerder aan de warme kant. De afgelopen dagen had hij geprobeerd de teruggevonden telefoon van Al-Khalifa weer aan de praat te krijgen. Het apparaat was ernstig door zeewater aangetast nadat het met het lichaam van Al-Khalifa overboord was gegooid. Omdat het lijk door de onderzeese warmwaterbronnen al vrij snel naar de oppervlakte was teruggestuwd, had de telefoon in een van de zakken nauwelijks de kans gekregen om te roesten.

Nixon had het apparaat gedemonteerd en grondig schoongemaakt. Maar nadat hij het hele ding weer in elkaar had gezet, werkte de telefoon nog niet. Hij besloot de afzonderlijke printplaatjes in een klein oventje te verwarmen om zo ook het laatste vocht te verdrijven. Nadat hij de onderdelen behoedzaam met chirurgische tangetjes uit de oven had gehaald en het apparaat weer helemaal in elkaar had gezet, sloot hij ook een nieuwe, volledig opgeladen accu aan.

Het apparaat flitste aan en het schermpje lichtte op.

Nixon glimlachte en pakte de microfoon van de intercom.

Hanley en Stone hadden de informatie uitgewerkt die ze van Seng en Meadows hadden gekregen. Ze waren erin geslaagd de computer van het Britse kentekenregistratiebureau te kraken en hadden naam en adres van het doorgegeven motorfietskenteken gevonden. Vervolgens voerden ze de gegevens over Nebile Lababiti in het bestand van een andere computer in en stuitten zo op informatie over zijn bankrekeningen en de gegevens van zijn bezoekersvisum. Stone was dit nu allemaal via andere kanalen aan het controleren.

‘Zijn personalia in zijn huurcontract komen niet overeen

met het adres dat hij bij de paspoortcontrole heeft opgegeven,' merkte Stone op. 'Ik heb de naam van het pand waar hij het huurcontract voor heeft getekend in het kadaster opgezocht en zo het adres gevonden. Volgens de paspoortcontrole woont hij in de Londense wijk Belgravia. Het pand dat hij heeft gehuurd ligt daar een paar kilometer van verwijderd, in de buurt van de Strand.'

'Die straat ken ik wel,' zei Hanley. 'De vorige keer dat ik in Londen was, heb ik in een restaurant aan de Strand gegeten. Simpson's heette het.'

'Was het goed?' vroeg Stone.

'Die zaak bestaat al sinds 1828,' antwoordde Hanley. 'Zo lang hou je het niet uit als het eten niet goed is. Rosbief, schapenvlees, heerlijke toetjes.'

'En wat is het voor straat?' vroeg Stone. 'De Strand, bedoel ik.'

'Druk,' zei Hanley, 'hotels, restaurants, bioscopen. Niet bepaald een omgeving voor een geheime operatie.'

'Klinkt juist als een ideale plek voor een terroristische aanslag.'

Hanley knikte. 'Kun je de dichtstbijzijnde helihaven voor me opzoeken?'

'Ben al bezig,' antwoordde Stone.

Op dat moment meldde Nixon zich via de intercom en vroeg Hanley naar de Magic Shop te komen.

Lababiti had twee pinten bier en een dubbele crème de menthe gedronken. Hij keek op zijn horloge en nam een laatste trek van zijn sigaret. De peuk drukte hij uit in een asbak, legde wat geld op de bar en liep naar buiten.

De Jemeniet die de bom zou plaatsen, zou over enkele minuten met de bus van het vliegveld aankomen. Lababiti liep naar de bushalte even verderop in de straat, leunde tegen de pui van een winkel en stak nog een sigaret op.

Londen was in een feestelijke stemming, voorafgaand aan de jaarwisseling. De etalages waren nog volop versierd voor de kerst en er was veel winkelend publiek. De meeste hotels waren vol, omdat de stad voor de festiviteiten rond de jaarwisseling altijd veel extra toeristen trok. In Hyde Park zou Elton John een concert geven en zowel in Green Park als in St. James's Park bij Buckingham Palace waren de bomen met duizenden gekleurde lichtjes versierd. De straten rond Hyde Park zouden voor het verkeer worden afgesloten om plaats te maken voor een gigantische braderie met terrasjes, eettentjes, barretjes en openbare toiletblokken. Op lichters en drijvende platforms in de Theems zou een enorm vuurwerk worden afgestoken. De voorbereidingen voor dat geweldige spektakel aan de Londense hemel waren al in volle gang.

Lababiti glimlachte om het geheim dat alleen hij kende. Hij zou het krachtigste vuurwerk leveren, en na afloop was het definitief voorbij met het feest en alle aanwezigen. De bus stopte bij de halte en Lababiti bekeek de mensen die uitstapten.

De Jemeniet was nog maar een kind en hij leek angstig en verward in de voor hem onbekende omgeving. Hij was de laatste van de rij mensen die uitstapten en hield verlegen een goedkope koffer in zijn armen geklemd. Hij droeg een versleten zwarte wollen overjas die waarschijnlijk tweedehands was aangeschaft. Boven zijn lippen lag als de afdruk van een zojuist gedronken glas chocolademelk de smalle schaduw van een beginnend snorretje, dat niet de gelegenheid zou krijgen tot een volwaardige snor uit te groeien.

Lababiti stapte naar voren. 'Ik ben Nebile.'

'Amad,' zei de jongen timide.

Lababiti nam hem mee naar zijn flat in een zijstraat van de Strand.

Ze hadden een kind gestuurd om mannenwerk te doen. Maar Lababiti vond het wel best zo. Zelf zou hij het van zijn leven niet doen.

'Heb je gegeten?' vroeg Lababiti toen ze buiten het gedrang waren.

'Een paar vijgen,' zei Amad.

'We brengen eerst je bagage naar mijn flat en dan zal ik je wat van de omgeving laten zien.'

Amad knikte. Hij trilde zichtbaar en kreeg letterlijk geen woord over zijn lippen.

Hanley luisterde Al-Khalifa's berichten af en sloeg ze daarna op.

'Er staat niet veel op zijn voicemail,' merkte Hanley op.

'Het kan genoeg zijn,' zei Nixon.

'Aan het werk dan,' zei Hanley.

'Oké, baas.'

Van de Magic Shop liep Hanley terug naar de lift. Op een hoger gelegen dek gekomen, liep hij door een gang naar de controlekamer. Stone wees op een scherm waarop een plattegrond van het centrum van Londen te zien was.

'Daar kunnen we landen,' zei hij, 'in Battersea Park.'

'Hoever is dat van Belgravia en de Strand?' vroeg Hanley.

'De helihaven is gebouwd op palen in de Theems,' zei Stone, 'halverwege de Chelsea Bridge in het oosten en de Albert Bridge in het westen. Als je via de Albert Bridge de rivier oversteekt en even doorrijdt, kom je in de wijk Belgravia terecht. Vandaar is het niet ver meer naar de Strand.'

'Mooi,' zei Hanley.

Meadows pakte de telefoon vrijwel onmiddellijk nadat hij was overgegaan.

'Ga naar Battersea Park,' zei Hanley zonder introductie, 'daar is een helihaven in de Theems. Cabrillo komt daar in de Robinson naartoe.'

'Hebt u een hotel voor me besproken?'

'Nog niet,' antwoordde Hanley, 'maar ik zal een paar kamers in het Savoy boeken.'

'Dus u hebt onze man gevonden?' vroeg Meadows.

'We denken van wel,' zei Hanley. 'In een pand daar recht tegenover.'

'Perfect,' zei Meadows, waarna hij ophing.

Vervolgens belde Hanley met Cabrillo. Nadat hij hem de benodigde gegevens en nummers van de helihaven had doorgegeven, vertelde hij dat Meadows en Seng hem daar zouden opwachten.

'George zal de helikopter daarna op Heathrow in een hangar moeten stallen,' zei Cabrillo. 'Ik weet zeker dat hij daar niet op het heliplatform mag blijven staan.'

'Dat zal ik dan regelen,' zei Hanley.

'En boek voor hem ook een kamer,' zei Cabrillo, 'hij is doodop.'

'Doe ik. In een hotel vlak bij Heathrow, in de buurt van de Robinson.'

'En verder?' vroeg Cabrillo.

'Nixon heeft Al-Khalifa's telefoon aan de praat gekregen.'

'Worden we iets wijzer van de voicemail, zijn er aanwijzingen naar contactpersonen?' vroeg Cabrillo hoopvol.

'Dat weten we zo dadelijk.'

36

Roger Lassiter zat op een bank voor de toiletten in het station van Newcastle upon Tyne. De afgelopen twintig minuten had hij de ingang en de directe omgeving nauwlettend in de gaten gehouden. Alles leek normaal. Hij wachtte tot de man die even eerder naar binnen was gegaan weer naar buiten was gekomen. De toiletruimte moest nu leeg zijn. Na nog een laatste blik om zich heen te hebben geworpen, stond hij op en ging naar binnen.

Hij liep door naar het achterste wc-hokje en tilde het deksel van de spoelbak.

De sleutel lag erin. Hij haalde hem er snel uit en stak hem in zijn zak. Vervolgens liep hij de toiletruimte uit en zocht de desbetreffende kluis op. Nadat hij ook hier de directe omgeving een halfuur had geobserveerd zonder dat hem iets ongewoons was opgevallen, wachtte hij tot er een kruier langskwam en hield hem aan.

'Mijn auto staat in de parkeergarage,' zei Lassiter glimlachend met een briefje van twintig pond in zijn hand. 'Als ik daarmee naar de hoofdingang rij, kunt u mij daar dan een pakket aanreiken?'

'Waar is het, meneer?' vroeg de kruier.

Lassiter gaf hem de sleutel. 'Daar,' zei hij, 'in die bagagekluis.'

De kruier nam de sleutel aan. 'Naar wat voor auto moet ik uitkijken?'

'Een zwarte Mercedes,' zei Lassiter.

'Komt voor elkaar, meneer,' zei de kruier, terwijl hij zijn karretje al in de richting van de kluis duwde.

Lassiter liep het station uit en stak de straat over naar de parkeergarage. Als hij eenmaal in de auto zat en de garage uit was, had hij weinig meer te duchten. Als er iemand achter hem aanzat, hadden ze voor die tijd al toegeslagen.

Maar er kwam niemand. Hij werd niet tegengehouden. Hij viel niet op.

Nadat hij de parkeerkaart had betaald, reed hij vanuit de garage de oprit naar de hoofdingang van het station op. De kruier stond al met het pakket op zijn karretje aan de stoeprand te wachten. Lassiter stopte en opende de kofferbak met een hendeltje in het handschoenenkastje.

'Leg maar achterin,' zei hij door het geopende zijraampje.

De kruier legde het pakket in de kofferbak en sloot de klep. Lassiter schakelde en reed weg.

De contactpersoon van de CIA bij MI5 zat in een van de kantoren van het hoofdkwartier van MI5 in Londen.

'Uw mannen hebben ons een videoband gegeven waarop het kentekennummer te zien is van de bestelwagen waarin zich volgens ons de kernbom bevindt,' zei hij. 'Op dit moment nemen mensen van ons het verhuurbedrijf onder de loep. Zodra we meer van de huurder weten, moeten we ook de bom kunnen lokaliseren.'

'Uitstekend,' zei de CIA-agent mat. 'En wat weten we inmiddels over de stand van zaken rond de verdwenen meteoriet?'

'Dat moet nu spoedig bekend zijn,' antwoordde de MI5-agent.

'Hebt u daarbij nog assistentie nodig?' vroeg de CIA-agent.

'Ik denk het niet,' zei de MI5-agent. 'Daar zitten het leger en de mariniers bovenop.'

De CIA-agent kwam overeind. 'Dan wacht ik tot u contact met me opneemt,' zei hij, 'zodra u de meteoriet in handen hebt.'

'Als we hem hebben, laat ik u dat onmiddellijk weten.'

Meteen nadat de CIA-agent zijn kantoor uit was, pakte de MI5-agent de telefoon.

'Hoelang nog tot de trein wordt stilgezet?' vroeg hij.

'Een minuut of vijf,' luidde het antwoord.

In een bosrijke streek anderhalve kilometer ten noorden van Stockton, het station dat het dichtst in de buurt van Middlesbrough lag, leek het alsof er een oorlog aan de gang was. Aan beide kanten van de spoorlijn stond een Challenger-tank opgesteld. Iets verder naar het noorden, ongeveer ter hoogte van het achterste gedeelte van de trein, wanneer hij was stilgezet, lagen twee pelotons mariniers in het bos verborgen, klaar om onmiddellijk na stilstand van de trein de achterste wagon te bestormen. Iets verder naar links en rechts van de spoorlijn werden aan de rand van open velden in de schaduw van de bosrand een Harrier-jumpjet en een Agusta-Westland A-129 Mongoose helikopter paraat gehouden.

Vanuit het noorden zwol het geraas van de naderende trein 27 aan.

De Britse kolonel die de operatie leidde, wachtte tot hij de neus van de locomotief zag. Toen riep hij via de radio de machinist op en beval hem de trein te stoppen. Zodra de machinist de Challengers in het oog kreeg, trapte hij vol op de rem en kwam de trein met oorverdovend gekrijs van de wielen en in een opspattende vonkenregen tot stilstand. De Harrier en de Agusta-Westland, die beide dit moment laag boven de grond hangend hadden afgewacht, doken vrijwel onmiddellijk hierna boven de boomtoppen op en naderden snel om de nu aanstormende mariniers vanuit de lucht bij te staan, mocht dat nodig blijken.

De militairen begonnen de trein van achteren naar voren systematisch uit te kammen, maar ze vonden niets.

Op datzelfde tijdstip reed Roger Lassiter via de snelweg naar Londen. Toen hij in de buurt van Stockton de extra drukte bemerkte, nam hij uit voorzorg de eerstvolgende afslag naar het westen en reed binnendoor naar de snelweg die aan de westkust via Lancaster naar Birmingham loopt. Lassiter stak een sigaret op en keek naar het wegdek in de druilerige regen.

Toen hij de Theems zag liggen, keek Adams op de GPS wat hun exacte positie was. Cabrillo keek uit naar een langs de rivier gelegen park. Rond een enorme, met schijnwerpers verlichte tent wemelde het van de arbeiders die de laatste hand aan de installatie van het vuurwerk legden.

'Links,' zei Adams in de headset.

De rechthoekige omtrek van het heliplatform was met knipperlichten gemarkeerd. Van een er vlakbij geparkeerde auto knipperden de koplampen. Adams zette de landing in.

'Ik word hier door Seng en Meadows afgehaald,' zei Cabrillo. 'Die brengen me naar het hotel voor overleg. Hanley heeft ervoor gezorgd dat er op Heathrow in de aankomsthal voor particuliere vluchten iemand klaarstaat met de sleutel van je hotelkamer. Heb je verder nog iets nodig?'

'Nee, hoor,' zei Adams. 'Na het bijtanken ga ik direct naar het hotel. Als u me nodig hebt, hoor ik het wel.'

'Ga lekker slapen,' zei Cabrillo, 'dat heb je wel verdiend.'

Adams was in de laatste fase van de landing en reageerde hier niet meer op. Boven Battersea Park stuurde hij op het platform aan en zette de heli met een licht schokje aan de grond. Cabrillo opende de deur en pakte zijn telefoon. Diep bukkend holde hij van de Robinson weg tot hij onder de rotorbladen uit was en veilig zijn rug kon strekken. Terwijl hij naar de Range Rover doorliep, steeg Adams alweer op en vloog weg over de Theems.

Meadows stapte uit en deed het achterportier voor Cabrillo open.

'En, hoe staan de zaken?' vroeg Cabrillo, terwijl op de achterbank plaatsnam.

'We hebben alles aan Hanley doorgegeven,' antwoordde Seng. 'Hij zei dat jij ons zou bijpraten.'

Seng reed van de helihaven naar de uitgang van het park en wachtte voor het stoplicht tot hij Queenstown Road op kon draaien om via de Chelsea Bridge naar het Savoy Hotel te rijden. Onderwijl vertelde Cabrillo wat de verdere plannen waren.

De *Oregon* voer nog steeds op volle kracht naar het zuiden. Het was bijna middernacht en volgens de verwachtingen zou het schip op 31 december tegen een uur of negen 's morgens de havens van Londen bereiken. De vergaderruimte was afgeladen vol. Hanley maakte notities op een mededelingenbord. Hij had bijna de gehele beschikbare ruimte al volgeschreven.

'Kijk, dit is wat we weten,' zei hij. 'We denken nu dat de diefstal van de meteoriet en de vermiste Oekraïense kernbom in feite los van elkaar staan. We vermoeden dat Al-Khalifa en zijn groep door een, door hen omgekochte, medewerker van Echelon zijn getipt over het bestaan van de meteoriet. Pas daarna hebben ze dit gekoppeld aan hun reeds bestaande plan; voor zover wij weten een aanslag in hartje Londen.'

'Wie zat er dan oorspronkelijk achter de meteoriet aan?' vroeg Murphy.

'Onze nieuwste informatie, die de heer Truitt in Las Vegas heeft achterhaald, wijst in de richting van Halifax Hickman.'

'De multimiljonair?' vroeg Ross.

'Inderdaad,' antwoordde Hanley. 'Maar we weten nog niet waarom. Hickman houdt zich bezig met hotels, pretparken, casino's, wapenfabrieken en huishoudelijke artikelen. Daarnaast heeft hij nog een keten begrafenisondernemingen en een ijzerwarenfabriek, gespecialiseerd in gereedschappen, spijkers en schroeven. Bovendien heeft hij belangen in spoorweg- en oliemaatschappijen, en hij bezit een via een satelliet opererend televisiestation.'

'Een echte ouderwetse grootindustrieel dus,' zei Pete Jones. 'Niet meer zoals de nieuwe rijken die hun geld in één branche binnenhalen, zoals met software of een pizza-keten.'

'Is hij ook niet zo'n einzelgänger?' vroeg Julia Huxley.

'Een soort Howard Hughes, inderdaad ja,' antwoordde Hanley.

'Ik zal 'm psychologisch doorlichten,' bood Huxley aan, 'dan wordt het misschien duidelijker met wat voor man we te maken hebben.'

'Halpert is momenteel in de computerbestanden op zoek naar feiten die op een mogelijk motief kunnen wijzen.'

'En waar is de meteoriet nu?' vroeg Franklin Lincoln.

'Zoals we allemaal weten, hebben Juan en Adams gezien dat de meteoriet van de Faerøereilanden is weggevoerd in een Cessna, die ze hebben gevolgd. Toen hun helikopter door gebrek aan brandstof uitviel, heeft Juan de meteoriet verder in een auto achtervolgd tot aan een station in de buurt van Edinburgh. Voordat hij tot handelen over kon gaan, heeft de president hem via Overholt laten weten dat de Britse autoriteiten deze zaak van ons zouden overnemen. Ze waren van plan de trein in open terrein stil te zetten. Dat had een uur geleden moeten gebeuren, maar ik heb nog niet gehoord hoe dat is afgelopen.'

'Dus als zij hem nu hebben,' zei Hali Kasim, 'is het enige wat wij nog moeten doen het transport naar de Verenigde Staten.'

'Klopt,' zei Hanley, 'en daarom wil ik dat wij ons nu op het nucleaire wapen concentreren. We gaan ervan uit dat de bom door een Grieks vrachtschip via de Zwarte Zee naar de haven van het eiland Sheppey is verscheept. Daar hebben leden van Al-Khalifa's terroristische organisatie het wapen onderschept en zonder betaling meegenomen. Seng en Meadows hebben ter plaatse onderzoek verricht en een videoband gevonden waaruit ze de mogelijke huidige locatie hebben kunnen afleiden.'

'Is het niet vreemd,' zei Jones, 'dat de groep van Al-Khalifa na de dood van hun leider er niet mee is gestopt en vrolijk doorgaat met het uitvoeren van de plannen?'

'Dat is het grappige juist,' zei Jones. 'Wij hebben het idee dat zij nog helemaal niet weten dat Al-Khalifa dood is.'

'Hij heeft in ieder geval geen contact meer met hen opgenomen,' merkte Ross op.

'Ja,' zei Hanley, 'dat gebeurt wel vaker, althans volgens de inlichtingen die wij in de loop der jaren over hen hebben verzameld.'

'Dus een van ons gaat nu voor Al-Khalifa spelen?' zei Meadows.

Hanley gebaarde naar Nixon, die knikte en een cassetterecorder pakte. 'We hebben Al-Khalifa's telefoon in een van zijn zakken gevonden. Hij had de aankondiging van zijn voicemail ingesproken. Zijn stem heb ik gekoppeld aan een bandje dat we al van hem hadden, en met die gegevens heeft de computer zijn stem kunnen reconstrueren.'

Nixon zette de recorder aan, waarop luid en duidelijk de stem van Al-Khalifa klonk.

'We denken dat we met zijn telefoon zijn contactpersoon kunnen bellen om een afspraak voor een ontmoeting te maken,' zei Hanley.

'Hoeveel tijd hebben we nog?' vroeg Kasim.

'We vermoeden dat ze morgennacht om klokslag twaalf willen toeslaan,' antwoordde Hanley.

'De jaarwisseling,' zei Murphy, 'wat een onvoorstelbare klootzakken. Enig idee waar?'

'Er zijn festiviteiten en een concert in een park bij Buckingham Palace,' antwoordde Hanley. 'Elton John treedt er op.'

'Dat is helemaal het toppunt,' zei Murphy. 'De muziek van die vent is fantastisch!'

'Oké, jongens,' zei Hanley, 'iedereen nu terug naar zijn hut en zorg dat je nog een paar uur slaap krijgt. De meesten van jullie krijgen morgen een drukke dag in Londen. Morgenochtend om zeven uur verwacht ik jullie allemaal hier in de vergaderruimte voor instructies. Zodra we in de buurt van Londen zijn, worden jullie afgezet en naar het centrum gebracht. Zijn er nog vragen?'

'Ja,' zei Huxley, 'is hier iemand die weet hoe je een kernbom onschadelijk maakt?'

37

'Laat 'm hier maar voor het hotel staan,' zei Seng, nadat hij de auto voor de ingang van het Savoy had geparkeerd en was uitgestapt. Hij trok een biljet van honderd dollar uit zijn portefeuille en gaf het aan de hotelbediende. 'En zorg dat hij niet ingesloten staat.'

Cabrillo liep naar binnen en ging meteen door naar de receptie.

'Kan ik u helpen?' vroeg de baliemedewerker.

'De naam is Cabrillo,' zei hij, 'er is een kamer voor mij gereserveerd.'

De receptionist tikte de naam in en las de mededeling die door de directie aan de persoonsgegevens was toegevoegd. *Belangrijke vaste klant – ongelimiteerd krediet – Bank of Vanuatu – vier suites met zicht op de rivier – extra kamers indien gewenst.*

De receptionist pakte de sleutels en knipte met zijn vingers, waarop er een piccolo naderde. Op dat moment stapten Meadows en Seng de foyer in.

'Ik zie dat u geen bagage hebt, meneer Cabrillo,' zei de baliemedewerker. 'Wilt u dat wij wat inkopen voor u doen?'

'Ja graag,' zei Cabrillo, terwijl hij een pen en een vel papier naar zich toe trok. Hij noteerde het een en ander. 'Bel Harrods morgenochtend en vraag naar Mark Andersen van de afdeling herenmode. Vraag of hij dit kan leveren, hij heeft mijn maten.'

Ook Meadows en Seng vervoegden zich bij de balie. Ze hadden allebei twee tassen. Cabrillo gaf hun de kamersleutels. 'Hebben jullie nog iets van Harrods nodig?' vroeg hij.

'Nee,' antwoordden ze tegelijk.

De piccolo wilde de tassen van Seng en Meadows oppakken, maar Seng greep zijn hand en hield hem tegen. 'Dat doen we liever zelf,' zei hij, terwijl hij de man een biljet van twintig pond toestopte. 'Als u met ons meeloopt, kunt u het karretje mee terugnemen.'

In de tassen zaten wapens, communicatieapparatuur en voldoende C6 om het hele hotel met de grond gelijk te maken. De piccolo knikte, duwde het karretje dichterbij en wachtte tot de mannen naar hun kamers zouden gaan.

'Wat willen jullie eten?' vroeg Cabrillo, terwijl Seng en Meadows hun bagage op het karretje tilden.

'Ik heb wel zin in een ontbijt,' antwoordde Meadows.

'Drie maal een uitgebreid Engels ontbijt in mijn suite, graag,' zei Cabrillo, terwijl hij zijn sleutelnummer aan de baliemedewerker liet zien, 'over drie kwartier, als het kan.'

'Dan kunnen wij eerst even douchen en ons opfrissen,' vervolgde Cabrillo tegen zijn mannen. 'Ik zie jullie dan om halftwee in mijn suite.'

Daarna duwden ze het karretje, gevolgd door de piccolo, naar de lift. Bij de deur van zijn suite gekomen, draaide Cabrillo zich, nadat hij de deur had geopend, om.

'Wacht even,' zei hij tegen de piccolo. 'Ik wil deze kleren graag gewassen en gestreken hebben.'

Hij ging naar binnen, kleedde zich uit, trok een badjas van het hotel aan en liep met zijn gedragen kleren in een plastic waszak terug naar de deur. Hij overhandigde de piccolo de zak en een biljet van honderd dollar en zei glimlachend: 'Ik heb ze graag zo snel mogelijk terug.'

'Wilt u ook dat we uw schoenen poetsen?' vroeg de piccolo.

'Nee, dank u,' zei Cabrillo.

Toen de piccolo weg was, stapte Cabrillo meteen onder de douche. Daarna liep hij in zijn badjas terug naar de deur, waar het personeel een mandje met toiletspullen voor hem had klaargezet. Terug in de badkamer schoor hij zich, depte wat dure aftershave op zijn wangen, poetste zijn tanden en kamde zijn haar. Daarna liep hij naar de telefoon en toetste het nummer van de controlekamer van de *Oregon* in.

Op dat moment was het in Washington acht uur 's avonds. Thomas 'TD' Dwyer had de afgelopen dagen dubbele diensten gedraaid in het laboratorium voor besmettelijke ziektekiemen in Fort Detrick, Maryland, dat in de buurt van Frederick in de bergen ten noorden van Washington was gevestigd. Dwyer was doodop en dacht er al over om er voor die dag een punt achter te zetten. De monsters uit Arizona had hij inmiddels aan ultraviolet licht, zuren, diverse combinaties van gassen en allerlei vormen van straling blootgesteld.

Maar met geen enkel resultaat.

'Zullen we het afronden voor vandaag?' vroeg de technicus van het leger.

'Ik wil nog één monster voor morgen afsnijden,' zei Dwyer, 'dan kunnen we daar meteen om acht uur mee beginnen.'

'Zal ik de laser alvast aanzetten?' vroeg de technicus.

Dwyer keek door het dikke glas van het kijkvenster naar het monster dat in de luchtdicht afgesloten ruimte op een werktafel in een bankschroef geklemd zat. Erboven had Dwyer met zijn handen in dikke kevlarhandschoenen een pneumatische diamantzaag bevestigd. De zaag werd vastgehouden door twee robotarmen die hij met een joystick kon bedienen.

'Ik ga zagen,' zei Dwyer, 'pas op.'

De technicus ging op een stoel achter een groot bedieningspaneel zitten. De wand voor hem stond, net als alle ruimte rond het venster dat zicht op het interieur van de afgesloten kamer gaf, vol met alle mogelijke afleesapparatuur voorzien van lampjes en metertjes.

'Alles gereed,' zei de technicus.

Dwyer bewoog voorzichtig de joystick, waarop de zaag begon te draaien. Langzaam liet hij hem op het monster zakken. De zaag begon te roken en sloeg af.

Het zou de volgende dag tot het middaguur duren voordat ze hem weer aan de praat hadden.

Tiny Gunderson liet de Gulfstream zakken en naderde de aanvliegzone van Heathrow. Gedurende de vlucht vanuit Las Vegas hadden hij en Pilston om beurten geslapen. Truitt had achter in de cabine liggen pitten, maar was nu wakker en dronk een tweede kop koffie.

'Bijschenken?' vroeg hij door de deur van de cockpit.

'Ik heb genoeg gehad,' antwoordde Gunderson. 'En jij, Tracy?'

Pilston sprak via de radio met de verkeerstoren en gebaarde dat ook zij geen koffie meer wilde.

'Hanley heeft voor jullie kamers in een hotel bij het vliegveld geboekt,' zei Truitt. 'Ik ga met een taxi de stad in.'

Gunderson maakte een laatste bocht alvorens hij de landing inzette. 'Als we hebben bijgetankt, wachten we in het hotel,' zei hij.

'Goed plan,' zei Truitt.

Er zat hem al de hele vlucht iets dwars, maar hij kon er niet goed de vinger op leggen wat dat precies was. Hij had urenlang geprobeerd zich het interieur van de werkkamer van Hickman weer voor de geest te halen, maar het lukte hem niet dat beeld echt helder te krijgen. Achteroverleunend in zijn stoel klikte hij de veiligheidsgordel vast en wachtte tot de Gulfstream was geland.

Tien minuten later zat hij in een taxi die hem door de verlaten straten naar het Savoy bracht. De taxi reed langs Paddington Station toen het hem opeens te binnen schoot.

Overholt was van plan om die nacht op de bank in zijn kantoor te slapen. Hoe dan ook, in de komende achtenveertig uur stond er iets te gebeuren. Het liep tegen tien uur 's avonds toen de president hem opnieuw belde.

'Uw mensen hebben er een zooitje van gemaakt,' zei de

president. 'In de trein is niets gevonden.'

'Onmogelijk,' zei Overholt. 'Ik werk al jaren met de Corporation samen, die maken geen fouten. De meteoriet was in de trein, maar dan is hij waarschijnlijk weer aan iemand anders doorgegeven.'

'Nou,' zei de president, 'ze zijn hem nu in ieder geval kwijt in Engeland.'

'Cabrillo is momenteel in Londen,' zei Overholt, 'op zoek naar de vermiste kernbom.'

'Langston,' zei de president, 'u kunt er maar beter voor zorgen dat u dit onder controle krijgt, en gauw ook, want anders zou uw pensioen weleens krapper kunnen uitvallen dan u had voorzien.'

'Ja, dat begrijp ik,' zei Overholt, terwijl de verbinding werd verbroken.

'Volgens onze gegevens verplaatst de meteoriet zich ten zuiden van Birmingham over de weg in zuidelijke richting,' zei een vermoeide Hanley tegen Overholt. 'Wij zijn morgenochtend in de buurt van Londen en dan zetten we mensen aan land die kunnen gaan zoeken.'

'Een beetje snel graag,' reageerde Overholt. 'Ik krijg hier de wind van voren. Hebben ze de bom al gevonden?'

'Cabrillo en zijn team hopen de locatie morgen exact vast te stellen en dan MI5 in te lichten,' zei Hanley.

'Ik slaap hier in mijn kantoor vannacht,' zei Overholt, 'dus bel me zodra u iets meer weet.'

'Dat beloof ik,' zei Hanley.

Dick Truitt kreeg aan de receptie zijn sleutel uitgereikt en gaf de portier, die zijn tas naar zijn kamer zou brengen, een fooi. Hij liep naar Cabrillo's suite en klopte zachtjes op de deur. Meadows deed open.

'Bekend gezicht,' zei Meadows toen hij zag wie het was. Hij deed een stap opzij om Truitt binnen te laten, die meteen doorliep naar de zithoek. De tafel stond vol met vuile borden, etensresten en opengeslagen dossiermappen.

'Goedemorgen chef,' zei hij tegen Cabrillo.

Vervolgens pakte hij de telefoon, belde de roomservice en bestelde een clubsandwich en een cola. Daarna liet hij zich op een stoel vallen.

'Halpert heeft de identiteit achterhaald van de militair op de foto's die je hebt gejat,' zei Cabrillo, 'maar wat het verband met Hickman is, dat weten we nog niet.'

'Dat is zijn zoon,' zei Truitt langs zijn neus weg.

'Krijg nou wat,' riep Seng uit, 'dat verklaart een boel!'

38

'Dat moet wel,' zei Truitt. 'Toen ik in de werkkamer van Hickman was, heb ik iets gezien wat ik haast onbewust als merkwaardig heb geregistreerd, maar ik kreeg de kans niet om dat uit te zoeken, omdat hij toen plotseling in het penthouse terugkwam. Op een plank bij zijn bureau stond een paar bronzen babyschoentjes.'

'Dat is inderdaad vreemd,' zei Cabrillo, 'want Hickman heeft zover bekend geen nakomelingen.'

'Ja,' zei Truitt, 'en er zat een set militaire identiteitsplaatjes aan vastgemaakt.'

'Heb je kunnen lezen wat erop stond?' vroeg Seng, die vroeger bij de marine had gediend.

'Nee, maar ik neem aan dat een agent van het politiekorps van Las Vegas dat kan doen. Waar het om gaat, is: waarom zou iemand de identiteitsplaatjes van een vreemde hebben?'

'Alleen als ze van een naaste zijn,' reageerde Meadows, 'en die persoon dood is.'

'Ik zal Overholt bellen, dan kan hij dat de politie van Las Vegas laten uitzoeken,' zei Cabrillo. 'Probeer wat te slapen. Ik heb het gevoel dat het morgen wel eens een lange dag zou kunnen worden.'

Meadows en Seng vertrokken naar hun eigen kamers, maar Truitt bleef. 'Ik heb in de Gulfstream geslapen,' zei hij. 'Als je mij de adressen geeft dan kan ik alvast op nachtelijke verkenning gaan.'

Cabrillo knikte en gaf Truitt de gewenste informatie. 'Zorg dat je hier morgenochtend om acht uur terug bent,' zei hij. 'Dan hebben we hier met z'n allen een bespreking.'

Truitt knikte, waarna hij door de gang naar zijn kamer liep om zich om te kleden. Vijf minuten later ging hij met de lift naar beneden.

Halpert werkte de hele nacht door. De *Oregon* voer richting Londen met een voor de navigatie minimale personeelsbezetting op de brug. De overige bemanningsleden sliepen in de hutten en het was stil op het schip. Halpert hield wel van die rust. Nadat hij de computer aan het doorzoeken van de bestanden van het ministerie van Defensie had gezet, liep hij naar de kombuis, waar hij een paar boterhammen roosterde en een pot koffie zette. De boterhammen besmeerde hij met roomkaas, waarna hij ze met de koffie meenam naar zijn kantoor.

In de lade van de printer lag een vel papier, dat hij oppakte en aandachtig las. Het meest naaste familielid van Christopher Hunt was zijn moeder, die in Beverly Hills, Californië, woonde.

Halpert voerde haar personalia in en liet de computer uitzoeken wat hij over haar kon vinden.

Het was in Londen vier uur in de ochtend toen de Hawker 800XP met Hickman aan boord op Heathrow landde. Aan het einde van de landingsbaan werd hij al opgewacht door een zwarte Rolls-Royce. De limousine bracht hem over de stille wegen naar Maidenhead.

Hickman wilde bij Maidenhead Mills zijn als de fabriek openging. De rest van zijn team zou spoedig uit Calais arriveren en er moest nog veel gebeuren. Hij keek naar het flesje met de besmettingsstof dat hij van Vanderwald had gekocht. Een heel klein beetje hiervan en wat schraapsel van de meteoriet en voilà.

De inrichting van het huis was nogal luxueus, gezien de ligging in de Londense wijk East End. Nadat het jarenlang een keurige buurt van Londense middenstanders was geweest, was East End de laatste jaren geleidelijk chiquer geworden omdat de gewone burgers door de stijging van de onroerendgoedprijzen in het centrum van Londen steeds verder naar de buitenwijken werden verdrongen.

Het drie verdiepingen tellende huis aan Kingsland Road, niet ver van het Geffrye Museum, had de bombardementen van de Tweede Wereldoorlog vrijwel ongeschonden overleefd. Nadat het vele jaren als pension voor de immigranten had gediend die zich in de tweede helft van de twintigste eeuw in deze buurt hadden gevestigd, was het de afgelopen jaren omgebouwd tot een chic bordeel dat werd bestierd door een beruchte East-Endse criminele familie onder leiding van Derek Goodlin.

De begane grond bestond uit diverse salons en een bar. De eerste verdieping werd vrijwel geheel in beslag genomen door een casino met langs de zijmuur een tweede bar, en op de bovenste etage bevonden zich de slaapkamers die qua inrichting aan de meest uiteenlopende smaken en seksuele voorkeuren voldeden.

Toen Lababiti de Jaguar voor de deur had geparkeerd en met Amad uitstapte, was Derek Goodlin, die deze avond dienst had, al op de hoogte van zijn komst. Goodlin, die achter zijn rug 'de tor' werd genoemd vanwege zijn kraalogen en pokdalige gezicht, glimlachte, snelde naar de deur en telde in zijn gedachten al het geld dat dit bezoek hem ging opleveren.

Goodlin had de Arabier vaker als klant in huis gehad en wist dat de omzet in de duizenden zou lopen voordat Lababiti het pand weer verliet.

'Chivas en cola,' zei Goodlin tegen de barkeepster terwijl hij naar de deur snelde om zijn gast te verwelkomen.

Breed glimlachend trok hij de deur open. 'Meneer Lababiti,' zei hij met de hartelijkheid van een ingevroren slang, 'wat leuk om u weer eens te mogen begroeten.'

Lababiti voelde een diepe minachting voor Goodlin. Hij

vertegenwoordigde alles wat fout was aan de westerse maatschappij. Goodlin verkocht zonde en verderf. Het feit dat hijzelf een vaste afnemer was, deed daar niets aan af.

'Goedenavond, Derek,' zei Lababiti kalm, terwijl hij het drankje aanpakte dat hem door de haastig toegesnelde barkeepster werd aangereikt. 'Nog altijd druk met uw goddeloze praktijken, zie ik.'

Er speelde een gemeen glimlachje om Goodlins lippen. 'Ik lever wat de mensen vragen,' zei hij.

Lababiti knikte en gebaarde naar Amad dat hij hem moest volgen. Hij liep naar het vertrek dat door een met opzichtig houtsnijwerk versierd mahoniehouten barmeubel werd gedomineerd en liet zich in een van de fauteuils vallen die rond een salontafel met een brandende kaars stonden. Goodlin volgde hem als een schoothondje.

'Wilt u ook spelen vanavond?' vroeg hij toen ze allebei zaten.

'Later misschien,' antwoordde Lababiti, 'maar schenk eerst voor mijn vriend een Araq in en laat Sally naar beneden komen.'

Goodlin wees de barkeepster waar ze de fles met deze sterk alcoholische, naar drop smakende drank uit het Midden-Oosten kon vinden en wendde zich weer tot Lababiti. 'Sally Lief of Sally Stout?'

'Sally Lief voor hem,' zei Lababiti, terwijl hij op Amad wees, 'en Stout voor mij.'

Goodlin snelde weg om de dames te halen. Een paar seconden later zette de barkeepster de fles Araq en een glas op tafel. Amad, die de volgende dag zijn dood tegemoet zou gaan, keek angstig om zich heen.

Derek Goodlin sloot de deur achter Lababiti en zijn vriend, en liep naar zijn kantoor. Hij ging aan het bureau zitten en nam een stapel rekeningen door, ondertussen van een glas cognac nippend. Het was een uitstekende avond geweest. De Arabier en zijn stille metgezel hadden ruim vijfduizend pond aan de omzet van die avond bijgedragen. Dat, plus de Japanse vaste klant die handenvol geld aan de roulettetafel had verloren, maakte dat de omzet zo'n dertig procent hoger lag dan de vorige avond.

Toen hij een met een elastiek bijeengebonden stapel bankbiljetten in de kluis wilde leggen, werd er op de deur geklopt. 'Een momentje,' zei hij, terwijl hij het geld in de kluis legde, het deurtje sloot en aan het cijferslot draaide.

'Oké,' riep hij, 'kom binnen.'

'Ik kom m'n geld halen,' zei Sally Lief, 'wat ik vandaag nog heb verdiend.'

De holte rond haar linkeroog was blauw en opgezwollen.

'Lababiti?' vroeg Goodlin. 'Ik dacht dat jij die jóngen had?'

'Klopt,' antwoordde Sally, 'maar hij werd wat link toen...'

'Toen wat?'

'Toen-ie 'm niet omhoog kon krijgen,' antwoordde Sally.

Goodlin trok een lade van het bureau open, pakte er een van de enveloppen uit die hij had klaargelegd voor de meiden die die avond hadden gewerkt, en gaf hem aan Sally. 'Neem een paar dagen vrij,' zei hij, 'en kom woensdag terug.'

Met een mat knikje liep ze het kantoor uit de gang in.

Lababiti reed in de Jaguar in westelijke richting door Leadenhall Street. Amad zat zwijgend naast hem.

'En, heb je je een beetje vermaakt?' vroeg Lababiti.

Amad gromde.

'Ben je klaar voor morgen?'

'Allah is groot,' zei Amad kalm.

Lababiti keek opzij naar de Jemeniet, die door het zijraampje naar de voorbijglijdende gebouwen staarde. Hij begon steeds meer aan Amad te twijfelen, maar dat hield hij voor zich. Morgenochtend zou hij de Jemeniet de laatste instructies geven.

Daarna reed hij onmiddellijk naar de Kanaaltunnel voor de oversteek naar Frankrijk.

Truitt liep door de Strand naar de zijstraat waarin Lababiti volgens zijn informatie een flat had gehuurd. Op de begane grond grensde het portaal aan een leegstaande winkel. De drie etages erboven, waar zich de huurflats bevonden, waren donker, de bewoners sliepen. Truitt forceerde de deur naar het portaal en liep naar een rij brievenbussen. Hij bestudeerde de namen toen er voor het gebouw een Jaguar stopte, waar twee mannen uitstapten. Truitt glipte snel achter de liften weg in een ruimte waar een trap naar de bovenverdiepingen leidde en luisterde hoe de mannen het portaal binnenkwamen en naar de lift liepen.

Hij wachtte tot de liftdeuren waren dichtgeschoven en de lift omhoogging, en kwam toen pas tevoorschijn. Hij keek naar de cijfers die boven de liftdeur oplichtten. De lift stopte op de derde etage. Truitt snelde terug naar de trap en liep naar de derde verdieping. Daar aangekomen diepte hij een kleine gehoorversterker uit zijn zak op, stopte het oordopje in zijn oor en liep langzaam met de microfoon in zijn hand door de gang langs de flats. In een van de flats hoorde hij een man snurken en in een andere een kat miauwen. Halverwege de gang hoorde hij stemmen.

'Als je dat geval uitvouwt, heb je een bed,' zei een stem.

Het antwoord kon Truitt niet verstaan. Hij keek wat het nummer van de flat was en probeerde zich voor te stellen waar vanaf de straat gezien de ramen van de flat zich bevonden. Vervolgens bewoog hij een kleine geigerteller langs de voordeur van de flat.

Van straling was geen sprake.

Hij liep rustig de trap af en door de hal naar buiten, waar hij omhoogkeek naar Lababiti's flat. De gordijnen waren dicht. Truitt kroop onder de kofferbak van de Jaguar en drukte een magnetisch schijfje tegen de benzinetank. Daarna liep hij met de geigerteller langs de Jaguar en nam ook hier geen straling waar.

Nadat hij de ligging van de aangrenzende gebouwen goed in zich had opgenomen, liep hij terug naar de Strand.

De straat was zo goed als leeg. Er passeerden een paar

taxi's en er stond een vrachtwagen voor de McDonald's, die vierentwintig uur per dag open was. Truitt wandelde over de stoep aan de noordkant van de Strand en bekeek de affiches van de bioscopen. Hij was bijna bij Leicester Square toen hij omdraaide en overstak om aan de zuidkant terug te lopen.

Daar kwam hij langs een winkel met klassieke Britse motorfietsen. Hij bleef staan en bekeek de motoren die verlicht door spotjes in de etalage stonden. Een Ariel, een BSA, een Triumph en zelfs een legendarische Vincent. Een walhalla voor de echte motorfreak.

Hij liep terug naar de McDonald's en bestelde een cheeseburger en koffie.

Om halfzes 's morgens Londense tijd – in Las Vegas was het halftien 's avonds – kostte het commandant Jeff Porte van het politiekorps van Las Vegas de nodige overredingskracht voordat het hoofd van de beveiliging van Dreamworld hem toestond het penthouse binnen te gaan.

'U hebt een huiszoekingsbevel nodig,' zei het hoofd van de beveiliging, 'anders kan ik u echt niet binnenlaten.'

Porte dacht hierover na. 'We hebben begrepen dat er bij u is ingebroken,' zei hij, 'het gaat dus om een onderzoek naar aanleiding van een misdrijf.'

'Dat is nog geen reden om u binnen te laten,' zei de man van de beveiliging.

'Dan moet ik een officier van justitie wekken en om een huiszoekingsbevel vragen,' zei Porte, 'en in dat geval laten de tv-ploegen niet lang op zich wachten. Vooral in het casino zullen ze daar niet echt blij mee zijn: politie en hordes verslaggevers in het pand.'

Dit was iets waar het hoofd van de beveiliging een ogenblik over na moest denken. 'Ik ga even bellen,' zei hij ten slotte.

Hickman was bijna in Maidenhead toen zijn satelliettelefoon overging. Het was het hoofd van de beveiliging die hem de situatie voorlegde.

'Zeg dat ze een huiszoekingsbevel nodig hebben,' zei hij, 'en zet onze advocaten aan het werk dat ze dit tegenhouden. Wát er ook gebeurt, probeer zo lang mogelijk te voorkomen dat ze naar binnen gaan.'

'Is er een probleem?' vroeg de man van de beveiliging.

'Niets om u zorgen over te maken,' zei Hickman alvorens hij ophing.

Het net sloot zich om hem en hij voelde dat het steeds strakker werd aangetrokken.

Michael Halpert vergrootte zijn zoekgebied. Nadat hij een verbinding met de computer van de FAA had gelegd, voerde hij de vluchtgegevens van Hickmans toestel in. Zodra hij de resultaten zag, wist hij dat ze beet hadden. Een van Hickmans privéjets, een Hawker 800XP, had onlangs een vluchtschema voor Groenland aangevraagd. Het meest recente schema was voor een vlucht van Las Vegas naar Londen. Hickmans toestel bevond zich momenteel in Londen.

Vervolgens ging Halpert op zoek in het Britse kadaster.

Op Hickmans naam stond niets geregistreerd, waarna hij de lange lijst namen van Hickmans ondernemingen invoerde. Deze zoekopdracht zou enige uren gaan duren, en terwijl de computer het werk deed, probeerde Halpert zich voor te stellen waarom een van de rijkste mensen ter wereld in samenwerking met Arabische terroristen een aanslag met een kernbom op Londen zou willen plegen.

Het ging altijd om liefde of geld, dacht Halpert.

Hij zag absoluut niet hoe Hickman een financieel slaatje zou kunnen slaan uit een atoomramp. Een uur lang zocht hij tevergeefs naar een motief waarbij geldelijk gewin een rol speelde en gaf het ten slotte op.

Dan moet het liefde zijn, dacht hij.

En van wie hou je nou zoveel dat je een moord voor ze zou doen? Dat is toch je gezin?

39

Om zes uur ’s morgens meerde de *Oregon* af in de haven van Southend-on-Sea aan de monding van de Theems.

De leden van het team waren allemaal wakker en fris gedoucht. Een voor een druppelden ze de eetzaal binnen voor het ontbijt. Om zeven uur zouden ze bijeenkomen in de vergaderruimte. Hanley had een paar uur geslapen, maar zat om vijf uur alweer achter zijn bureau om de logistiek van de komende operatie uit te werken.

Even na zes uur belde hij Overholt uit zijn slaap.

‘Ons team staat op het punt om naar Londen te gaan,’ zei hij. ‘We denken dat we de hoofdfiguren hebben getraceerd, maar we hebben nog geen sporen van straling gevonden.’

‘Werkt u samen met MI5?’ vroeg Overholt.

‘De heer Cabrillo zal spoedig contact met ze opnemen en het commando over de operatie aan hen overdragen. Hij wil er alleen helemaal zeker van zijn dat ons team ter plaatse gereed is om zo nodig assistentie te verlenen.’

‘Klinkt redelijk,’ zei Overholt mat. ‘Hoe is het met de meteoriet?’

‘We doen nu maar één ding tegelijk,’ zei Hanley. ‘Zodra de bom onschadelijk is gemaakt, schakelen we met ons team op dat probleem over.’

‘Waar bevindt de meteoriet zich op dit moment?’

‘Iets ten zuiden van Oxford,’ antwoordde Hanley, ‘en hij

beweegt zich in zuidelijke richting. Pas als hij in de periferie van Londen is, gaan we eropaf. Eerder niet, eerst moeten we het gevaar van de bom afwenden.'

'De politie van Las Vegas wordt nogal tegengewerkt,' zei Overholt. 'Daarop heb ik een verklaring van landsbelang uitgevaardigd, wat hun de bevoegdheid verleent alles te doen wat wij hun opdragen. Ze kunnen nu ieder moment in het penthouse zijn. U weet dat mij dit, als u het fout hebt en Hickman er niets mee te maken blijkt te hebben, zodra de commotie is geluwd de kop kan kosten?'

'Maakt u zich geen zorgen,' zei Hanley, 'u weet dat wij ter versterking van ons team altijd goede mensen kunnen gebruiken.'

'Ja ja, daar moet ik even heel erg om lachen, meneer Hanley,' zei Overholt alvorens hij de verbinding verbrak.

Hanley stak de telefoon terug in de houder op de leuning van zijn commandostoel en wendde zich tot Stone.

'Verloopt alles volgens plan?'

'Zoals altijd. Truitt is onze man ter plaatse,' zei Stone. 'Hij is al sinds vanochtend heel vroeg in de weer. Hij heeft Engelse kleren en overjassen gekocht voor de mensen die wij naar Londen sturen. Ook heeft hij een minibus geregeld die hen hier komt ophalen. De laatste keer dat ik hem sprak, zat hij in de bus op weg hiernaartoe.'

'Prima kerel,' zei Hanley. 'En Nixon?'

'Nixon heeft alles geïnstalleerd en doet op dit moment de laatste controles.'

'Halpert?' vroeg Hanley.

'Die was nog hard bezig toen ik hem sprak. Hij zegt dat hij alles nog eens vanuit een andere invalshoek natrekt en denkt dat hij er over een paar uur wel uit is.'

'Wie is nu precies waar?'

'We hebben al vier man in Londen,' las Stone van een vel papier op. 'Cabrillo, Seng, Meadows en Truitt. De zes die daar nog aan worden toegevoegd, zijn Huxley, Jones, Lincoln, Kasim, Murphy en Ross.'

'Dan zijn we dus met tien man sterk in Londen,' concludeerde Hanley.

'Klopt,' zei Stone. 'Onze luchtsteun op Heathrow bestaat uit Adams in de Robinson en Gunderson en Pilston in de Gulfstream. Judy Michaels is terug van verlof en is daar zojuist geland om de stuurknuppel van het amfibievliegtuig over te nemen.'

'Wie blijven er op de *Oregon*?' vroeg Hanley.

'Op het schip blijven Gannon, Barrett, Hornsby, Reinholt en Reyes paraat.'

'Wie hebben we dan nog over?'

'U, ik, Nixon in de Magic Shop, Crabtree hier aan de logistiek en King,' antwoordde Stone.

'King was ik helemaal vergeten,' zei Hanley. 'Hem hebben we als extra ondersteuning in Londen nodig.'

'Zal ik hem aan de ploeg van Truitt toevoegen?'

Hanley dacht even na. 'Nee,' zei hij ten slotte. 'Laat Adams hem ophalen, dan hebben we hen samen achter de hand. Ik wil dat ze zo dicht mogelijk in de buurt zijn en op het eerste teken onmiddellijk de lucht in kunnen. Adams en King kunnen dan voor luchtdekking zorgen.'

'Ik zal het regelen,' zei Stone.

'Perfect.'

'Truitt heeft vanochtend vroeg het flatgebouw verkend waarin de bewuste persoon zich bevindt,' zei Cabrillo.

Cabrillo, Seng en Meadows zaten in de suite van de president-directeur te ontbijten.

'Waar is hij nu?' vroeg Meadows.

'Hij is nu onderweg naar de haven waar de *Oregon* ligt afgemeerd om de rest van het team op te pikken.'

'Dan heeft hij de bom zelf dus niet getraceerd,' zei Seng, 'want anders waren we nu al in actie geweest.'

'Klopt,' zei Cabrillo.

'We zullen dus moeten wachten tot zij in actie komen?' vroeg Meadows.

'Als de bom inderdaad in Londen is,' zei Cabrillo, 'en de verdachte groep merkt dat er iemand achter hen aan zit, bestaat het gevaar dat ze hem meteen tot ontploffing brengen.

Ze hebben hem dan misschien op dat moment nog niet op de door hen gewenste bestemming, maar van een dergelijk nucleair wapen – zelfs van een bescheiden grootte als dit – zijn de catastrofale gevolgen van ongekende omvang.'

'Dus we proberen ze uit hun tent te lokken,' zei Seng, 'slaan dan toe en richten ons pas daarna op de bom.'

'Ik weet haast wel zeker dat MI5 het daar niet mee eens zal zijn,' zei Cabrillo, 'maar het is wel wat ik wil voorstellen.'

'Wanneer heeft u met ze afgesproken?' vroeg Meadows.

Cabrillo veegde zijn mond af met zijn servet en keek op zijn horloge. 'Over vijf minuten,' zei hij, 'beneden in de foyer.'

'En wat gaan wij doen?' vroeg Seng.

'Ga naar de flat en verken de directe omgeving.'

Edward Gibb had er flink de pest in. Om op oudejaarsdag te worden gewekt met de mededeling dat je aan het werk moest, was niet bepaald wat hij zich van zijn vrije dagen had voorgesteld. Die ochtend had een advocaat gebeld en hem gevraagd of hij de nieuwe eigenaar van de fabriek kon ontvangen en de poort opendoen. Gibb had bijna geweigerd – hij had besloten met vervroegd pensioen te gaan en wilde dat de personeelsafdeling laten weten zodra ze allemaal weer aan het werk waren – maar het idee om de mysterieuze koper van Maidenhead Mills te zien intrigeerde hem.

Nadat hij had gedoucht, zich had aangekleed en een snel ontbijt van thee en een geroosterde boterham naar binnen had gewerkt, reed hij naar de fabriek. Voor de hoofdingang stond een limousine met stationair draaiende motor. In de kille ochtendlucht walmden witte dampwolkjes uit de uitlaat. Gibb liep ernaartoe en klopte op een van de zijraampjes. Het raampje zakte open en een man keek hem glimlachend aan.

'Meneer Gibb?' vroeg de man.

Gibb knikte.

'Halifax Hickman,' zei de man, waarna hij uitstapte en zich op het asfalt voor de poort posteerde. 'Neemt u mij niet kwalijk dat ik u zo abrupt uit uw gezin en uw vrije dag heb weggehaald.'

Ze schudden elkaar de hand.

'Geeft niet,' zei Gibb, terwijl hij naar de deur liep. 'Ik begrijp best dat u zo snel mogelijk wilt zien waar u zoveel geld aan hebt uitgegeven.'

'Ik moest tóch naar Europa,' loog Hickman, 'en ik heb niet al te veel tijd.'

'Dat begrijp ik,' zei Gibb, terwijl hij uit zijn zak een bos sleutels opdiepte en de deur van het slot draaide.

'Dank u,' zei Hickman, toen Gibb de deur opende en een stapje opzij ging om hem door te laten.

'Deze zijn voor u,' zei Gibb, terwijl hij Hickman de sleutels gaf. 'Ik heb een set reservesleutels.'

Hickman stak ze in zijn zak. Gibb liep langs de ontvangstbalie en ging Hickman voor door een dubbele deur naar de enorme fabriekshal waarin de machines en de grondstoffen stonden. Hij haalde een muurschakelaar over, waarop de tl-verlichting aanfloepte. Gibb keek opzij naar Hickman. De man liet zijn blik over de diverse machines gaan.

'Dit is het laatste stadium, hier worden de stoffen geschoren en vacuüm verpakt,' zei hij, op een machine wijzend die eruitzag als een vergrote versie van de grillapparatuur in een Burger King. 'De stoffen worden via de lopende band aangevoerd, ondergaan de behandeling en komen er daar over die rollers weer uit.'

De metalen bak waarin de rollers lagen, was ongeveer een meter hoog en liep naar de verpakkingsafdeling, waar hij in een halve cirkel tot aan het laadplatform doorliep. De afgewerkte stoffen werden hierop naar de plek gestuwd waar ze in dozen werden verpakt, klaar om in vrachtwagens te worden geladen.

Hickmans ogen speurden de hal af. 'Zijn dat de bidkleedjes voor Saoedi-Arabië?' vroeg hij, met zijn ogen gericht op drie grote containers die in een hoek van de hal bij het laadplatform klaarstonden. 'Kan ik die zien?'

'Zeker, meneer,' zei Gibb, waarna hij de sloten van de containers ontgrendelde en de deuren openzwaaide. 'Ze hadden eigenlijk al geleverd moeten zijn.'

Hickman keek in de containers, die van een iets kleiner formaat waren dan de containers op vrachtwagens. Deze waren speciaal voor het transport met 747-vrachtvliegtuigen ontworpen. De kleedjes hingen in onafzienbare rijen aan klemmen aan het plafond van de containers. In iedere container hingen er vele duizenden.

'Waarom zijn ze niet gewoon opgestapeld?' vroeg Hickman.

'We moeten ze met insecticiden en ontsmettingsmiddelen behandelen voordat ze Saoedi-Arabië in mogen. Ze zijn bang voor de gekkekoeienziekte of een andere besmetting; dat wordt tegenwoordig door alle landen geëist,' antwoordde Gibb.

'Laat ze maar openstaan,' zei Hickman, 'en geef mij de sleutels van de containers.'

Gibb knikte en overhandigde hem de sleutels.

'Wanneer gaan de mensen hier na de vakantie weer aan het werk?' vroeg Hickman.

'Maandag twee januari,' zei Gibb, terwijl hij Hickman volgde, die langs de machines naar de ontvangsthal terugliep.

'Er komen wat mensen uit de VS om te helpen. We gaan ons speciaal op die kleedjes richten, dat wordt ons belangrijkste artikel,' zei Hickman toen ze in de ontvangsthal terug waren. 'Kunt u me nu een kantoor wijzen waar ik kan telefoneren?'

Gibb wees naar een trap die naar een glazen ruimte leidde vanwaar men op de fabriekshal uitkeek. 'U kunt het mijne gebruiken. Het is niet afgesloten.'

Hickman glimlachte en stak zijn hand naar Gibb uit. 'Meneer Gibb,' zei hij, hem krachtig de hand schuddend, 'waarom gaat u niet lekker terug naar uw gezin? Dan zie ik u maandag.'

Gibb knikte en wilde naar de deur lopen, maar aarzelde en bleef staan. 'Meneer Hickman,' zei hij, 'zou u het leuk vinden om vanavond naar ons toe te komen en met ons oud en nieuw te vieren?'

Hickman was al halverwege de trap, waar hij zich omdraaide en Gibb aankeek. 'Dat is heel vriendelijk van u,' zei hij, 'maar voor mij is oudejaarsavond altijd een moment van rustige bezinning.'

'Hebt u geen familie?' vroeg Gibb.

'Ik had een zoon,' antwoordde Hickman, 'maar die is vermoord.'

Daarop draaide hij zich om en liep door naar de trap.

Ook Gibb draaide zich om en liep de deur uit. Hickman was absoluut niet zoals hij in de kranten werd beschreven. Hij was gewoon een oude, eenzame man, zo normaal als wat. Gibb bedacht dat hij zijn plan om met pensioen te gaan misschien moest uitstellen; met een man als Hickman als eigenaar zou er wel eens veel kunnen veranderen.

Hickman ging het kantoortje binnen en pakte de telefoon.

Cabrillo liep met Meadows en Seng in zijn kielzog de foyer in. Onmiddellijk kwam er een blonde man in een zwart pak en glimmend gepoetste schoenen op hen af.

'De heer Fleming heeft een afgescheiden deel van de eetzaal gereserveerd, zodat u daar ongestoord kunt praten,' zei de man, die daarmee op het hoofd van MI5 doelde. 'Volgt u mij?'

Seng en Meadows liepen naar de hoofdingang. Als bij toverslag kwamen diverse mannen die in de foyer een krant zaten te lezen overeind en volgden hen. Bij hun verkenning zouden ze niet alleen zijn.

Cabrillo volgde de blonde man naar de eetzaal. Daar aangekomen, liepen ze door naar een afgescheiden gedeelte, waar een man aan een tafel zat met een theepot en een zilveren schaal met gebakjes voor zich.

'Juan,' zei de man, terwijl hij opstond.

'John,' zei Cabrillo, zijn hand uitstekend.

'Zo is het in orde,' zei Fleming tegen de blonde man, die daarop wegliep en de deur achter zich sloot.

Fleming gebaarde naar een stoel en Cabrillo ging zitten. Vervolgens schonk Fleming een kop thee voor Cabrillo in en wees op de schaal met gebakjes.

'Ik heb al gegeten,' zei Cabrillo, terwijl hij het kopje thee aanpakte.

Fleming keek Cabrillo een moment lang recht in zijn ogen en zei toen: 'Nou, Juan, vertel eens, wat is er in godsnaam aan de hand?'

In de vergaderruimte van de *Oregon* waren alle stoelen bezet. Hanley kwam als laatste binnen en liep naar een spreekgestoelte, waarop hij een dossiermap legde.

'Dit is de actuele situatie,' begon Hanley. 'We denken dat we het gebied waarbinnen de bom zich bevindt, kunnen beperken tot de wijk West End in Londen. Truitt heeft het flatgebouw verkend dat de hoofdverdachte, Nebile Lababiti, onder valse naam heeft gehuurd, en hij heeft Lababiti en een tweede man vannacht laat thuis zien komen. Nadat ze de flat waren binnengegaan, heeft Truitt de directe omgeving met een geigerteller afgezocht, maar geen tekenen van straling aangetroffen. Jullie worden alle zes toegevoegd aan het team van Cabrillo, die daar met Meadows en Seng al aanwezig is. Truitt heeft Lababiti's Jaguar van een zender kunnen voorzien, en tot nu toe hebben we nog geen verplaatsingen waargenomen.'

'Hebben we enig idee wanneer ze willen toeslaan?' vroeg Ross.

'We vermoeden dat ze op een aanslag precies om middernacht aansturen,' antwoordde Hanley, 'als een symbolisch gebaar.'

'Wat wij precies moeten doen, krijgen we dus pas in Londen te horen?' vroeg Murphy.

'Inderdaad,' zei Hanley. 'Cabrillo werkt samen met MI5. In overleg met Cabrillo zullen zij ter plekke het commando voeren.'

Hanleys pieper trilde, waarop hij het toestelletje van zijn riem klikte en de melding las.

'Oké, jongens,' zei hij. 'Truitt is aangekomen. Hij zal jullie naar Londen brengen. Neem de kisten met spullen mee die Nixon heeft ingepakt. Ze staan bij de loopplank. Nog vragen?'

Niemand reageerde.
'Goed, veel succes dan,' zei Hanley, waarop de zes de vergaderruimte uitliepen.

Cabrillo beëindigde zijn verslag aan Fleming en nam een slok van zijn thee.
'Het zal voor de premier niet eenvoudig zijn om dit voor het grote publiek geheim te houden,' gaf Fleming toe.
'Je beseft dat de Hammadi Groep de bom, zodra ze merken dat ze zijn ontmaskerd, ieder moment tot ontploffing kunnen brengen,' zei Cabrillo. 'Het lijkt ons het beste om met behulp van de stemopname van Al-Khalifa contact met ze op te nemen, of te wachten tot zij in actie komen en ons, als we ze volgen, naar de bom brengen.'
'We moeten het concert afzeggen,' zei Fleming. 'Dan komen er in ieder geval minder mensen naar die omgeving.'
'Ik vrees dat dat bij de Hammadi Groep achterdocht zal wekken,' zei Cabrillo.
'We zullen toch ten minste de koninklijke familie en de premier op veilige afstand moeten zien te houden,' zei Fleming.
'Als dat ongemerkt kan,' reageerde Cabrillo, 'moet dat zeker gebeuren.'
'Het is de bedoeling dat prins Charles het concert van Elton John aankondigt, maar we kunnen zeggen dat hij zich niet goed voelt,' zei Fleming.
'Of een dubbelganger inzetten,' suggereerde Cabrillo.
'Als ze het op het concert hebben voorzien,' zei Fleming, 'en het wapen daar niet al is, zullen ze het er nog naartoe moeten brengen.'
'Als jullie mensen het hele terrein en de directe omgeving met geigertellers hebben afgezocht en geen straling hebben vastgesteld, kunnen we gevoeglijk aannemen dat ze van plan zijn de bom per auto te vervoeren.'
'Goed, als we de omgeving rond het concert afzoeken en niets vinden,' zei Fleming langzaam, 'moeten we alle toegangswegen naar Mayfair en St. James afsluiten.'

'Juist,' zei Cabrillo. 'Maar het verkeer is daar nogal druk. Zet in de zijstraten vrachtwagens klaar die de wegen bliksemsnel kunnen blokkeren, maar ik denk niet dat het zover zal komen. Als wij ons niet vergissen en Lababiti inderdaad de bom heeft, dan bevindt die zich in ieder geval niet in de Jaguar, maar moet hij daar wel ergens in de buurt zijn. Het enige wat wij kunnen doen, is hem zo dicht mogelijk op de huid blijven zitten, zodat hij echt geen stap ongezien kan doen. En dan is het zaak dat wij op het juiste moment ingrijpen.'

'Maar als we ons nu wel vergissen en hij ons niet naar de bom brengt,' zei Fleming, 'dan kunnen we hem alleen nog door een volledige afgrendeling van Mayfair en St. James tegenhouden.'

'Als je die vrachtwagens goed neerzet, komt er in die straten echt geen auto ter wereld doorheen.'

'Maar hebben we dan nog voldoende tijd om de bom onschadelijk te maken?' vroeg Fleming.

'Hoe verder weg van het concert we hem lokaliseren, hoe meer tijd we daarvoor zullen hebben. Zorg dat al je mannen een schema hebben waarop ze kunnen zien welke draden ze moeten doorknippen om de tijdklok uit te schakelen.'

'Mijn god,' zei Fleming, 'waarom weten we nou niet waar die bom is?'

'Als we dat wisten,' reageerde Cabrillo, 'ja, dan hadden we het heel wat makkelijker.'

40

Overholt bracht verslag uit aan zijn hoogste baas.

'Dus zo staan de zaken er momenteel voor,' besloot Overholt op de vroege ochtend van oudejaarsdag.

'En u hebt de Engelsen alle steun toegezegd die we hun mogelijkerwijs kunnen geven?' vroeg de president.

'Absoluut,' antwoordde Overholt. 'Fleming, het hoofd van MI5, zei dat er op dit moment niets was wat we konden doen, als we alleen wel een paar nucleaire deskundigen van de luchtmachtbasis Mindenhall ter beschikking wilden stellen voor het geval dat.'

'En dat is gebeurd, neem ik aan,' zei de president.

'De Amerikaanse luchtmacht heeft hen een uur geleden met helikopters weggebracht,' zei Overholt. 'Ze zijn nu in Londen en nemen daar contact op met de Corporation en MI5.'

'Wat kunnen we verder nog doen?'

'Ik heb het Pentagon ingelicht,' zei Overholt, 'en zij bereiden de levering voor van hulpgoederen en medische apparatuur voor het geval het toch fout gaat.'

'Ik heb al het niet direct noodzakelijke personeel van de ambassade in Londen opdracht gegeven de stad uit te gaan,' zei de president. 'Vanwege de vakantie waren dat er sowieso niet veel.'

'Het enige wat we nu nog kunnen doen,' zei Overholt, 'is bidden dat het goed afloopt.'

Aan de andere kant van de grote vijver bracht Fleming de premier van de situatie op de hoogte.

'Dat was het laatste nieuws,' besloot hij. 'We moeten u en uw gezin zo spoedig mogelijk evacueren.'

'Ik ben niet iemand die voor problemen wegloopt,' zei de premier. 'Evacueer mijn gezin, maar ik blijf. Als het fout gaat, kan ik mijn landgenoten toch niet laten sterven terwijl ik van het gevaar op de hoogte was?'

Deze discussie, waarin Fleming de premier probeerde over te halen ook zichzelf in veiligheid te brengen, ging nog een paar minuten door. Maar de premier hield voet bij stuk.

'Op die manier,' argumenteerde Fleming, 'wordt u een martelaar die vervolgens niemand meer kan helpen.'

'Dat is zo,' zei de premier peinzend, 'maar ik blijf!'

'Laten we u dan in ieder geval wel naar de bunkers onder het ministerie van Defensie brengen,' pleitte Fleming. 'Die zijn bombestendig en generatoren zorgen er voor frisse lucht.'

De premier kwam overeind. Het overleg was afgelopen.

'Ik kom naar het concert,' zei hij. 'Zorg voor de beveiliging.'

'Komt in orde,' zei Fleming, waarna ook hij opstond en naar de deur liep.

Tegenover de flat in de zijstraat van de Strand waren vier supergevoelige paraboolmicrofoons zodanig op de daken van de gebouwen geïnstalleerd dat ze verdekt opgesteld op de vensters van Lababiti's flat gericht stonden. De schotels vingen trillingen van de ruiten op en versterkten deze tot alle geluiden in de flat net zo helder overkwamen als bij de modernste muziekopnames.

Een twaalftal MI5-agenten patrouilleerde vermomd als taxichauffeurs in de omringende straten, terwijl anderen de omgeving als winkelende passanten en restaurantbezoekers in de gaten hielden. In de foyer van het hotel recht tegenover de flat in de zijstraat wachtten agenten achter opengeslagen kranten op de dingen die komen gingen.

Truitt stond op van zijn stoel naast de chauffeur toen de bus voor het Savoy tot stilstand was gekomen. Hij had Cabrillo met zijn gsm gebeld en Meadows en Seng stonden hen bij de deuren van de foyer op te wachten. Truitt stapte uit en liep, gevolgd door de anderen, op zijn collega's af.

'We hebben een bespreking in de suite van Cabrillo,' zei Meadows, terwijl hij de deur voor hen openhield.

In het voorbijlopen gaf Seng iedereen zijn kamersleutel. Een paar minuten later waren ze allemaal bijeen in Cabrillo's suite. Toen iedereen een zitplaats had gevonden, nam Cabrillo het woord.

'MI5 heeft besloten dat ze geen poging zal ondernemen de bom te vinden voordat de tegenstander in actie komt,' zei hij. 'Wij vervullen uitsluitend een ondersteunende rol in het geval de bom desondanks toch in de directe omgeving van het concert mocht geraken.'

'Waar bevindt de verdachte persoon zich momenteel?' vroeg Murphy.

'We hebben afluisterapparatuur op de flat gericht,' antwoordde Cabrillo, 'en op dit moment slapen ze nog.'

'Wat is onze taak precies?' vroeg Linda Ross.

'We zijn allemaal getraind in het onschadelijk maken van bommen, en daarom worden jullie op diverse plaatsen langs de mogelijke routes naar het festivalterrein geposteerd. Daar wachten we tot er een beroep op ons wordt gedaan.'

Cabrillo liep naar een prikbord van kurk op een standaard. Op het bord was een plattegrond van het centrum van Londen geprikt, waarop met een gele markeerstift lijnen waren aangebracht.

'Uitgaande van de locatie van de flat zijn dit de meest waarschijnlijke routes,' zei Cabrillo. 'We gaan ervan uit dat degene die de bom in bezit heeft, waar hij zich nu ook bevindt, Lababiti en de andere man eerst zal ophalen voordat ze de bom naar het concertterrein brengen.'

'U denkt dat ze de bom daar verstoppen, de tijdklok instellen en er dan vandoor gaan?' vroeg Kasim.

'Dat hopen we althans,' moest Cabrillo toegeven. 'Dit type

wapen is van een veiligheidschakelaar voorzien met een vertraging van tien minuten tussen ontsteking en detonatie, ter voorkoming van een ongewilde explosie.'

'Dus met het simpel overhalen van een schakelaar kun je het splijtingsproces in werking stellen?' vroeg Julia Huxley.

'Nee,' antwoordde Cabrillo, 'de Russische wapens zijn wat dat betreft net als de onze: er is een hele reeks stappen die genomen moeten worden voor het wapen operationeel is. Het wapen dat ze volgens ons hebben gekocht, is een zogenaamde "babybom", speciaal ontwikkeld voor doelgerichte vernietiging. Het hele wapen past in een kist van anderhalve meter lang, een meter breed en een meter hoog.'

'En het gewicht?' vroeg Franklin Lincoln.

'Zo'n honderdtachtig kilo.'

'Dus dan kunnen ze hem in ieder geval niet met een fiets of iets dergelijks vervoeren?' concludeerde Pete Jones.

'Nee, daar hebben ze een auto voor nodig,' zei Cabrillo, 'en dat betekent dat ze hem over de weg moeten vervoeren.'

Cabrillo wees op de plattegrond de flat aan.

'Van de flat,' zei hij, 'kunnen ze een aantal routes nemen. De eerste ligt recht achter ons. Van de Strand slaan ze Savoy Street in naar de Theems en gaan via het Victoria Embankment naar het zuiden. Vandaar hebben ze verschillende mogelijkheden. Via Northumberland Avenue en dan de Mall, of ze rijden door en gaan via Bridge Street, Great George Street en de Birdcage Walk. De tweede mogelijkheid is dat ze rechtstreeks van de Strand naar de Mall rijden, maar dan moeten ze over de pleinen Charing Cross en Trafalgar Square, waar over het algemeen nogal veel verkeer is. Een derde mogelijkheid is dat ze via allerlei zijstraten gaan, dat is weliswaar een omweg, maar wel lastiger te volgen. Op dit punt tasten we gewoon nog in het duister.'

'Wat denkt u zelf, chef?' vroeg Truitt.

'Ik geloof niet dat ze de bom eerst nog uit een ander deel van Londen aanvoeren,' zei Cabrillo. 'Volgens mij is hij in de buurt van Lababiti. Het beginpunt is dus bij de flat van Lababiti of daar ergens dichtbij, en als ik de chauffeur was, zou ik het zo snel mogelijk doen om daarna onmiddellijk uit de primaire explosiezone weg te vluchten. Ik zou via het Victoria Embankment gaan en vandaar naar het park rijden waar het concert plaatsvindt, daar het ontstekingsmechanisme in werking stellen en tijdens mijn vlucht de tijd in de gaten houden. Na negen minuten zou ik een solide gebouw opzoeken om in te schuilen.'

'Hoever reikt de primaire explosiezone?' vroeg Truitt.

Cabrillo pakte de markeerstift en trok een cirkel op de plattegrond. Aan de noordrand lagen de A40 en Paddington, de zuidrand lag voorbij Chelsea vrijwel bij de Theems. De oostgrens lag bij Piccadilly Circus en de westgrens liep door Kensington en Notting Hill.

'Binnen deze cirkel wordt alles volledig weggevaagd. In het gebied tot anderhalve kilometer buiten de cirkel, waarin zich de meeste regeringsgebouwen bevinden, zal de schade aanzienlijk zijn en in een straal van acht kilometer van het explosiepunt zal naast de schade aan gebouwen ook de fallout, de radioactieve straling, desastreuze gevolgen hebben.'

Zwijgend keek men naar de plattegrond.

'Dat is dus vrijwel heel Londen,' zei Murphy ten slotte.

Cabrillo knikte.

'En wij zijn dan dus ook geroosterd,' merkte Huxley, de arts, op.

'Is dat een medische term,' vroeg Jones, 'geroosterd?'

Larry King liep naar het veld waar Adams niet al te ver van de *Oregon* was geland. Bukkend onder de draaiende rotorbladen opende hij de achterdeur van de Robinson R-44 en legde zijn in een hoes verpakte geweer plus een aantal dozen achter in de cabine, waarna hij de deur weer sloot, de voorste deur opende en zelf op de stoel naast de piloot plaatsnam. Nadat hij de koptelefoon had opgezet, trok hij de deur dicht en sloot hem af. Pas toen wendde hij zich tot Adams.

'Goeiemorgen, George,' zei hij laconiek.

'Larry,' zei Adams, terwijl hij de Robinson liet opstijgen, 'hoe is het met je?'

Adams draaide aan de cyclische spoed, waarop de helikopter naar voren schoot.

'Een mooie dag voor een jacht,' zei King, terwijl hij door het zijraam naar het voorbijglijdende landschap keek.

Hanley had geregeld dat ze zich met de helikopter op het dak van een wegens de feestdagen gesloten bank mochten opstellen. Het heliplatform werd gebruikt door helikopters van koerierdiensten, en dat alleen 's nachts gedurende de werkweek.

Maar eerst moesten ze nog iets afleveren bij Battersea Park.

Meadows, Seng en Truitt zaten in de geleende Range Rover en tuurden de lucht af. Toen de Robinson in zicht kwam, draaide Meadows zich om en richtte zich tot Truitt.

'Majesteit,' zei hij, 'uw gezicht is gearriveerd.'

Het idee om Truitt voor prins Charles te laten spelen kwam van Cabrillo, en Fleming had ermee ingestemd. Om te beginnen was de Magic Shop op de *Oregon* uitgerust met de middelen voor de productie van een exact op de prins gelijkend masker van latex dat aan het gezicht van alle leden van het Corporation-team kon worden aangepast met behulp van computerscans die Nixon al eerder van hen allemaal had gemaakt en opgeslagen. Ten tweede had Cabrillo graag een betrouwbare collega in die rol, en hij wist dat Truitt in dit soort situaties met geen mogelijkheid van zijn stuk te brengen was. En ten derde leek Truitt van alle medewerkers qua fysiek en manier van doen het meest op de troonopvolger.

'Mooi,' zei Truitt, 'waarom gaan jullie gewone burgers hem dan niet even voor me halen? Het is nogal nat en kil buiten en ik zit hier lekker warm.'

Meadows schoot in de lach en stapte uit. Hij rende naar de helikopter toen die geland was en pakte de door King aangereikte doos met het masker aan. Hij liep terug naar de Range Rover, draaide zich om en keek hoe Adams weer opsteeg.

Adams stak de Theems over en vloog in noordelijke richting naar Westminster tot boven Palace Street, waar hij de bank zag en op het dak landde. Zodra de rotorbladen stilstonden, stapte King uit en liep naar de rand van het dak, waar hij over een borsthoge muur omlaag keek. Vlakbij zag hij in noordwestelijke richting de Palace Gardens en iets verder weg Hyde Park. Het terrein was al met kassa's afgezet voor het concert van die avond.

De enorme vrachtwagen met het opschrift Ben & Jerry's ijs werkte niet op de speekselklieren, maar dat deed de winkel van Starbucks wel. King liep terug naar de Robinson en keek Adams glimlachend aan.

'In een van deze dozen zit door de keuken klaargemaakt eten, plus flesjes mineraalwater en een thermoskan koffie,' zei hij, op het achterste deel van de cabine wijzend, 'en ik heb ook wat boeken en nieuwe tijdschriften ingepakt.'

'Hoelang moeten we hier wachten, denk je?' vroeg Adams.

King keek op zijn horloge. Het was tien uur in de ochtend. 'Maximaal tot twee uur vanmiddag,' antwoordde hij, 'maar laten we hopen dat ze hem eerder vinden.'

In het Savoy Hotel trokken de leden van het team de kleren aan die Truitt voor hen had gekocht. Na elkaar druppelden ze Cabrillo's suite binnen voor de laatste instructies. Ze hadden allemaal supergevoelige zendertjes met oortjes voor het onderlinge contact. De microfoontjes waren in hun hals bij het strottenhoofd bevestigd. Als ze iets wilden zeggen, hoefden ze alleen een vinger tegen hun keel te drukken en te praten. Iedereen kon dan horen wat ze zeiden.

De drie koppels zouden een halve cirkel rond Green Park vormen met het gesloten deel naar de Strand gericht en het open deel naar Green en St. James's Park.

Het verst naar het noordoosten zouden Kasim en Ross zich tussen Dover Street en Berkley Street op Piccadilly opstellen. Ze verlieten het Savoy en werden er door een chauffeur van MI5 naartoe gebracht. Jones en Huxley vormden het midden van de halve cirkel. Zij werden aan de overkant van Trafalgar Square bij het metrostation Charing Cross gestationeerd. Als de bom van de Strand via de kortste weg werd vervoerd, zou hij hen daar op korte afstand passeren. Het laatste koppel, Murphy en Lincoln, werd naar het gebied voor de War Cabinet Room aan Great George Street en Horse Guards Road gestuurd. Als het transport van de bom via het Victoria Embankment zou gaan, moesten zij hem onderscheppen. Als ze wilden, konden ze zich zo opstellen dat ze vrij uitzicht op het St. James's Park hadden.

Omdat zij de enigen waren die het park konden zien, had Murphy een zak vol kleine handgranaten, geweren en rookbommen bij zich. De andere koppels waren bewapend met handwapens, messen en spijkers, waar – op het wegdek gegooid – geen autoband tegen bestand was.

Cabrillo zou in de buurt van de flat blijven. En daar in de straat krioelde het van de MI5-agenten. De ochtend verstreek en het werd middag, maar er verroerde zich nog niets.

41

Lababiti mocht dan een liederlijke schurk zijn, maar hij was ook een door en door getrainde terrorist. Dit was een cruciale dag, en hij was niet van plan ook maar iets aan het toeval over te laten. Nadat hij Amad in het begin van de middag had gewekt, hield hij hem een stuk papier voor met in het Arabisch de tekst: *Vanaf nu niet meer praten, alles opschrijven wat je wilt zeggen.* Amad knikte en kwam overeind.

Nadat hij van Lababiti een vel papier en een pen aangereikt had gekregen, schreef hij: *Luisteren de ongelovigen ons af?*

Dat zou kunnen, schreef Lababiti.

De daaropvolgende uren communiceerden de beide mannen uitsluitend met briefjes. Lababiti legde hem de plannen uit. Amad bevestigde dat hij alles had begrepen. Toen ze klaar waren, was de duisternis al ingevallen. Lababiti's laatste mededeling was kort en bondig.

Ik moet nu zo weg – jij weet waar het zwaard van Allah zich bevindt en wat je ermee moet doen – succes.

Amad slikte en knikte. Zijn handen trilden toen Lababiti hem een glas Araq gaf om hem te kalmeren. Nog geen vijf minuten later besloot Cabrillo om de flat uiteindelijk toch met de telefoon van Al-Khalifa te bellen. Maar de mannen waren niet van plan om hun zwijggelofte te breken. De telefoon ging vier keer over, waarna het antwoordapparaat zich inschakelde. Cabrillo besloot om geen bericht achter te laten.

De troef die de Corporation achter de hand had gehouden en waarvan ze zoveel hadden verwacht, bleek van nul en generlei waarde.

'Er is beweging,' zei een van de MI5-agenten die de ontvangst van de paraboolmicrofoons in de gaten hielden via de radio.

Het was bijna negen uur in de avond en het was in Londen lichtjes gaan sneeuwen. De temperatuur was net iets boven het vriespunt en de sneeuw bleef niet liggen; de wegen werden er alleen maar nat van. Als de temperatuur ook maar iets zou dalen, werd het spekglad op straat. Rond de gebouwen werd het nevelig en uit de talloze ventilatieschachten walmden witte dampwolken. De kerstversieringen in de etalages droegen bij aan de feestelijke sfeer en in de drukbevolkte straten heerste een vrolijke stemming.

Afgezien van het feit dat er een nucleair wapen in de buurt was, leek er geen vuiltje aan de lucht.

Lababiti ging met de lift naar beneden. Hij had Amad uitgelegd hoe hij in de winkel kon komen; het voertuig dat voor het transport van de bom klaarstond, was volgetankt en een week eerder grondig nagekeken. De Jemeniet wist hoe hij de tijdklok in werking moest stellen. Meer hoefde hij niet te doen.

Nu alleen nog zien weg te komen.

Lababiti's plan was eenvoudig. In de Jaguar zou hij door de stad naar de M20 rijden. Dat moest in drie kwartier te doen zijn. Via de M20 zou hij in zuidelijke richting naar het station van Folkestone gaan, een afstand van een kleine honderd kilometer. Daar kwam hij een halfuur vroeger aan dan nodig was voor het inchecken op de autotrein die om halftwaalf zou vertrekken.

De trein zou dan rond middernacht aan de andere kant de Kanaaltunnel uitkomen en om vijf over twaalf in Coquelles bij Calais stoppen. Lababiti was dan net veilig uit de tunnel wanneer die eventueel als gevolg van de bomexplosie zou instorten. Bovendien kon hij veilig achter het raam van de trein getuige zijn van de hemelhoog oprijzende paddestoelwolk.

Hij had zijn vlucht goed voorbereid en exact uitgekiend.

Lababiti wist echter niet dat een groot aantal MI5-agenten, plus de teamleden van de Corporation, iedere beweging van hem nauwlettend in de gaten hielden. Hij was de haas en de jachthonden hadden hem geroken.

Lababiti stapte de lift uit en liep door de hal naar buiten de straat op. Hij keek om zich heen, maar er was niets wat zijn argwaan wekte. Afgezien van een onbestemd gevoel dat hij door onzichtbare ogen gevolgd werd, was hij zelfverzekerd en ontspannen. Dat onbestemde gevoel was gewoon paranoia, dacht hij, de spanning van de genadeloze afrekening die ophanden was. Lababiti zette deze gedachten van zich af, opende het portier van de Jaguar en stapte in. Hij startte de motor, schakelde, reed naar de kruising en sloeg rechtsaf de Strand in.

'We volgen z'n signaal,' zei een van de MI5-agenten door de radio.

De zender die Truitt aan de benzinetank had bevestigd, functioneerde volgens plan.

Bij de ingang van het Savoy stonden Fleming en Cabrillo op het trottoir en zagen de Jaguar de hoek om komen. Fleming keerde zijn rug naar de auto en sprak in de microfoon aan zijn hals.

'De teams vier en vijf volgen hem op afstand.'

Nadat de Jaguar de Strand was opgedraaid, trok er een langs de stoep geparkeerde taxi op die hem op veilige afstand volgde. Honderd meter verder passeerde de Jaguar een bestelwagen met het logo van een 24-uurs koerierdienst. Ook de bestelwagen mengde zich in het verkeer en zette onopvallend de achtervolging in.

'De Jaguar is stralingsvrij, dus daar zit de bom niet in,' zei

Fleming tegen Cabrillo. 'Wat denk je, wat gaat Lababiti doen?'

'Hij smeert 'm,' antwoordde Cabrillo. 'Naar het vliegveld, het station... zoiets. Dan moet je je mannen zeggen dat ze hem pakken. Zorg er alleen wel voor dat hij niet de kans krijgt zijn telefoon te gebruiken voordat ze hem hebben ingerekend.'

'En dan?' vroeg Fleming.

'Neem je hem mee terug hiernaartoe,' zei Cabrillo op een toon die de toch al koude lucht nog meer verkilde. 'Dat feestje hier mag hij toch niet missen.'

'Briljant,' zei Fleming.

'Eens kijken hoever zijn bereidheid gaat om voor Allah te sterven.'

De spanning steeg naarmate het middernachtelijke uur dichterbij kwam.

De op Lababiti's flat gerichte microfoons registreerden het geluid van een hardop biddende Amad. Fleming had zich bij het groepje MI5-agenten in de foyer van het hotel ertegenover gevoegd. De drie koppels van de Corporation stonden nu al ruim dertien uur op hun posten. Ze begonnen er langzamerhand meer dan genoeg van te krijgen. Cabrillo liep op de hoek van Bedford Street ongedurig heen en weer; hij was nu al honderden keren langs de winkel met klassieke motorfietsen, een afhaalrestaurant en een kleine supermarkt gelopen.

'We moeten nu toch echt naar binnen,' zei een van de MI5-agenten tegen Fleming.

'En als die bom hier nu vlakbij is,' zei Fleming, 'en de tijdklok door iemand anders in werking is gesteld? Dan hebben we het gemist... en gaat heel Londen de lucht in. We moeten afwachten... er zit niets anders op.'

Er kwam een andere MI5-agent de foyer binnen. 'We hebben twintig auto's in de omliggende straten,' zei hij tegen Fleming. 'Zodra de verdachte met wat voor auto dan ook wegrijdt, kunnen we het verkeer onmiddellijk stilleggen.'

'En alle bomexperts staan paraat?'

'Vier Britten' – de man knikte – 'en twee man van de Amerikaanse luchtmacht.'

Op dat moment stopte het bidden van Amad en hoorden ze het geluid van door de flat lopende voetstappen.

'Er is beweging,' zei Fleming via zijn halsmicrofoon tegen de tientallen mensen die stonden te wachten. 'Grijp níét in voordat hij op zijn plaats van bestemming is aangekomen.'

Fleming hoopte vurig dat het nu snel voorbij zou zijn. Het was 23:49 uur.

Er waren MI5-agenten aan de voor-, achter- en zijkanten van het flatgebouw. Alle auto's in de straat waren voorzien van een zender en een elektronisch apparaatje waarmee de motor op afstand kon worden afgezet. Ook waren ze allemaal met een geigerteller gecontroleerd en stralingsvrij bevonden.

Iedereen ging ervan uit dat Amad naar een andere locatie zou rijden om daar de bom op te halen.

Maar de bom was beneden in het gebouw zelf. Hij lag in het zijspan van een Russische Ural-motorfiets, van hetzelfde model waarop Amad in Jemen had getraind.

Toen de deur van de flat openging en Amad naar buiten stapte, liep er een MI5-agent door de hal naar de lift, waar hij het knoppenpaneel in de gaten hield. Hij zag dat de lift naar de verdieping van Lababiti ging, vervolgens weer omlaag kwam en op de eerste etage stopte.

De MI5-agent gaf dit fluisterend in zijn halsmicrofoon door, waarna hij snel de hal uitliep. Bij iedereen die dit hoorde, steeg de spanning: nu ging het gebeuren!

De kou en natte sneeuw hadden de culinaire en alcoholische consumptiebehoefte van de oudjaarvierders niet gedrukt. In het gebied rond Hyde Park en Green Park waren tienduizenden feestende mensen op de been. Achter het podium bracht een afgevaardigde van MI5 de popster op de hoogte van de harde realiteit.

'U had ons eerder moeten waarschuwen,' zei zijn manager kwaad, 'dan hadden we het concert afgelast.'
'Dat zégt hij toch net,' zei Elton John. 'Dan had dat bij de terroristen argwaan gewekt.'
Het lag voor de hand om de in een geel glitterkostuum geklede popster op met knipperlichtjes versierde plateauzolen af te doen als een door de aangewaaide luxe verwende en verwaande popartiest, maar het tegendeel was waar. Reginald Dwight had zich met keihard werken en een ijzeren doorzettingsvermogen van een armzalig schnabbelbestaan uiteindelijk opgewerkt naar de top. Om decennia lang steeds weer de top van de hitlijsten te halen moet je wel hard en realistisch zijn. Elton John was niet kapot te krijgen.
'De koninklijke familie is wel geëvacueerd, toch?' vroeg hij.
'Meneer Truitt, komt u maar,' riep de MI5-agent naar buiten.
Truitt pakte de klink van de deur en hees zich via het opstapje de trailer in.
'Dit is de stand-in voor prins Charles,' zei de agent.
John bekeek Truitt en grinnikte. 'Het is 'm sprekend,' zei hij.
'Meneer,' zei Truitt, 'laat het duidelijk zijn dat we de bom onderscheppen en onschadelijk maken voordat er iets kan gebeuren. We stellen het zeer op prijs dat u met ons meewerkt.'
'Ik heb alle vertrouwen in onze MI5,' zei John.
'Hij is van MI5,' zei Truitt, 'maar ik ben van de Corporation, dat is een andere organisatie.'
'De Corporation?' zei John. 'Wat moet ik me daarbij voorstellen?'
'Een particuliere geheime dienst,' antwoordde Truitt.
'Geheime dienst,' zei John hoofdschuddend, 'wat moet ik daar nou weer van denken? Zijn jullie wel een beetje goed?'
'We hebben een honderd procent score. Er is nog nooit iets fout gegaan.'

John stond op van zijn stoel; het was tijd om naar het podium te gaan. 'Doe me een lol,' zei hij, 'en hou het vanavond op honderdentien procent.'

Truitt knikte.

John was al bij de deur, waar hij bleef staan. 'Zeg tegen de cameramensen dat ze prins Charles niet al te zeer close-up nemen. De vijand kan meekijken.'

'Ga je echt het podium op?' vroeg zijn manager ongelovig.

'Zeker weten,' zei John, 'daar staat een aanzienlijk deel van mijn landgenoten, en die zijn gekomen om een show te zien. Als deze heren,' vervolgde hij, naar Truitt en de MI5-agent gebarend, 'het probleem nu even uit de wereld helpen, dan kan ik rustig gaan zingen.'

Truitt glimlachte en volgde John naar het podium.

Er zijn zes richtingen van waaruit je een ruimte kunt binnengaan: vier muren, een vloer en door het plafond. Amad gebruikte de laatste mogelijkheid. Aan het eind van de gang op de eerste etage van het flatgebouw was een opslagruimte. Twee maanden eerder had Lababiti de plankenvloer in de kast losgezaagd en verwijderd. Daarna had hij met een decoupeerzaag in het onderliggende plafond een rond gat met een doorsnee van zestig centimeter uitgezaagd. In de tussenruimte had hij een touwladder verstopt. Nadat hij het zaagsel in de benedenruimte had opgeruimd en het gat weer met klemmen had dichtgemaakt, had hij ook de plankenvloer in de kast teruggelegd en de kieren met wat stof en vuil onzichtbaar gemaakt. Sindsdien had hij het luik niet meer gebruikt.

Amad opende de deur van de voorraadkast met een sleutel die Lababiti had laten namaken.

In de deuropening en met zijn rug naar de lege gang zakte hij door zijn knieën en wrikte met een schroevendraaier de planken los. Nadat hij het luik rechtop tegen de muur had gezet, stapte hij de kast in en sloot de deur achter zich. Vervolgens schroefde hij een paar meegenomen haken in de muur, waaraan hij de touwladder bevestigde. Daarna trok hij de houten afsluiting van het gat in het onderliggende plafond op en legde het naast zich in de kast. Ten slotte liet hij de ladder door het gat zakken en klauterde naar beneden.

Alle MI5-agenten op de omringende daken hielden hun paraboolmicrofoons op de eerste etage gericht.

'Niets,' meldden ze om beurten.

De MI5-agent die al eerder in de hal de lift had gecontroleerd, ging het gebouw weer in. Het verlichte cijfer van de lift gaf aan dat deze nog op de eerste etage was.

'Nog steeds op de eerste,' gaf hij door aan Fleming.

In het hotel aan de overkant van de straat keek Fleming op zijn horloge. Er waren vier minuten verstreken sinds de verdachte met de lift naar de eerste etage was gegaan. 'Neem de trap,' zei hij tegen de agent.

Amad las de in het Arabisch gestelde instructies en klapte het deksel over het ontstekingsmechanisme van het wapen open. De tekens waren cyrillisch, maar de betekenis was eenvoudig te begrijpen. Amad haalde een tuimelschakelaar over, waarop er een led-lampje begon te knipperen. Met een draaiknop stelde hij de tijd in op vijf minuten.

Daarna stapte hij op de Ural en trapte op de kickstarter. Toen de motor liep, pakte hij de afstandsbediening van de garagedeur, die met plankband aan een van de handgrepen was bevestigd, en drukte op de knop. Hij schakelde in de eerste versnelling en reed met een vaartje van ruim vijftien kilometer per uur onder de tot een meter tachtig geopende en verder omhoogschuivende deur door de straat op.

Toen gebeurde er opeens van alles tegelijk.

De agent had de eerste verdieping bereikt en meldde juist dat gang leeg was, toen de garagedeur omhoogschoof. 'Er gaat een deur open,' zei Fleming in zijn microfoon, terwijl hij in de foyer naar de uitgang rende.

Hij was net bij de glazen deuren aangekomen toen de motorfiets opdook en de straat opreed. Het volgende moment was Amad al bij de hoek, waar hij de Strand opdraaide.

'Verdachte rijdt op een motorfiets,' riep hij in de microfoon.

De scherpschutters hadden Amad in het vizier, maar hij was de bocht al om voordat ze bevel kregen te schieten.

Op de Strand hoorden drie MI5-agenten in taxi's de melding van Fleming. Ze scheurden weg van hun standplaatsen en probeerden de Ural de pas af te snijden. Amad zwenkte naar links en wist ze via de stoep te ontwijken, waarna hij de weg weer opdraaide en volgas gaf. Terwijl hij de snelheid bleef opvoeren, laveerde hij als een waanzinnige heen en weer zwenkend door het verkeer.

Vóór hem probeerde een door een MI5-agent bestuurde vrachtwagen de straat te blokkeren, maar Amad schoot er nog net langs.

Ze zitten achter me aan, dacht hij. Of hij de bom op de aangewezen plek afleverde of onderweg stierf, maakte weinig meer uit. Een martelaar was hij in ieder geval en Londen zou branden, hoe dan ook.

Cabrillo zag hoe de auto's van MI5 de slag misten. Ze hadden niet voorzien dat de verdachte een motorfiets zou gebruiken en dit gooide de hele planning overhoop. Hij kon maar één ding doen, en Cabrillo aarzelde geen moment.

Met één ruk graaide hij een krantenstandaard van het trottoir en keilde die door de etalageruit van de motorfietsenzaak. Onmiddellijk begon de sirene van het diefstalalarm te loeien, maar Cabrillo sprong door het gat in de ruit. Van de Vincent Black Shadow uit 1952 stak het sleuteltje in het contact. Nadat hij met zijn schoen de scherpe stukken glas die nog in de onderrand van de ruit staken had weggetrapt, sprong hij met zijn volle gewicht op de kickstarter, waarop de motor in één keer aansloeg. Nadat hij het voorwiel met een zetje over de onderrand van de ingeslagen glazen voorpui had gewipt, gaf hij gas en schoot het trottoir op.

Met een luid loeiende motor spoot de Ural langs de winkel naar het einde van de Strand.

Cabrillo draaide het gas helemaal open en zette de achtervolging in. De Ural was snel, maar een Black Shadow kende zijns gelijke niet. Als de Ural met zijn vliegende start niet al een voorsprong had gehad, zou de Shadow hem binnen enkele seconden hebben ingehaald.

'Verdachte rijdt op een donkergroene motor met zijspan in de Strand,' riep Fleming via de radio, 'hij heeft de bom bij zich. Ik herhaal: de bom is in het zijspan.'

De Robinson met Adams en King steeg op. Bij Trafalgar Station trokken Jones en Huxley hun wapens en richtten die op de weg. Het krioelde er van de voetgangers, en het vinden van een schietpositie met vrij zicht was ondoenlijk. Voor het War Cabinet Room keerden Murphy en Lincoln het Victoria Embankment de rug toe en richtten zich op het St. James's en het Green Park. Op Piccadilly Street gingen Kasim en Ross uiteen en namen ieder een eigen deel van de straat voor hun rekening.

Achter het podium werd Truitt afzijdig gehouden van de andere aanwezigen tot het tijd was om op te komen. Van de ene voet op de andere huppend, wachtte hij op het seintje.

'Showtime,' zei Johns manager.

Truitt keek om naar de MI5-agent, maar die sprak in zijn microfoon, waarop Truitt het podium opliep en achter de microfoon ging staan.

'Dames en heren,' zei hij, 'het is mij een grote eer en genoegen het nieuwe jaar te mogen verwelkomen, hier met u en met een van onze allergrootste artiesten: sir Elton John!'

Afgezien van het licht op Truitt was het podium in het donker gehuld, maar na zijn laatste woorden floepte er een op Elton John gerichte schijnwerper aan. Hij zat op een verhoging achter zijn vleugel. Nog altijd gekleed in het gele kostuum, ging zijn hoofd nu half schuil onder een camouflagehelm van het Britse leger.

De begeleidingsband zette het intro van 'Saturday Night's Alright for Fighting' in. Een seconde later klonk Elton Johns stem op.

Truitt liep het podium af en wendde zich tot de MI5-agent.
'Hij komt eraan, op een motorfiets,' zei de agent.
'Ik begeef me onder het volk,' zei Truitt.

De Ural raasde met Cabrillo op de Vincent Black Shadow in zijn kielzog langs de zuil met het standbeeld van Nelson. Cabrillo wilde zijn jas opendoen zodat hij bij zijn schouderholster kon, maar bij deze snelheid was het onverantwoord het stuur ook maar een seconde los te laten. Opnieuw gaf hij een dot gas en toen ze het Charing Cross-metrostation passeerden, kwam hij op gelijke hoogte met de Ural. Huxley en Jones renden de straat op en probeerden de langsrazende motoren onder schot te nemen, maar Cabrillo was er te dicht bij en er waren te veel omstanders. Het risico was te groot.

Op de kruising van de Strand en Cockspur Street stuurde Cabrillo zó dicht langs de Ural dat hij Amad een trap kon geven. De Jemeniet maakte een hevige slinger, maar hield zijn machine onder controle.

'Ze rijden rechtdoor over de Mall,' riep Jones over de radio.

Kasim en Ross renden via de Queen's Walk naar het concertterrein.

Murphy kon heel uitbundig zijn, maar met een sluipschuttersgeweer in zijn handen was hij de rust zelve. Lincoln zocht door een verrekijker turend het park af. 'Het enige punt waar we door de bomen vrij zicht hebben, is als ze vlakbij het Queen Victoria Memorial zijn,' zei Lincoln.

'Het verkeer op het plein gaat met de wijzers van de klok mee, toch?' vroeg Murphy.

'Klopt,' antwoordde Lincoln.

'Dan pak ik die schoft als hij afremt voor de bocht... op de JFK-manier,' zei Murphy.

'Ik zie ze,' zei Lincoln, toen hij de voorkant van de motoren in het oog kreeg.

Adams vloog met een boog naar links over de Old Admiralty Buildings en schoot omlaag over de Mall achter de motoren aan.

'Head and shoulders,' zei King door de headset.

'Heb je roos dan?' reageerde Adams.

'Nee, tussen hoofd en schouders,' antwoordde King, 'daar neem ik dat mormel te grazen.'

Hij keek door zijn vizier en reguleerde zijn ademhaling. Zijn ogen traanden door de koude wind die door de open deur van de helikopter blies, maar dat merkte King nauwelijks.

Cabrillo keek voor zich uit. Er stond een lange rij kraampjes langs het plein rond het Queen Victoria Memorial. Ze naderden de rand van het concertterrein. Hij stuurde weer langszij de Ural met de bedoeling er vanaf de rijdende motor bovenop te springen.

'Vier, drie, twee, één,' zei Lincoln.

Murphy drukte af op hetzelfde moment dat King een kort salvo vanuit de helikopter op de motorrijder afvuurde. Amad was haast midden op het plein toen het bloed uit zijn hoofd, borst en schouders spatte. De volgende seconde was hij dood, en toen Cabrillo op vrijwel datzelfde ogenblik van zijn Vincent op de Ural oversprong, grepen zijn handen een levenloos lichaam beet.

De Vincent sloeg tegen het wegdek en schoof in een regen van opspattende vonken nog een stuk door voordat hij tot stilstand kwam. Cabrillo duwde Amad van de motor; hij stuiterde als een van een tafel vallende testpop over het asfalt. Met zijn handen aan het stuur lukte het Cabrillo de Ural in z'n vrij te schakelen en af te remmen. Vlak voor het begin van de rij kraampjes kwam de motor tot stilstand.

Cabrillo keek naast hem op de tijdklok. De wijzer was net over de twee heen. Hij hoopte dat het minuten waren en niet een ander soort schaalverdeling.

Truitt was al een meter of twintig de menigte in gerend,

voordat hij zich realiseerde dat hij zijn masker af moest doen. Als prins Charles wilde iedereen hem aanraken. Toen hij het masker van zijn gezicht begon te trekken, deinsden de omstanders geschrokken terug.

'Cabrillo heeft de bom onder controle bij het Queen Victoria Memorial,' meldde Lincoln via de radio.

Het schrille geluid van gillende sirenes verscheurde de lucht toen de MI5-teams in hun neptaxi's met opgezette zwaailichten uit alle richtingen naar het plein stoven. In allerijl werden er wegversperringen opgeworpen en er begon een luchtalarmsirene te loeien. Truitt stak rennend de weg over op het moment dat Cabrillo de draden doorknipte.

'Hij is nog actief,' schreeuwde Cabrillo toen hij Truitt zag.

Truitt wierp een snelle blik om zich heen. Langs de stoep zag hij een bestelwagen van Ben & Jerry's ijs staan. Hij rende ernaartoe en trok de laaddeur open. De man die ernaast stond wilde iets zeggen, maar Truitt was al in de laadruimte gesprongen. Daar greep hij met zijn in handschoenen gestoken handen een blok droog ijs op en rende ermee terug naar Cabrillo, die met een Leatherman-buigtang de neuskegel van het wapen had losgebogen.

Cabrillo duwde het paneel net terug toen Truitt arriveerde.

'Misschien kunnen we het ontstekingsmechanisme invriezen,' opperde Truitt.

De tijdklok stond op één minuut twaalf.

'Nu,' gilde Cabrillo.

Truitts handschoenen waren aan het blok ijs vastgevroren en hij voelde zijn handen niet meer. Hij drukte het blok met handschoenen en al in de neuskegel, waarna hij zijn handen onder zijn oksels stak. De tijdklok tikte nog een paar keer en viel toen stil.

Cabrillo keek op naar Truitt en glimlachte. 'Niet te geloven, het wérkt!' zei hij.

'Noodzaak,' zei Truitt tandenknarsend, 'is de moeder van de uitvinding.'

Cabrillo knikte en drukte met een vinger tegen de microfoon op zijn keel. 'We hebben de bomexperts nodig hier bij het Memorial, en snel!'

Hoog boven het park en boven heel Londen spatte schitterend vuurwerk uiteen toen het twaalf had geslagen.

Twee minuten later stopte er een auto naast hen. Er stapte een Britse officier uit. Het volgende moment arriveerde er een auto met een bomexpert van de Amerikaanse luchtmacht, en binnen een minuut of vijf hadden de beide mannen het ontstekingsmechanisme buiten werking gesteld en verwijderd. Nu was de bom alleen nog het omhulsel van een bol verrijkt uranium.

Het hart was uit het lichaam gerukt, en daarmee was het leven geweken dat zo dodelijk was geweest.

Terwijl de bomexperts de bom onschadelijk maakten, waren Cabrillo en Truitt naar het lichaam van Amad gelopen, dat in een grote plas bloed op het wegdek lag. Via de radio hadden ze gehoord dat Lababiti was aangehouden en per helikopter naar Londen werd teruggebracht. Elton John was nog midden in zijn concert en de muziek klonk luid over het festivalterrein. Het gebied rond de motorfiets en het lijk was door een kordon van Britse militairen afgezet, en het merendeel van de aanwezige feestgangers had geen idee van wat er was gebeurd.

'Dit is nog maar een kind,' zei Cabrillo, op de jongen neerkijkend.

Truitt knikte.

'We moeten naar een dokter voor je handen.'

Kasim en Ross, die vijf minuten nadat de tijdklok was stilgezet ter plekke waren aangekomen, hadden de onderuitgeschoven Black Shadow opgetild en duwden hem nu naar Cabrillo. De oldtimer was zwaar beschadigd. De benzinetank en zijplaten zaten onder de krassen, de handgrepen waren verbogen en een van de banden was lek. Een fraai stukje motorfietshistorie was grondig vernield. Cabrillo bekeek het wrak en schudde zijn hoofd.

'Ik wil dat jullie hem samen terugbrengen naar de winkel,' zei hij tegen Ross en Kasim, 'en betaal de eigenaar wat de vraagprijs was. En vraag hem daarna waar je zo'n motor kunt laten restaureren.'

‘Wilt u hem zelf houden?’ vroeg Ross.

‘Zeker weten,’ zei Cabrillo.

Op dat moment verscheen Fleming, en Cabrillo liep op hem toe om hem verslag te doen. Lababiti was inmiddels terug in Londen, maar het zou nog weken duren voordat hij doorsloeg en duidelijk werd wat er nu precies was gebeurd.

DEEL TWEE

42

Aan boord van het fregat van de Amerikaanse marine had men Scott Thompson en zijn team van de *Free Enterprise* nog niet aan het praten gekregen. Hoewel ze sinds hun overgave door de marinecommandant van het schip hard aan de tand waren gevoeld, hadden ze nog geen woord losgelaten.

Op de brug wachtte kapitein-luitenant-ter-zee Timothy Gant op de komst van een helikopter van de kust. De lucht was donker en de wind joeg witte koppen op de golven. Op de radar gaf een knipperend stipje aan dat de helikopter snel naderde.

'Voor landing gereed, sir,' zei de roerganger. 'Windvlagen van twintig tot dertig uit het noorden en noordwesten.'

Gant pakte de intercom. 'Onmiddellijk vastleggen zodra geland,' zei hij tegen het hoofd van het dekpersoneel.

'Begrepen, sir,' antwoordde de man.

De felle landingslichten van de helikopter doemden op uit de mistige duisternis. Hij kwam recht op het schip af, haast zonder vaart te minderen. 'Klaar om te landen,' zei de piloot via de radio. Nog honderd meter, tachtig, zestig, veertig, twintig... pas toen remde de piloot af. Hij was al een derde van zijn hoogte boven het schip gedaald voordat hij de mannen met de schijnwerpers zag. Vervolgens ontdekte hij de open plek op het dek en liet de helikopter verder zakken. Zodra de landingsski's het dek raakten, stormde een viertal matrozen eropaf om het landingsgestel met kettingen te verankeren. Nog voordat de rotorbladen goed en wel stilstonden, was de enige inzittende met een koffer in zijn hand al uitgestapt en door een van de matrozen naar een deur geleid. Gant was naar beneden gekomen om hem te begroeten en opende de deur.

'Kom snel uit die kou,' zei Gant, terwijl de man over de drempel stapte. 'Commander Timothy Gant, aangenaam.'

De man was groot en slank en had een ietwat pokdalig gezicht met een haakneus. 'Dr. Jack Berg,' zei de man, 'Central Intelligence Agency.'

'De gevangenen geven geen sjoege,' zei Gant, terwijl hij de dokter voorging door de gang naar de scheepsgevangenis.

'Geen zorgen,' zei Berg doodkalm, 'daar ben ik voor gekomen.'

Om tijdens de feestdagen nog ergens een monteur op te trommelen die de zaag kon repareren, was ondoenlijk gebleken. Ten slotte was Dwyer in beschermende kleding de geïsoleerde ruimte ingegaan om het zelf te doen. Gelukkig bleek het probleem niet al te lastig te verhelpen. Een aandrijfriem was van het zaagblad geglipt, en Dwyer moest met een moersleutel alleen maar de riemschijf aandraaien. Nadat hij de zaag uitvoerig had getest en in orde had bevonden, verliet hij de geïsoleerde ruimte door de sluis, waarna hij de beschermende kleding onder een chemische douche afspoelde, het pak uittrok, aan een haak ophing en naar de controlekamer terugkeerde.

De technicus die de metertjes in de gaten hield, keek op toen hij binnenkwam.

'Geen lekken,' zei hij, 'en zo te zien doet de zaag het weer.'

Dwyer knikte en drukte op de knop om de zaag te starten. Zodra de zaag draaide, liep hij naar de joystickbediening en liet hem opnieuw zakken tot op het uit de Arizona-krater meegenomen monster. Het blad sneed in de klomp, die ongeveer zo groot was als een citroen. Er spatte een vonkenfontein op alsof ze een vuurwerksterretje hadden aangestoken.

Dwyer was halverwege de klomp toen het alarm afging.
'De druk valt weg,' riep de technicus.
'Lucht toevoeren,' riep Dwyer.
De technicus draaide aan een knop en keek naar de metertjes aan de muur. 'Blijft afnemen,' gilde hij.
In de geïsoleerde ruimte ontstonden wervelingen als kleine tornado's. Verschillende monsters stegen op en slingerden alsof ze gewichtloos waren door de lucht, terwijl ook de moersleutel die Dwyer in het hok had laten liggen van de werkbank werd gezogen en vlakbij de zaag op en neer danste. Het was alsof de stop uit een reusachtige afvoerput was weggeslagen en de lucht in de ruimte werd weggezogen.
'Meer lucht,' riep Dwyer.
De technicus draaide de knop van het luchtventiel helemaal open. Toch bleef de druk dalen.
In de binnenste laag van de dikke dubbele ruiten sprongen barsten. Als ze het begaven, was er nog maar één laag glas die Dwyer en de technicus van een zekere dood scheidde. De kevlarhandschoenen die door de wand staken, werden als vanzelf helemaal naar binnen gezogen. Dwyer klapte snel ronde metalen platen voor de armgaten en schoof de grendels dicht. De werkbank was met ruim drie centimeter zware bouten aan de vloer vastgeschroefd. Een van de bouten schoot los, waarop de bank begon te trillen en zo de andere bouten loswrikte.
'Meneer,' riep de technicus, 'we houden het niet meer. De luchttoevoer is maximaal en het vacuüm blijft toenemen.'
Dwyer keek in het hok. Nog even en de hele boel zou inklappen. Opeens ging hem een licht op. Hij liep naar het bedieningspaneel en klikte de laser aan. Het uiteinde lichtte op en begon als een razende te draaien. Er wervelde heel wat rook op toen hij de laser op het monster richtte. Waar de laser de klomp raakte, brandde hij weg.
'De druk stijgt,' gilde de technicus een seconde later.
'Luchttoevoer dicht,' riep Dwyer.
De voorwerpen in de isoleerruimte vielen terug, terwijl de druk op peil kwam. Binnen een paar minuten was alles weer

normaal. Dwyer zette de laser af en keek naar binnen.

'Meneer,' zei de technicus even later, 'kunt u mij vertellen wat er is gebeurd?'

'Volgens mij,' antwoordde Dwyer, 'zit er iets in die monsters dat nogal verzot is op onze atmosfeer.'

'Mijn god,' zei de technicus.

'Gelukkig,' zei Dwyer, 'hebben we niet alleen de ziekte, maar ook het medicijn gevonden.'

'Is er nog meer van dat spul?' vroeg de technicus bezorgd.

'Zo'n honderd pond.'

De pelgrims zouden nu spoedig in groten getale met chartervluchten, bussen uit Jordanië en schepen over de Rode Zee uit Afrika in Saoedi-Arabië aankomen. Saud Al-Sheik had nog steeds heel veel te regelen, waaronder de levering van de bidkleedjes. Hem was toegezegd dat de nieuwe eigenaar van de fabriek hem morgen zou bellen. Daarop belde hij de Saudi National Airlines en reserveerde de benodigde laadruimte in een 747-vrachttoestel voor over twee dagen.

Als de bidkleedjes er niet tijdig waren, zouden zelfs zijn familierelaties hem niet kunnen beschermen tegen de woede die hij dan over zich heen zou krijgen. Hij keek rond in een magazijn in Mekka. Pallets vol voedingsmiddelen en water in flessen stonden tot aan het plafond opgestapeld. Een vorkheftruck tilde een eerste lading tenten van de grond om naar een vrachtwagen te brengen die ze naar het stadion zou transporteren.

Morgen werden de eerste tenten opgezet.

Vanaf dat moment zou alles heel snel gaan.

Nadat hij gecontroleerd had of er voldoende palen, haringen en scheerlijnen bij de tenten waren verpakt, liep hij naar buiten om op het laden van de vrachtwagen toe te zien.

Jeff Porte pakte de spullen die hij uit Hickmans werkkamer in beslag nam bijeen en richtte zich tot het hoofd van de beveiliging. 'Volgens het huiszoekingsbevel mogen we alles wat we van belang achten meenemen.'

De dikke dossiermap die Porte in zijn handen had, bevatte documenten, de identiteitsplaatjes en een paar haren die hij op het bureaublad had gevonden.

'Prima, Jeff,' zei het hoofd van de beveiliging.

'Twee van mijn mensen blijven hier,' zei Porte, 'voor het geval we nog iets anders nodig hebben.'

De man van de beveiliging knikte.

Porte liep door de gang naar de woonkamer, waar twee rechercheurs stonden te wachten.

'Niemand in of uit,' zei Porte, 'zonder mijn toestemming.'

Porte verliet het penthouse, ging met de lift naar beneden, liep door de foyer naar buiten en stapte in zijn auto. Terug op het politiebureau van Las Vegas kopieerde hij de identiteitsplaatjes en de documenten en faxte het hele pakket naar de CIA.

Meteen toen Overholt de faxen ontving, stuurde hij ze door naar de *Oregon*.

Hanley was de papieren aan het lezen toen Halpert de controlekamer binnenkwam.

'Meneer Hanley,' zei hij, 'hier is mijn verslag.'

Hanley knikte en overhandigde hem de papieren die Overholt hun had gestuurd. Halpert keek ze snel door en gaf ze terug.

'Dit bevestigt mijn bevindingen,' zei Halpert. 'Ik heb Hunts geboorteakte gevonden. Zijn moeder, Michelle, heeft de vader niet ingeschreven, maar ik heb oude dossiers van het ziekenhuis opgespoord en ontdekt dat de rekening is betaald door een van Hickmans bedrijven. Dus staat nu als een paal boven water dat Hunt de zoon van Hickman was.'

'En wat heeft dat met de meteoriet te maken?' vroeg Hanley.

'Lees dit maar,' zei Halpert, terwijl hij Hanley zijn verslag overhandigde.

'Hunt is dus in Afghanistan gedood door de taliban,' zei Hanley, nadat hij het verslag had doorgelezen.

'En meteen daarna is Hickman zich merkwaardig gaan gedragen,' zei Halpert.

'Hij stelt de Arabische wereld verantwoordelijk voor de dood van zijn zoon,' zei Hanley.

'Heeft hij daarom de expeditie naar Groenland gefinancierd?' vroeg Stone.

'Na de dood van zijn zoon heeft Hickman talloze archeologische afdelingen in het hele land gefinancierd. Ackermans expeditie voor UNLV was er maar één van een groot aantal dat het afgelopen jaar op het programma stond. De belangrijkste was een expeditie naar Saoedi-Arabië, geleid door een wetenschapper die de legende van Mohammed als een pure mythe wil ontmaskeren. Ackermans onderzoek viel daar nogal buiten, maar toch werd hij ook gefinancierd. Ik denk dat de ontdekking van de meteoriet puur toeval is geweest.'

'Dus wilde Hickman de Arabische wereld aanvankelijk met geschiedenis te lijf,' concludeerde Hanley peinzend. 'En toen werd hem, als door de goden gezonden, die meteoriet in de schoot geworpen.'

'Maar die heeft toch niets met de islam of met Mohammed te maken?' merkte Stone op.

Halpert knikte. 'Volgens mij is Hickman in die fase aan een meer concrete vergelding gaan denken. In zijn computer heb ik informatie gevonden die hij vrij spoedig na Ackermans vondst heeft verzameld. Veel informatie over de radioactiviteit van iridium en de gevaren ervan.'

'Dus hij besloot de meteoriet in beslag te nemen, en wat wilde hij er dan mee?' vroeg Hanley. 'Samenbrengen met een reeds bestaande kernkop en daarmee een Arabisch land bombarderen?'

'Dat is precies waarom ik zoveel tijd nodig had,' reageerde Halpert. 'In eerste instantie ben ik ook van dat idee uitgegaan; dat de meteoriet op de een of andere manier als nucleair wapen zou worden ingezet. Maar dat liep steeds dood. Er is absoluut geen enkel spoor dat van hem naar de Oekraïense kernbom of een ander nucleair wapen leidt. Dus ben ik in heel andere richtingen gaan zoeken.'

'Een radioactieve smetstof?' vroeg Hanley.

'Dat is een andere voor de hand liggende mogelijkheid,' zei Halpert.

'En, wat heb je ontdekt?'

'Ik heb gegevens gevonden waaruit blijkt dat Hickman in Engeland onlangs een textielfabriek heeft gekocht, in de buurt van Maidenhead.'

'Dat komt overeen met de huidige locatie van de meteoriet zoals wij die met onze volgapparatuur hebben vastgesteld,' zei Stone.

'Wil hij de besmette stof op kleding spuiten en die naar het Midden-Oosten sturen?' vroeg Hanley.

'Dat geloof ik niet,' zei Halpert langzaam. 'De fabriek heeft een enorme order uit Saoedi-Arabië voor de fabricage van een scheepslading bidkleedjes, die omstreeks deze tijd geleverd moeten worden.'

'Dus hij wil die radioactieve stof op die bidkleedjes spuiten, zodat de moslims bij het bidden besmet raken,' zei Hanley. 'Een duivels plan.'

'Hij is vanochtend vroeg met zijn privéjet in Londen aangekomen,' zei Halpert. 'Volgens mij...'

Op dat moment ging Hanleys telefoon, en hij gebaarde Halpert te wachten tot hij het telefoongesprek had afgehandeld. Het was Overholt, die meteen ter zake kwam.

'We hebben een probleem,' begon Overholt.

'Nee,' zei het hoofd van de beveiliging van Dreamworld, 'ik bel met mijn eigen vaste telefoon. Ik geloof niet dat we worden afgeluisterd.'

Vervolgens vertelde hij over het huiszoekingsbevel en de spullen die de rechercheurs hadden meegenomen.

Hickman luisterde zonder hem te onderbreken.

'Waar bent u nu?' vroeg het hoofd van de beveiliging. 'Ze willen u spreken.'

'Het is beter als u dat niet weet,' zei Hickman.

'Is er nog iets wat we voor u kunnen doen?'

'Momenteel,' antwoordde Hickman, 'is er maar één iemand die iets kan doen en dat ben ik zelf.'

Nadat hij had opgehangen, leunde hij achterover in de stoel in het kantoortje in de Maidenhead Mills.

De officiële instanties zaten achter hem aan. Het zou niet lang meer duren voordat ze hem hier op zijn huidige locatie hadden opgespoord. Hij pakte de telefoon en toetste een nummer in.

De bemanningsleden van de *Free Enterprise* die in Calais waren achtergebleven toen het schip verder naar het noorden was gevaren, waren die ochtend in Londen aangekomen. Ze waren met z'n vieren, een kernbemanning, maar ze waren de enigen die Hickman nog ter beschikking had. Hij belde om hun zijn instructies door te geven.

'U zult drie vrachtwagens moeten stelen,' zei Hickman. 'Vanwege de feestdagen kun je ze op het moment nergens huren.'

'Wat voor type?' vroeg hun leider.

'De lading bestaat uit twaalf meter lange standaardcontainers die je op een oplegger kunt schuiven,' zei Hickman. 'Ik heb mijn contactpersoon bij Global Air Cargo gebeld en hij heeft me verschillende types aangeraden.' Waarna Hickman het lijstje oplas.

'Als we ze hebben, waar moeten we dan heen?'

'Pak uw kaart erbij,' zei Hickman. 'Ten noorden van Windsor ziet u het stadje Maidenhead.'

'Ja, heb ik gevonden,' zei de man.

'In Maidenhead moet u naar dit adres rijden,' zei Hickman, en hij gaf het adres van de fabriek en hoe ze er het makkelijkst konden komen.

'Wanneer wilt u dat we er zijn?' vroeg de man.

'Zo gauw mogelijk,' antwoordde Hickman. 'Op Heathrow staat al een 747 van Global Air Cargo klaar.'

'Hoe hebt u dat op oudejaarsavond voor elkaar gekregen?' flapte de man eruit.

'Het is mijn eigen bedrijf.'

'Geef ons een uur,' zei de man.

'Hoe sneller, hoe beter.'

De strik werd aangetrokken, maar Hickman voelde hem nog niet om zijn nek.

Judy Michaels taxiede het amfibievliegtuig langszij de *Oregon*, zette de motor af en liep naar achteren naar het vrachtluik. Nadat het toestel op de deining nog iets dichterbij was gedreven, wachtte ze even tot ze iemand op het dek zag die ze een meerlijn toewierp. De dekknecht maakte het vliegtuig vast langs de zijkant van de romp, terwijl Cliff Hornsby langs een touwladder naar beneden kwam.

'Goedenavond, Judy,' zei hij, waarna hij de spullen aanpakte die hem werden aangegeven, 'hoe zijn de weersomstandigheden daarboven?'

'Sneeuw en hagel,' antwoordde Michaels, terwijl ook zij een paar tassen en dozen oppakte.

Rick Barrett klom met een tas in zijn hand over de reling. Eenmaal aan boord wendde hij zich tot Michaels. 'Ik heb warm eten en koffie bij me,' zei hij. 'Ik heb het zelf klaargemaakt.'

'Bedankt,' zei Michaels, terwijl ze de laatste doos aanreikte.

Halpert en Reyes stapten over op het toestel.

'Heeft een van jullie ervaring als piloot?' vroeg Michaels, voordat ze naar de cockpit terugliep.

'Ik heb les,' zei Barrett.

'Kok en piloot,' zei Michaels, 'dat is een mooie combinatie. Kom maar mee naar voren... dan kun je de radio en de navigatie doen.'

'En wat wil je dat wij doen?' vroeg Halpert.

'Als de dekknecht het meertouw losgooit, duw ons dan met die scheepshaak af. Doe daarna het luik dicht en ga zitten. Zodra u laat weten dat alles in orde is, zorg ik dat we weg komen.'

Nadat ze had gewacht tot ook Barrett in de cockpit had plaatsgenomen, draaide ze zich om in haar stoel en riep naar achteren: 'Ik ben zover.'

Hornsby ving het touw op dat hem werd toegeworpen en Halpert duwde hen af, waarna Reyes het luik sloot. 'Geef maar gas,' riep Halpert.

Michaels startte de motoren, die brullend aansloegen. Terwijl ze langzaam van de *Oregon* wegdreven, wachtte ze tot de afstand een meter of vijftig was alvorens ze gas gaf. Het watervliegtuig stoof over het water en verhief zich in de lucht.

Michaels stuurde steil omhoog en maakte een wijde boog naar links. Ze waren nog steeds aan het klimmen toen ze de buitenwijken van Londen bereikten.

Hanley zag het amfibievliegtuig uit het beeld van de dekcamera's wegvliegen, waarna hij zich tot Stone wendde.

'Heb je al iets gevonden?' vroeg hij.

Halpert had zijn aantekeningen in de controlekamer achtergelaten. Stone was de gegevens nu aan het natrekken.

'Ik ben een lijst van Hickmans ondernemingen aan het doorspitten,' zei Stone.

'Dan ga ik kijken of Hickmans piloot nog andere vluchtschema's op het programma heeft staan,' zei Hanley.

In het luchtvrachtcomplex van het vliegveld Heathrow zaten twee piloten in de hal van de enorme Global Air Cargo-hangar thee te drinken en televisie te kijken.

'Heb je de weersverwachting al bekeken?' vroeg de piloot aan de copiloot.

'Een kwartier geleden,' antwoordde de copiloot. 'Boven Frankrijk steekt een storm op. De Middellandse Zee is helder, en dat blijft zo tot aan Ar-Riaad.

'Toestemming en papieren allemaal geregeld?' vroeg de piloot.

'We kunnen zo vertrekken,' zei de copiloot.

'Totale afstand bijna vijfduizend kilometer, klopt dat?' vroeg de piloot.

'Ja, vluchtduur: vijfeneenhalf uur,' vulde de copiloot aan.

'Alleen de vracht nog.'

'Als de baas zegt: wachten,' zei de copiloot, 'dan wachten we.'

De piloot knikte. 'Wat is er op de tv vanavond?'
'Een herhaling van het concert van Elton John,' antwoordde de copiloot. 'Het voorprogramma begint meteen.'
De piloot stond op en liep naar het keukenblok. 'Ik doe wat popcorn in de magnetron.'
'Voor mij met extra boter,' zei de copiloot.

Michaels vloog naar de rivier en landde. Aan de oever gekomen, legden de mannen het toestel vast aan een paar bomen, waarna ze de spullen uitlaadden en op de oever opstapelden.
Alle MI5-agenten waren in Londen ingezet, dus was er niemand om hen te verwelkomen.
'Weet iemand hoe je een auto illegaal aan de praat krijgt?' vroeg Halpert.
'Ja, ik,' antwoordde Reyes.
'Cliff,' zei Halpert, 'ga met Tom mee en zoek iets uit dat groot genoeg is voor ons en de spullen.'
'Doen we,' zei Hornsby, waarna hij hen samen met Reyes de rug toekeerde en in de richting van het centrum verdween.
Onder het wachten bestudeerde Halpert de plattegrond. Hij had Michaels gevraagd om op de heenweg over Maidenhead Mills te vliegen, en nu moest hij alleen op de kaart nog de weg ernaartoe zien te vinden. Toen hij die had gevonden, draaide hij zich om naar Michaels, die nog in het vliegtuig zat.
'Heb je nog een kop koffie voor me?' vroeg hij.
Michaels liep naar de cockpit en schonk een kop voor hem in, die ze hem vervolgens vanuit het vliegtuig aanreikte. 'Wat zijn de plannen?' vroeg ze.
'Eerst verkennen,' antwoordde Halpert, 'en dan toeslaan.'
Op dat moment kwam Reyes in een oude Engelse Ford vrachtwagen met open laadbak aangereden. In de bak lag tegen de bestuurderscabine een rij kippenkooien, plus wat roestig gereedschap en een stuk ketting.
'Sorry dat-ie niet zo luxe is,' zei Reyes, terwijl hij uitstapte, 'maar een gegeven paard kijk je niet in de bek.'
'Inladen dan maar,' zei Halpert, terwijl hij Reyes de kaart

aangaf waarop hij de route had gemarkeerd.

'Ik hou de radio in de gaten,' zei Michaels tegen de mannen die de spullen van de oever naar de laadbak sjouwden. 'Succes.'

Halpert glimlachte, maar zei niets. Toen ze allemaal waren ingestapt, gaf hij een tik tegen de cabine. 'Karren maar.'

In een wolk van opspattende natte sneeuw scheurde de vrachtwagen weg van de oever in de richting van de fabriek.

43

Op 1 januari 2006 was het even na een uur 's middags toen Cabrillo eindelijk de *Oregon* belde om verslag te doen.

'We hebben de bom onschadelijk gemaakt,' zei Cabrillo.

'Hoe reageert MI5?' vroeg Hanley.

'Heel enthousiast,' antwoordde Cabrillo, 'ze zeggen dat ze me willen ridderen.'

'Heb jij hem uiteindelijk gepakt?' vroeg Hanley ongelovig.

'Dat vertel ik allemaal wel als ik op het schip terug ben. Hoe staan de zaken verder?'

'Terwijl jullie aan de bom werkten, heeft Halpert ontdekt waarom Halifax Hickman zo in de meteoriet is geïnteresseerd. We denken nu dat hij, omdat zijn zoon in Afghanistan door de taliban is gedood, een aanval op de hele islam voorbereidt. Hij heeft onlangs ten westen van Londen een textielfabriek gekocht waar een partij bidkleedjes voor de hadj is besteld,' zei Hanley.

'Even mijn geheugen opfrissen,' zei Cabrillo. 'De hadj is toch die pelgrimstocht naar Mekka?'

'Klopt,' antwoordde Hanley, 'en die begint dit jaar op de tiende.'

'We hebben dus nog tijd zat om daar een stokkie voor te steken.'

'Dat is misschien wel zo,' zei Hanley, 'maar er is heel wat gebeurd in de tijd dat jullie in Londen bezig waren.'

Hanley bracht hem op de hoogte van wat Overholt hem had verteld over de proeven met de meteorietmonsters. Daarna gaf hij een kort verslag van wat Halpert had ontdekt.

'En hoe staan de zaken nu?' vroeg Cabrillo.

'Ik heb Halpert en drie anderen naar de fabriek gestuurd,' zei Hanley. 'Die bevindt zich in het stadje Maidenhead.'

'En de zenders op de meteoriet?' vroeg Cabrillo.

'Die geven aan dat de meteoriet daar nog steeds in de buurt is.'

'Dus als Hickman een poging onderneemt die bol te kraken, zouden de gevolgen zelfs erger kunnen zijn dan die van de kernbom,' zei Cabrillo.

'Stone heeft er onderzoek naar gedaan en uitgevonden dat een normale textielfabriek niet over een machine beschikt die sterk genoeg is om iridium te snijden of te vermalen,' zei Hanley. 'Als Hickman dat inderdaad van plan is, zal hij daarvoor in of in de buurt van de fabriek toch iets speciaals moeten hebben.'

Cabrillo zweeg een ogenblik.

'Halpert heeft hulp nodig,' zei Cabrillo. 'Ik laat Seng en Meadows hier achter. Zij hebben de samenwerking met MI5 gecoördineerd en kunnen de boel hier verder wel met hen afhandelen.'

Hanley maakte aantekeningen op een blocnote. 'Heb ik,' zei hij. 'En wat doen de anderen?'

'Bel Adams en zorg dat hij over een halfuur met de Robinson op de helihaven in de rivier klaarstaat,' zei Cabrillo, 'en zeg tegen Halpert dat we eraan komen.'

'Komt voor elkaar,' zei Hanley, waarna de verbinding werd verbroken.

'De Corporation heeft de bom ontmanteld, meneer de president,' zei Overholt. 'Hij is nu in handen van de Britse veiligheidsdienst.'

'Goed werk,' reageerde de president, 'breng hun mijn felicitaties over als u wilt.'

'Dat zal ik zeker doen,' zei Overholt, 'maar er is een ander probleem dat u moet weten.'

'En dat is?' vroeg de president.

Waarop Overholt de president inlichtte over de resultaten van de proeven die met de meteorietmonsters waren gedaan.

'Dat is niet best,' zei de president. 'En men zou wel eens kunnen gaan beweren dat de meteoriet door prutswerk van de CIA in verkeerde handen is gevallen.'

'Dan zult u iets voor me moeten doen,' zei Overholt. 'Het is van belang dat wij de moeder van Hickmans zoon in verzekerde bewaring nemen, maar dat moet in het geheim, zonder arrestatiebevel en zonder advocaten.'

'Door het tijdelijk opschorten van haar rechten onder de Patriot Act?' vroeg de president.

'Exact,' zei Overholt.

De president dacht hier een ogenblik over na. Hoezeer hij ook wilde dat dit snel werd opgelost, het zonder verklaring uit hun huizen of kantoren weghalen van Amerikaanse burgers kon er maar al te makkelijk toe leiden dat hij als dictator werd bestempeld. Als de president hiertoe overging, moest de situatie wel heel ernstig zijn.

'Goed, doe maar,' zei hij ten slotte, 'maar doe het wel heel zorgvuldig.'

'Vertrouw me,' zei Overholt, 'geen mens zal merken dat ze verdwenen is.'

Later die middag omsingelden zes mensen van het CIA-opsporingsteam het huis van Michelle Hunt in Beverly Hills. Toen zij van haar werk in de galerie terugkeerde, grepen ze haar op het moment dat ze haar garage in wilde rijden. Om zeven uur die avond hadden ze haar naar het vliegveld van Santa Monica gebracht en in een regeringstoestel gezet, dat naar Londen was vertrokken. Het vliegtuig vloog over de rivier de Colorado in Arizona toen een van de CIA-agenten haar de situatie uitlegde.

Toen hij was uitgesproken, zei ze: 'En nu... word ik als aas gebruikt?'

'Dat weten we nog niet,' antwoordde de CIA-man.

Michelle Hunt knikte en glimlachte. 'U kent de vader van

mijn zoon niet,' zei ze. 'Voor hem zijn mensen dingen die je naar eigen believen gebruikt of weggooit. Een dreigement met mij zal geen enkel effect op hem hebben.'

'Hebt u een beter idee?' vroeg de CIA-man.

Michelle Hunt dacht hier diep over na.

Het stelen van drie vrachtwagens op oudejaarsavond was niet moeilijk geweest. Het overslagterrein aan de rand van Londen was vrijwel uitgestorven. Er was maar één loods open, van waaruit de opleggers werden beladen, en daar was slechts één man aanwezig. Het team van de *Free Enterprise* was er simpelweg naar binnen gewandeld, had de man overweldigd en vastgebonden en vervolgens de sleutels gepakt die ze nodig hadden. Tot de volgende ochtend zou geen mens zich hier melden.

Tegen die tijd waren de containers allang afgeleverd en hadden ze de opleggers ergens onbeheerd achtergelaten.

Scott Thompson, de aanvoerder van de bemanning van de *Free Enterprise*, had tot dan toe geen krimp gegeven. Hij had geen woord gezegd tot de hospik van het fregat hem zodanig aan een tafel vastbond dat hij zijn armen niet kon verroeren.

'Wat heeft dit te betekenen?' zei Thompson, terwijl het zweet in dikke druppels op zijn voorhoofd parelde.

De hospik glimlachte. Op dat moment zwaaide de deur open en stapte dr. Berg de ziekenboeg binnen. Hij had een koffertje bij zich. Hij liep naar de gootsteen en begon zijn handen te wassen. Thompson probeerde om te kijken om de man te zien, maar hij zat zo stevig vastgebonden dat hij nauwelijks zijn nek kon bewegen. Het geluid van stromend water trof hem als een messteek recht in zijn hart.

De drie opleggers reden via het parkeerterrein van Maidenhead Mills naar de achterkant van de gebouwen, waar zich de laadplatforms bevonden. Nadat ze de vrachtwagens met de achterkant naar de loodsdeuren hadden geparkeerd, zetten ze de motoren af en stapten uit.

Halpert en Hornsby hielden de achterkant van het gebouw in de gaten, terwijl Barrett en Reyes de voorkant voor hun rekening namen. Afgezien van een Rolls-Royce en een Mercedes op het parkeerterrein, leek de fabriek verlaten. Halpert wachtte tot de mannen in de fabriek waren verdwenen voordat hij in de zender sprak.

'We gaan nog iets dichterbij een kijkje nemen,' fluisterde hij.

'Wij gaan naar de voorgevel,' zei Reyes.

In de fabriek zat Roger Lassiter in het kantoor aan de voorkant. Hij hield zijn blik strak op Hickman gericht. 'Vanwege de feestdagen was het helaas onmogelijk om te verifiëren of het geld was overgemaakt.'

'Dat had u kunnen weten toen u de opdracht aannam,' zei Hickman. 'U zult me moeten vertrouwen.'

De doos met de meteoriet stond op het bureau tussen de beide mannen in.

'Ik ben niet zo voor vertrouwen,' zei Lassiter, 'maar er zit niets anders op.'

'Ik kan u verzekeren,' zei Hickman, 'u wordt tot de laatste cent uitbetaald.'

'Waar gaat de meteoriet naartoe?' vroeg Lassiter.

Hickman vroeg zich af of hij daarop in zou gaan. 'De Kaaba,' zei hij afgemeten.

'U bent zo perfide als wat,' zei Lassiter, terwijl hij overeind kwam, 'maar nogmaals, dat ben ik ook.'

Lassiter liep het kantoor uit en verliet het pand door de voordeur. Toen hij achter het stuur van de Mercedes stapte, maakte Reyes daar heimelijk foto's van.

Terwijl Hickman met de meteoriet naar de fabriekshal liep, zag hij achter in het gebouw twee van de drie vrachtwagenchauffeurs naderen. Ze ontmoetten elkaar halverwege de hal.

'Hebt u de containers zien staan?' vroeg Hickman.

'Drie stuks bij de deur?' vroeg een van de mannen.

'Ja,' antwoordde Hickman, terwijl hij doorliep en de mannen hem volgden. 'Zodra ik ze heb gecontroleerd, moet u ze op de vrachtwagens laden en naar Heathrow brengen.'

Hickman was nu bijna bij de achterdeur.

'Dit is de impregneerstof die u hebt besteld,' zei een van de mannen.

'Mooi,' zei Hickman, terwijl hij de freesmachine in werking stelde. 'Geef maar aan.'

Een van de mannen tilde een zak van de grond op, schudde ermee en reikte hem aan.

44

Cabrillo en zijn team zaten bij de helihaven in Battersea Park in de geleende Range Rover te wachten, toen Fleming hen via hun gsm belde. Adams kwam juist over de Theems aanvliegen en maakte aanstalten om te gaan landen.

'Juan,' zei Fleming, 'we hebben zojuist iets gehoord dat je wel interessant zult vinden. Het heeft met je meteoriet te maken. Zie het als een soort beloning voor je hulp bij het ontmantelen van de bom.'

Het geluid van de naderende helikopter zwol aan. 'Wat dan?' riep Cabrillo.

'Dit hebben we van onze belangrijkste agent in Saoedi-Arabië,' zei Fleming. 'De precieze plek in Mekka in de richting waarvan de moslims vijf keer per dag bidden wordt de Kaaba genoemd. Dat is een tempel waarin een interessant artefact wordt bewaard.'

'En dat is?' vroeg Cabrillo.

'Een zwarte meteoriet die door Abraham zou zijn gevonden. Die plek is het absolute centrum van het islamitische geloof.'

Cabrillo hoorde het stomverbaasd aan.

'Bedankt voor de waarschuwing,' zei Cabrillo. 'Je hoort snel van me.'

'Ik dacht dat je dit wel wilde weten,' zei Fleming. 'Bel gerust MI5 als je hulp kunt gebruiken. We zijn je iets verschuldigd.'

Halpert diepte uit een rugzak die hij van de *Oregon* had meegenomen een stel zendertjes op die hij op onopvallende plaatsen aan de drie vrachtwagens bevestigde. Daarna verstopte hij een microfoon onder aan de muur naast de roldeuren boven het laadplatform. Hij wenkte Hornsby, waarna de beide mannen zich weer tussen de bomen terugtrokken.

Zodra ze op veilige afstand waren, sprak hij in zijn portofoon.

'Tom,' fluisterde hij, 'hoe staat het bij jullie?'

Reyes en Barrett hadden een dergelijke microfoon vlak bij de glazen voordeuren verstopt. Zij hadden zich net teruggetrokken achter een muurtje langs de rand van het parkeerterrein.

'Verbinding aangebracht,' zei ook hij fluisterend.

'Nu maar wachten wat we te horen krijgen,' zei Halpert.

Hickmans team werkte in stilte. Nadat ze de containers met de verplaatsbare verfspuit luchtdicht hadden verzegeld door er een laag vloeibaar plastic overheen te spuiten, boorde een van de mannen een tweetal gaatjes dwars door de metalen wand van de containers. Het ene gaatje zat ongeveer op borsthoogte en het andere veel lager, op zo'n tien centimeter boven de bodem.

Vervolgens werden de gaten van schroefdaad voorzien, waarop dunne buizen werden aangesloten. Toen dat klaar was, klonk de stem van Hickman.

'Maskers,' was alles wat hij zei.

Uit tassen die ze hadden meegenomen, haalden ze gasmaskers tevoorschijn die ze voor hun neus en mond aanbrachten. Vervolgens sloot een van de mannen een luchtpomp aan op de buis aan de onderkant van de container en zette hem aan, waarop de lucht uit de container werd gezogen. Nadat hij twee merkstreepjes op de fles met gif had gezet, om de inhoud in drie gelijke te verdelen, goot Hickman de vloeibare stof in een roestvrijstalen reservoir dat met het bovenste gat was verbonden. Op zijn horloge kijkend controleerde hij de tijd die nodig was voor het invoeren van het virus in de container, waarna hij het reservoir verwijderde en een luchtdichte afsluitkap op het gat schroefde.

Nadat hij de luchtpomp nog een halve minuut had aangelaten, waardoor de inhoud net iets vacuüm werd gezogen, koppelde hij de pomp los en sloot ook dit gat af. Terwijl hij naar de volgende container liep, spoot een van de mannen ter extra verzegeling nog een laagje vloeibaar plastic over de afsluitdoppen. In de tijd dat Hickman met de containers bezig was, besproeide een ander lid van het team de meteoriet, die op de vloer van de fabriekshal stond, met een tweede laag van een speciale coating. Door de bol steeds een stukje te draaien, sloeg hij geen millimeter over, en toen hij klaar was, pakte hij de bol op en zette hem terug in de doos.

Hickman was inmiddels klaar met de containers. Met de lege giffles liep hij naar een lege plek aan de andere kant van de hal, waar hij het flesje op de vloer legde en met benzine overgoot. Daarna streek hij een lucifer aan en gooide hem op de grond. Onmiddellijk laaiden er vlammen op.

Bij de containers staken de achtergebleven vier mannen lasapparaten aan zoals die door loodgieters worden gebruikt. De vlammende branders richtten ze omhoog en zwaaiden er gedurende ruim vijf minuten mee door de lucht.

'Oké,' zei Hickman, 'doe nu de deuren open, maar hou je masker op.'

Een van de mannen liep naar de roldeuren en drukte op de knoppen van alle drie de deuren. Zodra de deuren ver genoeg omhoog waren geschoven, liepen de chauffeurs naar buiten en pakten de kabels van de lier aan de achterkant van de cabine van hun oplegger en trokken de containers met de lieren op de wagens. Toen die alle drie goed vastzaten, nam Hickman plaats op de stoel van de bijrijder van de voorste vrachtwagen en gebaarde de chauffeur dat hij kon gaan rijden.

Halpert en Hornsby volgden de uittocht vanuit hun schuilplaats. Ze maakten zoveel mogelijk foto's met hun infraroodcamera's, maar verder konden ze niet veel doen. Ze zagen hoe de vrachtwagens na elkaar wegreden van de laadplatforms, waarvan ze de deuren wijd open hadden laten staan.

De sneeuw was in regen overgegaan en onder de banden van de vrachtwagens spatte het water van het wegdek op terwijl ze van de achterkant van het gebouw naar de voorkant reden, waar ze van het fabrieksterrein de weg opdraaiden.

'Tom,' zei Halpert gehaast, 'probeer niet naar binnen te gaan. De mannen die nu wegrijden droegen gasmaskers.'

'Begrepen,' zei Reyes.

'Ik ga de *Oregon* bellen,' zei Halpert, 'om te vragen wat we moeten doen.'

Meteen na het telefoongesprek met Fleming belde Cabrillo met Hanley om door te geven wat hij had gehoord.

'Ik zal het Stone nu onmiddellijk laten natrekken,' zei Hanley.

'Misschien wil Hickman de meteoriet helemaal niet kapotmaken,' zei Cabrillo, 'maar is hij er iets heel anders mee van plan.'

Op dat moment meldde Halpert zich. 'Wacht even,' zei Hanley tegen Halpert, 'ik zet je bij op de lijn met Cabrillo.'

Zodra ze elkaar alle drie konden horen, vertelde Halpert wat er zojuist was gebeurd.

'Kunnen jullie de signalen van de zenders op de vrachtwagens volgen?' vroeg Cabrillo aan Hanley.

Hanley keek op het scherm dat hem door Stone werd aangewezen. Er waren drie bewegende puntjes zichtbaar. 'Ja,' zei hij, 'maar er is een ander probleem.'

'En dat is?' vroeg Cabrillo ongeduldig.

'Sinds een paar minuten zijn we het signaal van de meteoriet kwijt.'

'Shit,' liet Cabrillo zich ontvallen.

Het was een ogenblik stil terwijl Cabrillo nadacht. 'Luister,' zei hij ten slotte, 'ik zal Adams en Truitt in de Robinson terugsturen naar het schip om beschermende kleding op te halen. En Michael, jij wacht met de anderen tot ze terugkomen.'

'Oké, baas,' reageerde Halpert.

'Jonesy en ik blijven hier in de Range Rover,' vervolgde Cabrillo. 'Zodra het duidelijk is welke richting de vrachtwagens opgaan, zullen we ze proberen te onderscheppen. Is het andere team al op Heathrow aangekomen?'

'Ze hebben zich net vijf minuten geleden bij Gunderson en Pilston in de Gulfstream gevoegd,' zei Hanley.

'Mooi,' zei Cabrillo. 'Zeg dat Tiny de motoren warm houdt. Ik kan ze nu ieder moment nodig hebben.'

'Begrepen,' zei Hanley.

'Laat Nixon de isolatiepakken alvast klaarleggen,' zei Cabrillo. 'De helikopter is er over tien minuten.'

'Doen we.'

'Hou deze lijn open en hou me op de hoogte van de route van de vrachtwagens,' zei Cabrillo.

'Oké,' zei Hanley.

In de Range Rover legde Cabrillo zijn hand over de telefoon. 'Dick,' zei hij, 'ik wil dat je met Adams naar de *Oregon* vliegt en daar een kist met isolatiepakken oppikt. We denken dat Hickman een chemische stof in de fabriek heeft achtergelaten. Vlieg met de pakken rechtstreeks naar Maidenhead. Daar is Halpert met nog drie man.'

Truitt stelde geen vragen; hij duwde zonder meer het portier open, rende door de duisternis naar de stationair draaiende Robinson op het platform van de helihaven en stapte de cabine in. Nadat hij Adams had ingelicht, steeg de helikopter op en vloog weg in de richting van de *Oregon*.

'Ze zijn de snelweg opgegaan, de M4, richting Londen,' meldde Hanley aan Cabrillo.

'Jones,' zei Cabrillo, 'weet jij de snelste route van hier naar de M4?'

‘Door de nieuwjaarsfeesten is het behoorlijk druk in het centrum,’ antwoordde Jones, ‘dus snel is misschien wat overdreven.’

Hij zette de Range Rover in z’n achteruit, maakte een scherpe draai en scheurde de weg op naar de uitgang van Battersea Park. Hij wilde via de Battersea Bridge naar de Old Brompton Road rijden om vandaar door West Cromwell naar de A4 te gaan, die uitkwam op de M4. Maar zelfs op dit late uur zou dat niet erg snel gaan.

Hickman en de drie vrachtwagens hadden het makkelijker. Zij reden via de Castle Hill Road, die tevens de A4 was, door Maidenhead en draaiden vandaar de A308 op, die rechtstreeks doorliep naar de M4. Veertien minuten nadat ze van Maidenhead Mill waren vertrokken, naderden ze afrit vier naar Heathrow Airport.

Terwijl de vrachtwagens voor de afrit van de M4 vaart minderden, landden Truitt en Adams op het achterdek van de *Oregon*. Nixon stond al klaar met een houten kist met de isolatiepakken. Hij liep onmiddellijk naar de achterdeur en verstouwde de kist achter de stoelen, terwijl Adams met draaiende rotorbladen wachtte tot hij klaar was. Nadat hij de achterdeur weer had gesloten, trok Nixon de voorste deur open en overhandigde Truitt een vel papier met instructies voor het juiste gebruik van de pakken. Daarna sloot hij de deur en rende weg.

Zodra hij op veilige afstand was, stak hij zijn duim naar Adams op, waarna de Robinson zich van het platform verhief.

Binnen enkele minuten vloog de helikopter alweer boven Londen in de richting van Maidenhead. Ze hadden nog ruim veertig kilometer voor de boeg en zouden daar zo’n twaalf minuten over doen.

De beide piloten zaten nog in de wachtruimte van Global Air Cargo toen de vrachtwagens met piepende remmen voor de hangar tot stilstand kwamen. De 747 stond met de neus omhooggeklapt klaar om te worden ingeladen. Ook de laadklep aan de achterkant stond open, zodat ze direct konden gaan laden. Hickman liep door een zijdeur naar binnen en trof de piloten aan de televisie gekluisterd aan.

'Ik ben Hal Hickman,' zei hij, 'we brengen de expresvracht.'

De captain stond op en liep Hickman tegemoet. 'Het is me een eer met u kennis te maken,' zei hij, zijn hand uitstekend. 'Ik werk nu al jaren voor u en ben blij dat ik u nu eens ontmoet.'

'Dat genoegen is geheel wederzijds,' zei Hickman glimlachend. 'Maar zoals ik al via de telefoon heb gezegd, heb ik een expresvracht die nu meteen weg moet. Bent u daar klaar voor?'

'We hebben geen beladers,' zei hij. 'Die komen pas over een uur. Door de feestdagen liggen de werkschema's nogal overhoop.'

'Geen probleem,' zei Hickman. 'Met de mannen die ik bij me heb, krijg ik de containers zelf wel aan boord. Is de verkeersklaring geregeld?'

'Als ik me meld, heb ik binnen vijf minuten toestemming om op te stijgen,' antwoordde de piloot.

'Doe dat,' zei Hickman, 'dan brengen wij de vracht aan boord.'

Hickman liep terug naar buiten en de piloot wendde zich tot de copiloot. 'Controleer de weersverwachting en maak een vluchtschema. Volgens mij van Londen over Frankrijk en de Middellandse Zee naar Ar-Riaad. Als het weer meezit tenminste, zo niet, dan moeten we maar een stukje omvliegen.'

Weer buiten gekomen pakte Hickman het gasmasker dat hij daar had neergelegd van de grond en zette het weer op. Hij had de chauffeurs al op de hoogte gesteld van de laadprocedure, en toen hij hen gebaarde dat ze konden beginnen, reed de eerste chauffeur naar de achterkant van de 747, waar hij de vrachtwagen achteruit over de laadklep het ruim inreed. De chauffeur maakte de kabel los waarmee de container op de vrachtwagen was getrokken. Daarna liet hij de achterkant van de oplegger iets zakken, waardoor de container over de metalen rollen in het laadvlak op de laadvloer van het vliegtuig rolde. Terwijl hij van de achterkant van de 747 wegreed, manoeuvreerde de tweede chauffeur zijn oplegger achteruit de laadklep onder de opengeklapte neus van het toestel op. Nadat ook hij zijn container in het ruim had geladen, reed hij weg, waarna de derde vrachtwagen, die al klaarstond, dichterbij kwam.

Terwijl de derde chauffeur de container in het vliegtuig laadde, liep Hickman met de eerste chauffeur het ruim in. Daar verankerden ze de drie containers met lange canvas riemen aan de laadvloer. De een bevestigde de riem aan haken op de rails in de vloer, waarna hij de riem over de container heen naar de ander gooide, die de riem daar in de vloer vasthaakte en vervolgens met een handlier strak aantrok. Gestaag doorwerkend bevestigden ze zo drie riemen om elke container.

Nadat de derde chauffeur het ruim van de 747 weer was uitgereden, verankerden ze snel... één-twee-drie de laatste container.

Hickman liep het ruim uit en gebaarde de chauffeurs dat ze de vrachtwagens op veilige afstand van het toestel moesten opstellen, waarna hij de hangar weer inliep.

‘Hier zijn alle papieren,’ zei hij, terwijl hij een klembord aan de piloot overhandigde. ‘De containers staan stevig vast in het ruim. We kunnen gaan.’

‘Wat is de urgentie van deze vlucht?’ vroeg de copiloot. ‘De weersomstandigheden boven het Middellandse Zeegebied zijn niet best. Het zou verstandig zijn om tot morgenochtend te wachten.’

‘De lading had er gisteren al moeten zijn,’ zei Hickman.

‘Oké,’ zei de copiloot, ‘dat wordt dan een heftige hobbelvlucht.’

Hickman draaide zich om en liep weg. De copiloot keek hem na. Die man had iets raars over zich, maar het was niet het bizarre voorkomen dat excentrieke multimiljonairs volgens de sensatiebladen altijd hadden. In alle opzichten zag Hickman er behoorlijk normaal uit, heel gewoontjes zelfs. Maar die nacht lag er een lichtrode vlek als een afgevlakte driehoek rond zijn mond.

De copiloot zette het van zich af; hij had nog van alles te doen en de tijd tikte door.

'Zoom eens in op de kaart,' vroeg Hanley aan Stone.

De zenders op de containers bewogen al een paar minuten niet meer. Hanley wilde de exacte locatie weten. Met een paar snelle muisklikken vergrootte Stone de schaal van de plattegrond waarop de knipperende puntjes de plaats aangaven waar de containers zich bevonden.

'De luchtvrachtgebouwen op Heathrow,' zei Stone.

Hanley pakte de dossiermap die Halpert had achtergelaten en bladerde door de inhoud. Hij herinnerde zich dat Hickman ook een transportonderneming had. En ja hoor: Global Air Cargo. Hij vond het telefoonnummer van de desbetreffende hangar op Heathrow en gaf het aan Stone.

'Bel dit nummer en kijk wat je te weten kunt komen,' zei hij, 'dan bel ik Cabrillo.'

'Zo,' zei de piloot, 'we hebben toestemming om op te stijgen.'

De copiloot pakte de weerberichten en het logboek en volgde de piloot naar de deur. Net toen ze naar buiten liepen, rinkelde de telefoon.

'Laat maar,' zei de piloot tegen de copiloot, die zich omdraaide om terug te gaan. 'Ik heb huur die betaald moet worden.'

'We zijn onderweg, maar het schiet niet erg op,' zei Cabrillo.

'Er wordt niet opgenomen,' riep Stone door de controlekamer van de *Oregon*.

'We proberen de hangar te bereiken,' zei Hanley tegen Cabrillo, 'maar ze nemen niet op.'

'Zeg tegen Gunderson in de Gulfstream dat hij zich gereed moet maken om op te stijgen,' zei Cabrillo. 'Ik kijk of ik Fleming kan bereiken.'

Terwijl Cabrillo het nummer op zijn gsm intoetste, sloot de piloot van de 747 de neus van het toestel en startte de motoren. Fleming nam op en Cabrillo legde hem de situatie uit.

'En jij denkt dat de lading radioactief kan zijn?' vroeg Fleming, nadat Cabrillo was uitgepraat.

'In ieder geval giftig,' zei Cabrillo. 'Een van mijn teams heeft gezien dat de lieden die ermee omgaan gasmaskers dragen. Je moet Heathrow onmiddellijk sluiten.'

Fleming zweeg een paar seconden. 'Volgens mij is het beter als ze uit Engeland weg zijn,' zei hij.

Adams zette de Robinson op het parkeerterrein voor de hoofdingang van Maidenhead Mills aan de grond. Zodra de rotorbladen stilstonden en hij de rem had aangetrokken, stapte hij uit en liep om het toestel heen naar de andere kant, waar hij Truitt hielp bij het uitladen van het krat. Halpert en de anderen kwamen naar hen toegelopen. Nadat Adams de kist op de grond had gezet, wrikte hij met een schroevendraaier het deksel los.

'Hier zijn jullie ruimtepakken, jongens,' zei Adams glimlachend. 'Zo te zien heeft Kevin er vier ingepakt.'

'Die trekken wij wel aan,' zei Truitt, 'als jij dan onze pijpen en mouwen met tape dichtmaakt .'

Adams knikte.

'Barrett,' zei Truitt, 'jij blijft ook hier, en de anderen trekken zo'n pak aan.'

Een minuut of acht later waren Truitt, Halpert, Hornsby en Reyes klaar om naar binnen te gaan. Ze liepen naar de achterkant van het gebouw, waar ze door de openstaande roldeuren de hal inliepen. Truitt hield een stralingsmeter in zijn in een handschoen gestoken hand. Vrijwel onmiddellijk bij binnenkomst sloeg de wijzer uit.

'Verspreiden,' zei Truitt, 'en alles doorzoeken.'

Hornsby rende naar de voordeur, ontgrendelde de sloten en liep naar buiten.

Het verkeer werd minder druk naarmate ze zich verder van het centrum verwijderden, en toen ze de M4 eenmaal hadden bereikt, voerde Jones de snelheid op tot ruim honderdveertig kilometer per uur. Cabrillo beëindigde het gesprek met Fleming en belde de *Oregon* weer.

'Fleming wil Heathrow niet sluiten,' zei Cabrillo tegen Hanley meteen nadat hij had opgenomen. 'Wat is de dichtstbijzijnde afrit naar Global Air Cargo?'

Stone las op het scherm het nummer op en Cabrillo herhaalde het voor Jones.

'Daar zijn we al,' zei Jones, terwijl hij afremde en de afrit opstuurde.

'Volg de borden naar Global Air Cargo,' zei Cabrillo tegen Jones.

Jones sloeg een zijweg in en gaf plankgas. Even later zag hij een enorme hangar waarop met levensgrote letters de naam van de firma stond. Er taxiede juist een 747 van het gebouw weg.

'Kun je dichterbij komen?' vroeg Cabrillo.

Jones keek om zich heen, maar het hele terrein werd door een hoog traliehek omgeven. 'Dat zit er niet in, baas,' zei hij. 'Het hek is hermetisch gesloten.'

De 747 draaide de taxibaan op.

'Rij naar die plek daar tussen die gebouwen,' zei Cabrillo wijzend.

Jones reed naar de aangewezen plek en stopte. Cabrillo pakte een verrekijker uit een zijvak in het portier en tuurde naar het vrachtvliegtuig. Vervolgens gaf hij het registratienummer op het staartvlak aan Hanley door, die het snel noteerde.

'Laat Gunderson dit toestel met de Gulfstream volgen,' zei Cabrillo mismoedig. 'Meer kunnen we niet doen.'

'Doe ik,' zei Hanley.

Op dat moment meldde Hornsby zich en Stone nam op. Nadat Hornsby had verteld wat hij had ontdekt, maakte Stone een paar aantekeningen en gaf het briefje aan Hanley, die het snel doorlas.

'Juan,' zei Hanley, 'ik roep nu meteen de Challenger 604 op. Ik denk dat je zo snel mogelijk naar Saoedi-Arabië wilt.'

45

Zo ongeveer op het moment dat de 747 van Global Air Cargo van de startbaan van Heathrow opsteeg, stopte de vrachtwagen waarin Hickman meereed op een ander gedeelte van het vliegveld.

'Haal de anderen op, ontdoe je van de vrachtwagens en verdwijn,' zei Hickman tegen de chauffeur die hem bij de terminal voor particuliere vluchten afzette. 'Ik neem wel contact op als ik jullie nodig heb.'

'Succes,' zei de chauffeur, terwijl Hickman uitstapte.

Hickman zwaaide naar de chauffeur en liep naar de ingang van de terminal. De chauffeur reed het parkeerterrein af en pakte de microfoon van zijn radio. 'De baas is weg,' zei hij. 'We zien elkaar op de afgesproken plek.'

Twaalf minuten later kwamen de drie vrachtwagens bijeen op een verlaten fabrieksterrein in het uiterste westen van Londen, waar ze hun vluchtwagen hadden verborgen. Nadat ze uit de cabines waren gestapt, wreven ze met een doek snel alle oppervlakten schoon die ze hadden aangeraakt en stapten in een onopvallende Engelse personenwagen.

De bedoeling was dat ze dwars door het centrum van Londen naar een kustplaats aan Het Kanaal reden, daar de huurauto op een parkeerterrein achterlieten en vervolgens een veerboot naar België namen. En dat verliep vlekkeloos.

'Maak de *Oregon* klaar voor vertrek,' zei Cabrillo tegen Hanley, terwijl Jones op Heathrow naar de terminal voor privévluchten reed. 'Zet koers naar de Middellandse Zee en vaar via het Suezkanaal naar de Rode Zee. Ik wil jullie zo dicht mogelijk in de buurt van Saoedi-Arabië hebben.'

Hanley zette de sirene aan. Cabrillo hoorde het loeiende geluid door de telefoon. 'Gunderson is in de lucht,' zei Hanley. 'Het vrachttoestel vliegt richting Parijs.'

'Jones en ik gaan over een paar minuten aan boord van de Challenger 604,' zei Cabrillo. 'Onze mensen in Maidenhead kunnen daar weg. Zeg dat ze naar het amfibievliegtuig gaan, zodat Michaels ze naar de *Oregon* in Het Kanaal kan brengen.'

'En de fabriek dan?' vroeg Hanley.

'Laat Fleming weten wat we hebben ontdekt,' antwoordde Cabrillo, 'dan kan hij dat overnemen.'

'Dat klinkt alsof we van speelveld wisselen,' merkte Hanley op.

'Het strijdtoneel,' zei Cabrillo, 'heeft zich naar Saoedi-Arabië verplaatst.'

De copiloot van Hickmans Hawker 800XP zat in de terminal te wachten.

'De piloot heeft getankt, alle vluchtvoorbereidingen afgehandeld en de noodzakelijke toestemmingen gekregen,' zei de copiloot, terwijl hij Hickman door de terminal naar buiten leidde. 'We kunnen ieder moment vertrekken.'

De beide mannen liepen over het platform naar het toestel. Drie minuten later taxieden ze naar de noord-zuidbaan en nog eens drie minuten later waren ze in de lucht. Eenmaal boven Het Kanaal opende de piloot de deur van de cabine.

'Als we inderdaad zo snel vliegen als u wilt,' zei hij, 'gaat ons dat heel veel brandstof kosten.'

Hickman glimlachte. 'Geen bezuinigingen,' zei hij, 'het gaat nu om tijdwinst.'

'Zoals u wilt,' zei de piloot, waarna hij de deur weer sloot.

Hickman hoorde het geluid van de motoren aanzwellen en

voelde het vliegtuig versnellen. Het vluchtschema van de Hawker voerde hen langs de Frans-Belgische grens richting Zürich in Zwitserland en vandaar over de Alpen en langs de oostkust van Italië naar Griekenland, Kreta en Egypte. Nadat ze vandaar ten slotte de Rode Zee waren overgestoken, zouden ze de volgende ochtend vroeg in de Saoedische hoofdstad Ar-Riaad aankomen.

Meteen nadat Hanley had gebeld, maakten Truitt en de anderen zich op om te vertrekken. Nadat ze alles zorgvuldig hadden gefotografeerd, versperden ze alle deuren en ramen van de fabriek met afzetlint en handgeschreven briefjes met de mededeling vooral niet naar binnen te gaan.

Toen ze daarmee klaar waren, klommen ze weer in de oude vrachtwagen en reden terug naar de rivier en het amfibievliegtuig.

Aan de bosrand sloop een jonge vos behoedzaam uit de beschutting van het struikgewas tevoorschijn. Geuren opsnuivend liep hij langs het laadplatform naar de achterkant van de fabriek. Er walmde een warme lucht vanuit de hal door de openstaande laaddeuren, en met opgeheven snuit voelde hij de warmte. Stapje voor stapje kwam hij dichterbij en bleef in de opening van de middelste deur staan.

Toen hij de kust veilig achtte, liep hij naar binnen.

Opgegroeid in de omgeving van mensen, wist hij dat hun aanwezigheid veelal met voedsel gepaard ging.

Menselijke geuren opsnuivend ging hij op zoek naar etensresten. Hij stapte in een vreemde zwarte smurrie die aan zijn poten bleef kleven. Terwijl hij doorliep, nam hij door de plakkerige stof sporen van het virus in zich op.

Plotseling sloeg de luchtverversingsinstallatie aan. Hij schrok van het kabaal en rende terug naar de openstaande deuren. Omdat er verder niets gebeurde, besloot hij te wachten en ging liggen. Vervolgens tilde hij een voorpoot op om de zwarte smurrie eraf te likken.

Een paar minuten later begon zijn lichaam te schokken. In

zijn ogen knapten adertjes, het bloed vertroebelde zijn blik en het kwijl liep uit zijn bek. Stuiptrekkend alsof hij elektrische schokken kreeg, probeerde hij overeind te komen om weg te lopen. Maar zijn poten zakten onder hem weg en er borrelde wit schuim om zijn bek.

Zo stierf de vos een snelle dood.

Het geluid van de loeiende sirene drong tot in de verste uithoeken van de *Oregon* door.

De teamleden holden naar hun post en op het schip heerste een en al bedrijvigheid. 'De trossen zijn los,' meldde Stone.

'We kunnen vertrekken,' gaf Hanley via de intercom aan de brug door.

De *Oregon* draaide weg van de kade en voerde de snelheid geleidelijk op.

'Is de koers uitgezet?' vroeg Hanley aan Stone.

'Daar ben ik net mee klaar,' antwoordde Stone, terwijl hij op de grote monitor aan de muur wees.

Daarop was een enorme kaart van Europa en Afrika te zien waarop de route met een rode lijn was aangegeven. Bij diverse punten op de lijn stond de tijd vermeld.

'Wanneer zijn we op z'n vroegst in de Rode Zee?' vroeg Hanley.

'Op vier januari om een uur of elf 's morgens,' antwoordde Stone.

'Coördineer het afzetten van onze mensen door Michaels met het watervliegtuig en laat Adams terug aan boord komen,' zei Hanley. 'En maak een schema voor de wachtdiensten gedurende de reis.'

'Doe ik,' zei Stone.

Daarna pakte Hanley de telefoon.

Na enig aandringen met het argument dat een lading bidkleedjes die volgens de papieren uit Frankrijk afkomstig was de ene partij voordeel zou brengen en de andere juist niet, kreeg de 747 van Global Air Cargo al vrij snel toestemming om te landen. Nadat ze nog geen uur aan de grond hadden gestaan, was de lading van nieuwe labels voorzien en het toestel weer in de lucht.

Gunderson en het team aan boord van de Gulfstream hadden niet zoveel geluk. Zodra ze waren geland, kwam de Franse douane aan boord. Hickman had een lijst opgevraagd van alle privévliegtuigen die op de dag van de inbraak in zijn penthouse van McCarran Airport bij Las Vegas waren opgestegen. Vervolgens was het slechts een kwestie van het doorzoeken van vluchtschema's om het vliegtuig te vinden dat daarna naar Engeland was doorgevlogen.

De Gulfstream was het enige toestel waarbij dat het geval was.

Daarop tipte Hickman Interpol via een anoniem telefoontje dat het bewuste toestel drugs vervoerde. Pas na twee volle dagen en eindeloos heen en weer bellen slaagde Hanley erin zijn mensen vrij te krijgen. De Fransen konden heel lastig zijn als je met hen te maken kreeg.

Cabrillo had meer geluk. De Challenger 604 met hem en Jones aan boord steeg nog geen halfuur na het vertrek van Hickman van Heathrow op. De piloot zette meteen koers naar Ar-Riaad. Met een snelheid van 880 kilometer per uur raasde het op een hoogte van ruim elf kilometer door de lucht.

Met een halfuur voorsprong vloog Hickmans Hawker 800XP met een snelheid van 825 kilometer per uur inmiddels boven Frankrijk. De snellere Challenger met Cabrillo en Jones zou eerder in Ar-Riaad moeten zijn, maar dat was niet het geval. Hickman kende zijn bestemming allang van tevoren, maar voor Cabrillo gold dat niet.

Over het algemeen is het verkrijgen van een inreisvisum voor Saoedi-Arabië niet eenvoudig. De procedure is tijdrovend en bureaucratisch. Toerisme wordt niet alleen ontmoedigd, maar is bij de wet verboden. Diverse ondernemingen van Hickman deden zaken met het koninkrijk en hij was bij de autoriteiten bekend. Zijn aanvraag voor een bezoekersvisum nam slechts enkele uren in beslag.

Dat lag bij Cabrillo heel anders.

Op de ochtend van 1 januari werd Saud Al-Sheik al vroeg gewekt door de computer in zijn werkkamer, die met piepjes aangaf dat er e-mail was binnengekomen. De fabriek in Engeland meldde dat de partij bidkleedjes waar hij op wachtte in Parijs door de douane was uitgeklaard en nu in een 747 naar Ar-Riaad onderweg was.

Zodra ze in de luchtvrachtterminal van Ar-Riaad waren afgeleverd, moesten ze met vrachtwagens dwars door Saoedi-Arabië naar Mekka worden vervoerd. Daar zouden de containers worden geopend om de kleedjes met pesticiden te impregneren, waarna ze een dag lang werden gelucht alvorens ze naar het stadion werden gebracht.

Al-Sheik keek op het klembord op zijn bureau. Omdat het exacte tijdstip van aankomst van de kleedjes steeds onbekend was geweest, had hij alle beschikbare vrachtwagens voor andere klussen ingezet. De kleedjes konden op z'n vroegst pas op 7 januari worden vervoerd. Hij kon regelen dat ze op de achtste werden geïmpregneerd en dan konden ze nog een aantal uren in de openlucht hangen, voordat ze op de negende naar hun bestemming werden gebracht.

Zo had hij altijd nog vierentwintig uur speling voor het officiële begin van de hadj. Het was krap, maar wat moest hij anders? Er waren nog duizenden dingen te doen en de tijd liet hem in de steek.

Het zou allemaal wel goed komen, dacht hij, terwijl hij opstond en terugliep naar zijn bed; op de een of andere manier kwam het altijd goed. *Inshallah*, als God het wilde. Terug in bed maalden er duizenden gedachten door zijn hoofd. Hij besefte dat er van slapen nu toch niets meer zou komen, waarna hij uit bed ging en naar de keuken liep om thee te zetten.

De Challenger 604 vloog boven de Middellandse Zee toen de piloot de deur opende en de cabine in keek.

'Chef,' zei hij, 'de Saoedi's weigeren ons toe te laten zolang we niet de juiste papieren hebben. We moeten nu besluiten wat we doen.'

Cabrillo moest hier even over nadenken. 'Wijk maar uit naar Qatar,' zei hij. 'Ik zal zo meteen de vertegenwoordiger van de emir bellen. Maak je geen zorgen, hij willigt ons verzoek wel in.'

'Goed, Qatar dan,' zei de piloot, waarna hij de deur weer sloot.

Kort na zonsopgang bereikte Hickmans Hawker na de oversteek van de Rode Zee het vasteland van Saoedi-Arabië en vloog over de woestijn naar Ar-Riaad. Na een zachte landing taxiede de piloot de privéjet naar de aankomsthal.

'Voltanken en weer gereedmaken voor vertrek,' zei Hickman.

Zodra de deur openging, stapte hij naar buiten, liep het trapje af en zette met de ingepakte meteoriet in zijn armen voet op Saoedische bodem.

'Dus dit is het land dat ik naar de klote ga helpen,' fluisterde hij, terwijl hij om zich heen keek naar de kale heuvels rond het vliegveld, 'het hart van de islam.'

Met een gemeen glimlachje spuugde hij op de grond.

Vervolgens liep hij naar een limousine die klaarstond om hem naar het hotel te brengen.

Hickman lag al lang en breed in zijn hotelbed toen de Challenger, na met een wijde boog over de Indische Oceaan en de Straat van Ormoez te zijn gevlogen, eindelijk boven de Perzische Golf Qatar naderde. De emir ontving hen met open armen. Zijn vertegenwoordiger had binnen de kortste keren alle toelatingsformaliteiten voor hen geregeld en een hele vleugel met hotelkamers voor Cabrillo en zijn team gereserveerd. Er werd afgesproken dat Cabrillo de emir nog diezelfde dag rond het middaguur zou ontmoeten. In de tussentijd zou hij nog een paar uur kunnen slapen. Daarna kon hij de hele kwestie persoonlijk met de emir bespreken.

De piloot opende de deur weer en riep: 'We hebben toestemming om te landen.'

Cabrillo keek door het raam naar het azuurblauwe water van de Perzische Golf. Hij zag vreedzaam dobberende dhows, merkwaardig gevormde boten die zowel door vissers als voor vrachtvervoer werden gebruikt. In het noorden zag Cabrillo nog net de vage contouren van een mammoettanker. Met de reusachtige schroeven trok de tanker een vele kilometers lang spoor door de verder kalme zee.

Cabrillo hoorde de motoren van de Challenger afremmen. De landing werd ingezet.

46

In een goedkoop appartement in een haveloos flatgebouw in het centrum van Ar-Riaad zaten twaalf Hindoes bijeen. Ze waren een week eerder in Saoedi-Arabië gearriveerd en het land binnengekomen op visa met een speciale werkvergunning voor arbeiders. Nadat alle douaneformaliteiten waren afgehandeld, waren ze verdwenen zonder dat ze zich hadden gemeld bij het arbeidsbureau dat hun komst had geregeld.

Na elkaar waren ze in het appartement opgedoken dat Hickman had volgestouwd met voldoende etenswaren, water en andere benodigdheden voor een verblijf van enkele weken. Ze moesten binnenblijven en wachten tot er contact met hen werd opgenomen.

Deze twaalf mannen waren de enige helpers die Hickman in Saoedi-Arabië zou inzetten voor de uitvoering van zijn plan. Wat Hickman had uitgedacht, leek oppervlakkig bezien heel eenvoudig, maar was in de praktijk lang niet zo simpel. Hickman wilde met de twaalf Hindoes naar Mekka gaan om daar het belangrijkste artefact van de islam te stelen: de meteoriet in de Kaaba, die volgens de overlevering door Abraham was gevonden. En hem vervolgens te vervangen door de meteoriet uit Groenland.

Daarna zou hij de meteoriet van Abraham meenemen om hem te vernietigen. Hickman wilde de islam in het hart treffen.

In zijn hotelkamer in Ar-Riaad bekeek Hickman zijn aantekeningen.

Mekka is het centrum van de islam. De stad was de geboorteplaats van Mohammed en de godsdienst die hij had gesticht. De op ruim zeventig kilometer van de Rode Zee gelegen stad ligt midden in een zandwoestijn, omgeven door heuvels en bergen, en was ooit een oase op een handelsroute die de landen rond de Middellandse Zee met Arabië, Afrika en Azië verbond. Volgens de legende kreeg Abraham zo'n tweeduizend jaar vóór het leven van Jezus Christus op deze plek van God de opdracht er een heiligdom te bouwen. In de loop der tijd is het heiligdom talloze malen vernietigd en weer opgebouwd. In 630 kreeg Mohammed in Mekka de macht in handen en ontdeed het heiligdom van alle valse symbolen. Het enige wat Mohammed liet staan was de Kaaba, met daarin de heilige steen. Dit werd het centrum van zijn nieuwe godsdienst.

De daaropvolgende eeuwen werd de ruimte waarin zich de steen bevond door diverse muren en steeds grotere en architectonisch fraaiere gebouwen omringd. De laatste grote verbouwing, in de twaalfde eeuw, werd gefinancierd door de Saoedische koninklijke familie. Het bouwwerk dat toen ontstond, werd de Al-Haram genoemd, de grootste moskee op aarde.

In het centrum van de moskee bevindt zich de Kaaba, een klein, rechthoekig gebouwtje dat in zwarte zijden doeken is gehuld waarop met gouddraad passages uit de koran zijn geborduurd. De zijden doeken worden ieder jaar vervangen en één keer per jaar wordt de vloer eromheen in een uiting van deemoed door de koning van Saoedi-Arabië schoongeveegd.

De pelgrims komen om de heilige steen te kussen en van de Zamzam-bron te drinken, die daar vlakbij is.

In minder dan een week tijd lopen er ruim een miljoen mensen langs de Kaaba. Maar op dit tijdstip was het heiligdom in verband met de voorbereidingen voor het publiek gesloten.

Hickman zette de computer in zijn hotelsuite aan en logde in op de site van een van zijn ruimtevaartbedrijven in Brazilië. Daar had hij zijn belangrijkste bestanden ondergebracht. Nadat hij de benodigde foto's en documenten had opgezocht, bladerde hij ze aandachtig door.

Zijn speciale belangstelling betrof een foto van de moskee in Mekka.

De Al-Haram, ook wel de Grote Moskee genoemd, is een gigantisch bouwwerk. Enorme stenen muren en bogen omringen het geheel en zijn op diverse niveaus door weer andere bogen verbonden met muren. De muren worden omgeven door zeven minaretten die vele tientallen meters hoog de lucht in reiken. Door maar liefst vierenzestig poorten kunnen de pelgrims er naar binnen gaan. Het totale bouwwerk beslaat een oppervlakte van ruim achttienduizend vierkante meter.

In de moskee valt de Kaaba met een omvang van zo'n achttien bij achttien meter haast in het niet.

Hickman en zijn team moesten dus onder de rond de Kaaba gedrapeerde zijden doeken door zien te komen om daar de heilige steen weg te nemen, die zich in de zuidoosthoek van het bouwwerk in een op één meter twintig boven de grond in de muur bevestigde zilveren houder bevindt, en deze te vervangen door de steen uit Groenland. Daarna moesten ze zich nog ongemerkt uit de voeten zien te maken.

Alles bij elkaar leek dat vrijwel onmogelijk.

De hoteltelefoon ging. De receptionist meldde dat er een per expres verzonden pakket bij de balie voor hem was bezorgd. Hickman vroeg de man het naar zijn kamer te laten brengen. Een paar minuten later werd er op de deur geklopt.

Hickman opende de deur, gaf de piccolo een fooi en nam het pakket aan.

De *Oregon* minderde vaart in de wateren voor de kust van Frankrijk.

'Ik heb het toestel op de radar,' zei Stone tegen Hanley.

Hanley knikte en zag het watervliegtuig op de beelden van de buitencamera's uit de duisternis opdoemen. Het landde op het water en taxiede naar het schip. Hanley zag hoe de dekknechten het langszij vastmaakten en het team vervolgens aan boord klom. Daarna pakte hij de microfoon van de radio en riep de piloot van het vliegtuig op.

'Judy Michaels.'

'Ja.'

'Wij varen door naar de Rode Zee. Heb je de laatste tijd voldoende slaap gehad?'

'Nou, nee,' antwoordde Michaels.

'Vlieg dan naar Spanje en zoek een hotel op,' zei Hanley. 'Als je goed bent uitgerust, vlieg dan door naar het oosten. Ik zal een vliegveld in Zuid-Italië voor je uitzoeken. Daar ben je niet te ver weg in het geval we je nodig hebben.'

Het amfibievliegtuig had zijn nut nu al een paar keer bewezen, maar het was te groot om aan boord mee te nemen.

'Prima,' zei Michaels.

'Er komt zo meteen iemand naar je toe met twee bundels honderddollarbiljetten,' zei Hanley, 'in totaal tienduizend dollar. Ben je fit genoeg om alleen door te vliegen of zullen we iemand met je meesturen?'

'Nee hoor,' antwoordde Michaels, 'dat kan ik wel aan.'

'Als je meer nodig hebt, bel dan,' zei Hanley. 'We kunnen het overal naar je laten overmaken. Ga nu eerst lekker slapen, maar zorg wel dat het vliegtuig hoe dan ook altijd volgetankt klaarstaat.'

'Komt voor elkaar.'

'En, Michaels,' vervolgde Hanley, 'je hebt een geweldig stukje werk geleverd. Ik weet dat dit voor jou de eerste keer als captain was, en ik moet zeggen de Corporation is trots op je.'

'Meneer,' zei Stone, 'Adams in de Robinson meldt dat hij eraankomt.'

Michaels stak haar hoofd door de zijdeur van het vliegtuig naar buiten en keek omhoog in de lens van een buitencamera. Ze stak haar duim naar Hanley op, trok haar hoofd weer in en sloot de deur. Terug in de cockpit startte ze de motoren en pakte de microfoon.

'Ik hoor dat je Adams op de lijn hebt,' zei ze, 'dan zal ik afsluiten.'

De meertouwen werden terug aan boord van de *Oregon* getrokken en Michaels dreef weg van het schip. Zodra de afstand groot genoeg was, gaf ze gas tot het amfibievliegtuig voldoende vaart had en steeg op. In de lucht beschreef ze een ruime boog en verdween richting Spanje.

'Nu Adams nog even aan boord halen,' zei Hanley, 'dan kunnen we daarna weer op volle kracht door.'

Twee minuten later verscheen de Robinson boven het achterdek en landde op het platform. Zodra de helikopter stevig aan het dek was vastgesnoerd, gaf Hanley aan de brug door dat ze de snelheid weer konden opvoeren.

Cabrillo had als een blok geslapen tot hij om elf uur die ochtend door de receptionist werd gewekt. Cabrillo bestelde een ontbijt en belde vervolgens de kamer van Jones.

'Ik ben klaarwakker,' zei Jones.

'Neem een douche, kleed je aan en kom naar mijn suite voor een ontbijt,' zei Cabrillo.

'Geef me twintig minuten,' zei Jones.

Cabrillo had al gedoucht en was zich aan het scheren toen de man van de roomservice op de deur klopte. In zijn badjas deed hij de deur open en gebaarde de man waar hij het wagentje kon neerzetten. Cabrillo pakte zijn portefeuille van het dressoir, trok er een biljet uit en wilde het aan de man geven.

'Sorry, sir,' zei de man, 'alles is op rekening van de emir.'

Voordat Cabrillo hier iets tegenin kon brengen, was de man alweer uit de kamer verdwenen. Na het scheren trok hij schone kleren aan. Toen hij op de televisie een kanaal met nieuwsberichten zocht, klopte Jones op de deur. Cabrillo liet hem binnen, waarna de beide mannen zich aan het ontbijt te goed deden.

'Ik heb de emir nog nooit ontmoet,' zei Jones, nadat hij een paar happen van zijn omelet had genomen. 'Wat is dat voor een man?'

'De emir is in de vijftig en vrij progressief in zijn ideeën,' antwoordde Cabrillo. 'Hij heeft het Amerikaanse leger toestemming gegeven hier gedurende een aantal jaren een basis te vestigen. In feite is de hele Tweede Golfoorlog vanaf het vliegveld hier gecoördineerd.'

'Hoe is zijn relatie met Saoedi-Arabië?' vroeg Jones.

'Over het algemeen goed,' zei Cabrillo, 'maar dat kan met de dag veranderen. De Saoedi's balanceren altijd op het randje van een prowesterse koers, waartoe het grootste deel van de Arabische wereld ook de emir rekent, en het niet tegen de haren instrijken van het omvangrijke fundamentalistische deel van hun eigen bevolking. Dit wankele evenwicht is meer dan eens bijna omgekiept.'

Cabrillo nam juist de laatste hap van zijn gebakken aardappelen toen de hoteltelefoon ging.

'De limousine staat voor,' zei Cabrillo, nadat hij had opgehangen. 'Laten we maar snel naar hem toe gaan, dan kun je je eigen mening over hem vormen.'

Hierop kwam ook Jones overeind en volgde Cabrillo de gang op.

In Langley, Virginia, las Langston Overholt een verslag van MI5 over de kernbom die de Corporation onschadelijk had gemaakt. Engeland was nu buiten gevaar, maar de meteoriet was nog niet teruggevonden. Michelle Hunt was naar Engeland gebracht, maar op dit moment wist Overholt nog niet hoe hij haar kon inzetten.

Hanley had zich een uur geleden gemeld en Overholt uitgebreid op de hoogte gesteld van de momentane situatie, maar door de recente commotie over de Amerikaanse steun aan Israël was de relatie met de Saoedi's aanzienlijk bekoeld. Overholt had zijn collega van de Saoedische geheime dienst gebeld om zijn theorie over de vergiftigde bidkleedjes door te geven, maar daar had hij nog geen reactie op ontvangen.

Hij begon zich af te vragen of het niet verstandig zou zijn de president te vragen zich hier persoonlijk voor in te zetten.

Wat Overholt nog het meeste bezighield, was het feit dat de Corporation bij hun doorzoeking van Maidenhead Mill geen enkel spoor van de meteoriet had aangetroffen en ook niet van een residu dat volgens hun oorspronkelijke theorie had moeten vrijkomen.

Toen ging de telefoon.

'Ik heb de satellietgegevens die u hebt aangevraagd,' zei een functionaris van de Nationale Inlichtingendienst. 'Ik zal ze u meteen toesturen.'

'Graag,' zei Overholt, 'maar kunt u me nu al zeggen waar de Hawker naartoe is gevlogen?'

'Naar Ar-Riaad in Saoedi-Arabië,' antwoordde de man. 'Hij is daar vanochtend gearriveerd en er gebleven. We hebben een foto van het vliegtuig op het platform, en de vluchtbewegingen. Dat is wat ik u ga toesturen.'

'Bedankt,' zei Overholt, waarna hij ophing.

Achteroverleunend in zijn stoel trok Overholt een bureaula open en pakte er een tennisbal uit. Hij gooide de bal tegen de muur en ving hem weer op. Nadat hij dit gedurende enkele minuten had herhaald, begon hij heftig te knikken.

Met een ruk kwam hij overeind en pakte de telefoon.

'Archief,' zei een stem.

'Ik heb snel een overzicht van het islamitische geloof en in het bijzonder de heilige plaatsen in Mekka nodig.' Overholt had zich opeens uit een geschiedenisles van vele jaren geleden iets over een meteoriet en de islam herinnert.

'Hoe gedetailleerd en hoe snel?' vroeg de stem.

'Beknopt en binnen een uur,' antwoordde Overholt, 'en kijk of u binnen onze dienst een islamiet kunt vinden en laat die dan naar mij toe komen.'

'Ik doe mijn best.'

Onder het wachten bleef Overholt de tennisbal eindeloos tegen de muur kaatsen. Hij probeerde te denken als een vader die de voortdurend rondspokende beelden van zijn overleden zoon niet meer uit zijn hoofd kan zetten. Hoever zou hij gaan in zijn wraak? Hoe zou hij het beest in het hart kunnen treffen?

Het weelderige paleis van de emir lag hoog op een heuvel met een panoramisch uitzicht over de Perzische Golf. Omringd door een hoge stenen muur waarachter zich een terrein met garages, parkachtige tuinen en diverse vijvers en zwembaden bevond, maakte het geheel een verrassend vriendelijke indruk. Dit in tegenstelling tot de vaak nogal kleurloze en somber ogende monumentale bouwwerken die je overal in Engeland en de rest van Europa aantreft.

Toen de limousine door de poort de ronde oprijlaan naar de hoofdingang opreed, stoven er verschillende pauwen en een paar flamingo's uiteen. Voor een van de garages stond een monteur in een kakikleurige overall een Lamborghini 4x4 te wassen, terwijl een eindje verderop twee tuinlieden de noten van een pistacheboom aan het oogsten waren.

De limousine stopte voor de hoofdingang, waarop er een in een westers zakenkostuum geklede man naar buiten kwam. 'Meneer Cabrillo,' zei hij, 'ik ben Akmad Al-Thani, assistent van de emir. We hebben elkaar over de telefoon gesproken.'

'Meneer Al-Thani,' zei Cabrillo, terwijl hij de hem toegestoken hand schudde, 'prettig u nu eens lijfelijk te ontmoeten. Dit is mijn collega, Peter Jones.'

Ook Jones schudde glimlachend Al-Thani's hand.

'Als u mij wilt volgen,' zei Al-Thani, terwijl hij terugliep naar de deur, 'de emir verwacht u in de salon.'

Cabrillo en Jones volgden Al-Thani naar binnen, waar ze in een enorme foyer kwamen met een marmeren vloer en aan beide zijden een halfronde trap die naar de bovenverdiepingen leidde. Centraal in de hal stonden verschillende marmeren standbeelden rond een grote, glanzend geboende mahoniehouten tafel met een reusachtig bloemstuk in het midden. Een tweetal in uniform geklede dienstmeisjes was druk met stoffer en blik in de weer en in een hoek gebaarde een in een zwart jacquet geklede butler naar een klusjesman die een spotje repareerde dat op een imposant schilderij gericht stond, zo te zien een Renoir.

Al-Thani liep door de foyer naar een gang die op een veel groter vertrek uitkwam, waarvan een van de wanden geheel uit een panoramaruit bestond die een vrij uitzicht op het water bood. Het vertrek besloeg minstens zevenhonderd vierkante meter en bevatte diverse rond reusachtige potplanten gegroepeerde zithoeken. Op meerdere plekken waren grote plasmaschermen opgesteld en er stond een vleugel, waaraan de emir zat. Hij stopte met spelen toen de mannen binnenkwamen.

'Dank u dat u gekomen bent,' zei hij, terwijl hij opstond. Hij liep Cabrillo tegemoet en stak zijn hand uit. 'Juan,' zei hij, 'altijd weer goed om u te zien.'

'Excellentie,' zei Cabrillo glimlachend, waarna hij zich omdraaide naar Jones, 'mijn collega, Peter Jones.'

Jones pakte de naar hem uitgestoken hand en schudde hem krachtig. 'Prettig kennis met u te maken,' zei de emir met een uitnodigend gebaar naar een zithoek. 'Laten we hier gaan zitten.'

Nadat de vier mannen hadden plaatsgenomen, verscheen er als bij toverslag een kelner. 'Thee en cake,' zei de emir, waarop de ober weer even snel verdween als hij gekomen was.

'Zo, hoe is het afgelopen in IJsland?' vroeg de emir.

Cabrillo vertelde het hele verhaal. De emir knikte.

'Als uw mannen mij toen niet hadden verwisseld,' zei de emir, 'wie weet waar ik dan terecht was gekomen.'

'Al-Khalifa is dood, excellentie,' zei Cabrillo, 'dus dat is in ieder geval een hele zorg minder.'

'Niettemin,' zei de emir, 'wil ik dat de Corporation zo spoedig mogelijk mijn totale beveiliging en de gevaren die mijn regering bedreigen onder de loep neemt.'

'Dat doen we uiteraard graag,' zei Cabrillo, 'maar er is nu eerst een dringender zaak die we met u willen bespreken.'

De emir knikte. 'Vertelt u het maar, alstublieft.'

En Cabrillo stak van wal.

47

De drie containers met vergiftigde bidkleedjes stonden in een hoek van de vrachtterminal op het vliegveld van Ar-Riaad op een met een hekwerk van harmonicagaas afgeschermd terrein van meerdere voetbalvelden groot. Als de tijd voor het begin van de hadj niet zo krap was geweest, zouden de kleden allang vervoerd en uitgeladen zijn. Maar nu ze pas zo laat waren aangekomen, waren er andere zaken die voorrang hadden. Al-Sheik was al meer dan tevreden wanneer ze op de dag voor het begin van de hadj bij de Kaaba zouden zijn afgeleverd.

Vooraleerst waren er belangrijker dingen te doen. Behalve de bidkleedjes moest hij ervoor zorgen dat er bijna een miljoen flessen water, tienduizend wc-hokjes ter aanvulling van de reeds aanwezige toiletten, zes compleet ingerichte EHBO-tenten en tienduizend prullenbakken op het terrein klaarstonden.

Op pallets werden reusachtige pakketten met brochures en allerlei memorabilia als speciale korans en ansichtkaarten, en honderden dozen met tubes zonnebrandcrème aangevoerd. Plus voldoende voedsel voor de pelgrims, zesduizend bezems voor de schoonmaakploegen die de dagelijkse rotzooi moesten opruimen, paraplu's voor het geval het ging regenen, en twaalf grote kisten met ventilatoren die in het enorme bouwwerk rond de Grote Moskee voor de broodnodige ventilatie moesten zorgen.

Maar met de beveiliging had Al-Sheik niets van doen. Die lag geheel en al in handen van de geheime politie van Saoedi-Arabië.

Van een afgescheiden gedeelte van de luchtvrachtterminal vertrokken vrachtwagens met de hiervoor benodigde spullen naar Mekka: een compleet ingericht controle- en commandocentrum met radiozenders en apparatuur voor een omvangrijke videobewaking; voor honderdduizend schoten munitie en traangasgranaten voor het geval er rellen uitbraken; veertig opgeleide politiehonden, inclusief hokken, voedsel en reserveriemen, plus een tiental pantserwagens, vier tanks en duizenden manschappen.

De jaarlijkse hadj was een gigantische onderneming, en de Saoedische koninklijke familie stond borg voor de onkosten.

Al-Sheik keek op zijn klembord en streepte een vrachtwagen door die zojuist van het terrein was weggereden.

De emir had, af en toe van zijn thee nippend, zwijgend naar Cabrillo geluisterd, die bijna twintig minuten zonder onderbreking aan het woord was geweest. Daarna viel er een stilte.

'Vindt u het goed als ik u eerst in het kort iets over de geschiedenis van de islam vertel?'

'Natuurlijk, graag,' antwoordde Cabrillo.

'Het islamitische geloof kent drie belangrijke plaatsen, twee in Saoedi-Arabië en één in Israël. De belangrijkste is de Al-Haram-moskee in Mekka, waar zich de Kaaba bevindt; de tweede is de Masjid Al-Nabawi, de Moskee van de Profeet in Medina, met het graf van Mohammed; en de derde is de Masjid Al-Aksa in Jeruzalem, de Rotskoepelmoskee, waar Mohammed een paard besteeg voor zijn nachtelijke hemelreis naar Allah.'

De emir pauzeerde een moment, nam een slok van zijn thee en vervolgde: 'De Kaaba is van het allergrootste belang voor de moslims. Dit is de plek in de richting waarnaar ze vijf keer per dag bidden en hét lichtend middelpunt van ons geloof. Achter de doeken die over het heiligdom hangen, dus in het bouwwerk zelf, bevindt zich een zwarte steen die Abraham heeft gevonden en daar vele eeuwen geleden heeft neergelegd.'

Cabrillo en Jones knikten.

'Zoals u al zei, wordt over het algemeen aangenomen dat de steen een meteoriet is die door Allah aan de gelovigen is gezonden,' vulde de emir aan.

'Kunt u de steen beschrijven?' vroeg Jones.

De emir knikte. 'Ik heb hem zelf vele malen aangeraakt. De steen is rond, heeft een doorsnee van zo'n dertig centimeter en is zwart van kleur. Als ik het gewicht zou moeten schatten, zou ik zeggen zo om en nabij de honderd pond.'

'Dit komt min of meer overeen met de afmetingen van de in Groenland gevonden meteoriet,' zei Cabrillo.

De emir keek geschrokken op.

'Er is iets wat ik u nog niet heb verteld, excellentie,' vervolgde Cabrillo. 'Onze wetenschappers hebben gegronde redenen om aan te nemen dat de in Groenland gevonden meteoriet een virus bevat dat vrij kan komen wanneer men de bol probeert te splijten.'

'Wat voor soort virus?' vroeg de emir.

'Een virus dat op ongekende schaal zuurstof absorbeert,' antwoordde Cabrillo, 'met als gevolg dat er een vacuüm ontstaat waardoor alles in de directe omgeving in zijn kern wordt opgezogen.'

'Armageddon,' zei de emir.

'Ik moet Saoedi-Arabië in,' zei Cabrillo, 'om hem tegen te houden.'

'Dat, mijn beste vriend, is lastiger dan je zou denken,' zei de emir. 'Sinds de Golfoorlog van 2003 is mijn relatie met koning Abdullah niet al te best meer. Mijn voortdurende steun aan de Verenigde Staten en mijn toestemming dat ze hier een grote luchtmachtbasis mochten bouwen en troepen mogen stationeren is onze vriendschap niet echt ten goede gekomen… voor de buitenwereld althans. Om de haviken in zijn land te vriend te houden en zijn eigen positie niet in gevaar te brengen heeft hij het noodzakelijk geacht mijn acties publiekelijk te veroordelen.'

'Maar als u uitlegt hoe gevaarlijk en urgent de situatie is, draait hij misschien wel bij,' zei Jones.

'Ik zal het proberen,' zei de emir, 'maar op dit moment communiceren we alleen nog via tussenpersonen. En dat verloopt traag en stroef.'

'Wilt u het proberen?' vroeg Cabrillo.

'Natuurlijk, maar zelfs indien hij uw hulp aanneemt,' zei de emir, 'dan is er nog een ander probleem en dat is niet zomaar opgelost.'

'En dat is?' vroeg Cabrillo.

'In de stad Mekka worden uitsluitend moslims toegelaten.'

Scott Thompson baadde in het koude zweet.

Dr. Berg had een soort kap op zijn hoofd geplaatst die leek op de headset van een spelletjescomputer. De kap kwam tot over zijn ogen en werd met een riempje nog extra strak aangetrokken. Tot dusver had Thompson zich goed gehouden. Ze hadden hem zonder resultaat met een waarheidsserum ingespoten; ze hadden hem eindeloos over de afgelopen dagen aan de tand gevoeld en met telefoontjes naar zijn familie in de Verenigde Staten gedreigd waarin ze zouden vertellen wat er met hem ging gebeuren als hij niet meewerkte.

Hiermee hadden ze hem niet aan het praten gekregen.

Thompson was hierin goed getraind, en hoe hij moest reageren was hem haast letterlijk in zijn hoofd gestampt. Hij had geleerd hoe hij zich tegen het waarheidsserum kon verzetten en hoe hij een eindeloze ondervraging moest pareren, en hem was op het hart gedrukt dat de Verenigde Staten nooit onschuldige mensen kwaad zouden doen om hem aan het praten te krijgen.

Maar dit was nieuw, hier had niemand hem ooit iets over gezegd.

Thompson voelde Bergs adem tegen zijn oor. 'Scott,' zei Berg, 'zo meteen krijg je vlak voor je ogen allemaal gekleurde lichtjes te zien. Na verloop van tijd krijg je daar epileptische stuiptrekkingen van en een brandend gevoel, alsof er spijkers door je hersenen worden geslagen. Als je moet overgeven, en dat gebeurt, kun je waarschijnlijk je hoofd niet bewegen, dus pas op dat je niet in je eigen kots stikt. Er is hier een verpleegster die het uit je mond zuigt. Begrijp je dat?'

Thompson probeerde zijn hoofd te bewegen.

'Voordat we beginnen, heb je nog een laatste kans om te vertellen wat wij willen weten. Deze techniek gebruiken we over het algemeen liever niet, want voor een aanzienlijk percentage van de patiënten heeft deze therapie blijvend nadelige gevolgen. En daarmee bedoel ik dat ze in een vegetatief coma raken, en er is zelfs een percentage dat het niet overleeft. Dus je begrijpt de consequenties?'

Commander Gant, die aan de andere kant van de ziekenboeg stond, kon dit niet meer aanzien en gebaarde dat hij ervandoor ging. Berg zwaaide naar hem en liep naar de computer om de instructies in te toetsen.

Thompson begon te kronkelen en trok zijn rug hol tegen de riemen. Hij lag stuiptrekkend op de tafel, als een vis op het droge.

Het was twee uur 's middags in Qatar en negen uur 's morgens in Washington DC toen Overholt de telefoon opnam. Cabrillo viel met de deur in huis.

'Ik ben in Qatar,' zei hij. 'We denken nu dat Hickman het op een van de drie belangrijkste heiligdommen van de islam heeft gemunt.'

'De Kaaba, het graf van Mohammed of de Rotskoepel,' zei Overholt. 'Ik heb mijn huiswerk gedaan.'

Overholt had de vorige dag een aantal uren met de islamitische medewerker van de dienst gesproken en de documenten gelezen die hij van de archiefafdeling had gekregen.

'Goed zo,' zei Cabrillo.

'Ik heb de NSA ook alle communicatie van en naar Hickman van de afgelopen weken laten natrekken, en zojuist heb ik eindelijk de resultaten ontvangen,' zei Overholt. 'Hij heeft contact gehad met Pieter Vanderwald, en door een van diens dekmantelondernemingen is onlangs per expres een pakket naar Saoedi-Arabië verzonden.'

'Pieter de Gifmenger?' vroeg Cabrillo.

'Inderdaad,' reageerde Overholt.

'Hij moet direct worden opgespoord,' zei Cabrillo.

'Daar heb ik al opdracht toe gegeven,' antwoordde Overholt. 'Er is een team naar hem op zoek.'

'Nog iets van Hanley gehoord?' vroeg Cabrillo.

'Ja,' zei Overholt, 'hij heeft verteld wat uw mensen in de fabriek in Maidenhead hebben ontdekt. We zijn ervan overtuigd dat het daar ook om gif gaat dat Vanderwald heeft geleverd.'

'En dat hebben ze op de bidkleedjes gespoten,' zei Cabrillo.

'Daarna heeft hij de containers goed verzegeld, anders waren de piloten onderweg ziek geworden en was het toestel nog boven Engeland neergestort. Hickman is krankzinnig, maar niet dom. Het gevaar ontstaat pas wanneer de containers worden geopend.'

'En dat kan nu ieder moment gebeuren,' zei Cabrillo.

In het kantoor van Overholt sloeg de fax aan het printen. Hij rolde op zijn stoel naar het apparaat, pakte de velletjes, rolde terug naar zijn bureau en las ze snel door.

'Volgens mij pleegt hij een aanslag op de Rotskoepel en zorgt ervoor dat de Israëliërs de schuld krijgen,' zei Overholt.

'Hoe komt u op dat idee?' vroeg Cabrillo.

'Herinnert u zich het jacht dat de meteoriet naar de Faerøereilanden heeft gebracht en dat door ons fregat is geënterd?'

'Jazeker,' antwoordde Cabrillo.

'Ik heb er een specialist van onze dienst naartoe gestuurd,' zei Overholt. 'En hij heeft de leider ten slotte aan het praten gekregen.'

'En?'

'Een paar weken geleden heeft Hickman een stel mensen naar Israël gestuurd om bij de Rotskoepel videocamera's en explosieven aan te brengen. Dus lijkt het erop dat hij, als het hem lukt de steen van Abraham te stelen, van plan is om die steen naar Jeruzalem te brengen en daar op te blazen, om vervolgens de videobeelden wereldwijd te verspreiden.'

'En hun plannen in Saoedi-Arabië,' vroeg Cabrillo, 'heeft hij daar nog iets over losgelaten?'

'Daar wist hij kennelijk niets van af. Dat heeft Hickman waarschijnlijk volledig van elkaar gescheiden gehouden en gebruikt hij daar andere mensen voor.'

'U moet iets voor me doen,' zei Cabrillo.

'En dat is?'

'Ik wil graag de gegevens van al het Amerikaanse militaire personeel in Qatar.'

'Wat wilt u daarmee?'

'Ik heb alle moslims nodig die we hebben,' zei Cabrillo.

'Wie gaat ze leiden in Mekka?'

'Maakt u zich geen zorgen,' antwoordde Cabrillo, 'daar heb ik de perfecte man voor.'

De *Oregon* voer in de Straat van Gibraltar toen Hanley, nadat hij met Cabrillo had gesproken, de verbinding verbrak. Hij drukte het knopje van de intercom in.

'Kasim en Adams naar de controlekamer,' zei hij. 'Kasim en Adams naar de controlekamer.'

Terwijl hij op de komst van de beide mannen wachtte, richtte hij zich tot Stone. 'Verleg de koers naar Israël, een haven in de buurt van Jeruzalem.'

Jones ging aan het werk en er verscheen een plattegrond op de monitor. De haven van Ashdod lag het dichtst bij Jeruzalem. Hij typte enkele instructies in en het automatisch navigatieprogramma zette een nieuwe koers uit. Even later stapte Adams de controlekamer binnen.

'Wat kan ik doen?' vroeg hij.

'Kun jij de helikopter gereedmaken om Kasim in Tanger, Marokko, af te zetten?'

'En daarna?' vroeg Adams.

'Bijtanken en terugvliegen naar de *Oregon*.'

'Komt voor elkaar,' zei Adams, waarna hij zich omdraaide en het vertrek weer uitliep.

Een paar minuten later kwam Kasim de controlekamer binnen.

'Zou jij de actie willen leiden?' vroeg Hanley.

'Jazeker,' antwoordde Kasim glimlachend.

'Alleen Cabrillo kan de persoonsgegevens inzien,' zei Hanley, 'maar hij heeft me verteld dat jij moslim bent. Klopt dat?'

'Ja.'

'Prima,' zei Hanley. 'De Challenger is al onderweg van Qatar naar Marokko. Jij moet het team leiden dat naar Mekka gaat.'

'Wat is het doel van die missie?' vroeg Kasim.

'Jij,' zei Hanley, traag articulerend, 'gaat de heiligste plaatsen van de islam redden.'

'Dat zou een hele eer zijn,' reageerde Kasim.

48

Hickman kende absoluut geen schroom om als niet-moslim de heilige grond van Mekka te betreden.

Hij haatte het islamitische geloof en alles waar het voor stond. Na zijn bezoek aan het twaalftal Indiase staatsburgers in de woning in Ar-Riaad om vier uur die middag vertrokken ze, nadat hij hen van zijn plannen op de hoogte had gesteld, voor een tien uur durende rit naar Mekka en de Kaaba. Ze reden in een gestolen bestelwagen met op de zijkanten in Arabisch schrift de tekst: Koninklijk Schoonmaakbedrijf. Ze waren in lange witte gewaden gekleed en hadden allemaal een eigen bezem, emmer, plamuurmes en stoffer-en-blik.

Hickman had een vervalser een brief in het Arabisch laten schrijven met een verklaring waaruit bleek dat zij een speciale schoonmaakploeg waren voor het opruimen van kauwgum. In een felgeel duwkarretje lagen onder een witte canvas doek de meteoriet en een aantal spuitbussen, die Vanderwald hem op de valreep nog had toegestuurd. Alle Hindoes hadden een C6-kneedbom plus een piepkleine tijdontsteker met plakband op hun rug bevestigd. En onder hun gewaad hadden ze aan hun been een handwapen, voor het geval er iets fout ging.

De bestelwagen reed naar een poort die toegang gaf tot het uitgestrekte binnenterrein van de moskee.

Hickman en de anderen stapten uit, pakten het duwkarretje en de emmers en bezems en liepen naar de bewaker. Hickman had er talloze keren op geoefend, hij had niet alleen Arabisch geleerd, maar ook de lichaamstaal. Hij overhandigde het document.

'In de naam van de barmhartige Allah, we zijn hier om het heiligdom schoon te maken,' zei hij.

Het was al laat, de bewaker was moe en de moskee was gesloten.

Er was voor hem weinig reden om aan te nemen dat deze mannen niet waren wat ze zeiden dat ze waren. Zonder commentaar gebaarde hij dat ze door konden lopen. Hickman duwde het karretje door een gewelfde galerij naar het centrale deel van het heiligdom.

In de galerij schoof Hickman een maskertje met een speciaal filter voor zijn mond en neus, waarna hij zijn hoofddoek zo ombond dat alleen zijn ogen vrij waren. Vervolgens gebaarde hij naar de Hindoes dat ze zich moesten verspreiden om op diverse plaatsen springladingen aan te brengen. Zelf liep hij rechtstreeks door naar de Kaaba.

Op iedere hoek stond een in een ceremonieel uniform geklede schildwacht. Om de vijf minuten wisselden ze met stramme passen van plaats, waarbij ze hun benen net als de koninklijke lijfwacht bij de wisseling van de wacht voor Buckingham Palace hoog optilden. Zo liepen ze met de wijzers van de klok mee naar de volgende hoek, waar ze dan weer vijf minuten bleven staan. Ze hadden net een wisseling gedaan toen Hickman met zijn karretje naderde.

Uit het karretje haalde hij een van de spuitbussen tevoorschijn, schroefde de dop eraf en spoot in de richting van de schildwacht. De man bleef nog een paar seconden roerloos staan, zakte vervolgens door zijn knieën en viel met zijn hoofd op zijn borst op de marmeren vloer. Met een snelle beweging glipte Hickman met het karretje onder het doek door.

Binnen holde hij naar de Steen van Abraham en wrikte hem met een korte ijzeren staaf die hij in het karretje had meegenomen uit de zilveren houder los. Nadat hij de steen met de meteoriet uit Groenland had verwisseld, verstopte hij de Steen van Abraham onder de witte canvas doek die over het karretje hing. Ten slotte verborg hij nog snel een paar springladingen in de ruimte en glipte onder de doeken door weer naar buiten.

Vanderwald had bij de levering van het verdovende gas verteld dat de werkingsduur maximaal zo'n drie à vier minuten zou zijn. Daarna zou degene die het gas had ingeademd al vrij snel weer bijkomen. Hickman duwde het karretje terug naar de zuilengalerij.

De Hindoes hadden hard doorgewerkt. De zes mannen die pilaren vlak bij de galerij toegewezen hadden gekregen, stonden al te wachten, twee anderen kwamen een minuut later terug, spoedig gevolgd door nog een tweetal. Even later zag Hickman hoe ook het laatste paar zich over het grote marmeren plein in hun richting haastte.

Gevolgd door de Hindoes duwde Hickman het karretje langs de bewaker bij de ingang.

'Wat gaat u doen?' vroeg de bewaker.

'Duizend excuses,' antwoordde Hickman in het Arabisch, terwijl hij met het karretje doorliep naar de bestelwagen, 'binnen zeiden ze dat we morgenavond moeten terugkomen.'

Hickman en zijn mannen stapten in de auto en reden weg toen de schildwacht bijkwam. Hij drukte zich op tot hij op zijn knieën zat en keek om zich heen of iemand hem had zien vallen. Kennelijk was dat niet het geval. De schildwacht op de andere hoek keek, zoals van hem werd verwacht, de andere kant op. Hij krabbelde overeind en keek op zijn horloge. Nog anderhalve minuut tot de volgende wisseling. De wacht besloot het feit dat hij flauw was gevallen geheim te houden. Hij wist dat hij, als hij het iemand zou vertellen, onverbiddelijk nog vóór de hadj zou worden vervangen.

De lijfwacht had er zijn hele leven van gedroomd hier op wacht te mogen staan. Door een kleine warmtestuwing of een voedselvergiftiging zou hij zich die droom niet aan diggelen laten slaan.

Hickman zei tegen de chauffeur dat hij de weg naar de stad Rabigh aan de Rode Zee moest nemen. Daar konden de Hindoes zich in een huis verbergen dat hij had gehuurd. Morgennacht zouden ze dan doorrijden naar Medina. Hickman zou de nacht niet in Rabigh doorbrengen. Voor hem lag in de haven een boot klaar. Bij het eerste ochtendgloren zou hij aan boord gaan en naar het noorden varen.

Overholt zat in het Witte Huis in het Oval Office. Hij had verslag gedaan van de stand van zaken en leunde achterover in zijn stoel.

'Dit is behoorlijk uit de hand gelopen, Langston,' zei de president.

Overholt knikte.

'Onze relatie met Saoedi-Arabië brandt al heel lang op een bijzonder laag pitje,' vervolgde de president. 'Sinds de motie van senator Grant werd aangenomen waarin het koninkrijk werd veroordeeld vanwege zijn steun aan de kapers van 11 september en in het Congres het voorstel is aangenomen om een speciale belasting op de ruwe olie uit Saoedi-Arabië te heffen, is het onze diplomaten vrijwel niet meer gelukt om tot overleg te komen. Uit de laatste peilingen blijkt dat de meerderheid van de Amerikaanse bevolking vindt dat we Saoedi-Arabië en niet Irak hadden moeten aanvallen, en nu vertelt u mij dat een krankzinnige Amerikaanse multimiljonair van plan is de heiligdommen van dat land aan te vallen.'

'Ik weet heel goed dat het een kruitvat is,' zei Overholt.

'Kruitvat!' barstte de president uit. 'Het is veel erger. Als die Hickman inderdaad bidkleden heeft vergiftigd en de Steen van Abraham heeft verwisseld om daarmee te gaan doen wat hij volgens u van plan is, dan heeft dat in mijn ogen drie mogelijke consequenties. Ten eerste: de Saoedi's stoppen alle olieleveringen aan de Verenigde Staten. Dat stort ons in een nieuwe recessie, en we zijn de vorige nog maar net te boven. Dat is een schok die onze economie nu net even helemaal niet kan hebben. Ten tweede zal het feit dat Hickman een Amerikaan is de woede van de terroristische elementen nog eens extra aanwakkeren. Ze zullen de Verenigde Staten met nog meer wrok te lijf gaan. Onze grenzen met Canada en Mexico zijn zo lek als mandjes. Veel meer dan het bouwen van muren kunnen we niet doen, en iemand die per se het land in wil, zullen we daar echt niet mee kunnen tegenhouden. En de derde mogelijke consequentie is waarschijnlijk de ergste. Als de meteoriet uit Groenland wordt gesplitst en er inderdaad een virus vrijkomt dat overeenkomt met het virus in het monster uit Arizona, dan zouden deze beide stenen wel eens als zwarte gaten kunnen gaan werken en alle zuurstof als het water uit een leeglopend bad uit onze dampkring wegzuigen. Dan liggen we binnen de kortste keren met z'n allen zand te happen.'

Overholt knikte. 'De eerste twee mogelijke consequenties zullen waarschijnlijk zo'n vaart niet lopen, als de informatie klopt die de CIA-arts uit de gevangengenomen strijder heeft losgekregen. Want daaruit blijkt dat Hickman het zodanig wil aanpakken dat de Israëliërs de schuld van alles krijgen.'

'Helaas is het me niet gelukt, hoezeer ik me daar ook voor heb ingespannen, om Israël van verdere Amerikaanse steun uit te sluiten. De Arabieren zijn ervan overtuigd dat de Verenigde Staten en Israël hechte bondgenoten zijn... en dat zijn we ook. Als Israël de schuld krijgt, zal het land worden aangevallen door Arabische troepen van alle landen die manschappen op de been kunnen brengen. En we weten wat er dan gebeurt.'

'Dan zet Israël nucleaire wapens in,' zei Overholt.

'Dus wat moeten we doen?' vroeg de president. 'Vertel het me maar.'

'De enige manier waarop we dit nog kunnen stoppen, is die bidkleedjes onschadelijk maken, Hickman oppakken en die meteorieten weer omruilen, als hij die al heeft verwisseld. En dan tot slot alle springstof bij de heiligdommen weghalen.'

'En dat allemaal zonder dat de regering van Saoedi-Arabië er ook maar iets van merkt,' vulde de president aan. 'Dat lijkt me nogal veel gevraagd.'

'Meneer de president,' zei Overholt, 'hebt u een beter idee?'

Op 4 januari 2006 werd Cabrillo om vijf uur 's morgens plaatselijke tijd in zijn hotelkamer in Qatar gewekt door het rinkelen van de telefoon.

'Ik ben het, Juan,' zei Overholt. 'Ik heb zojuist met de president overlegd en een plan de campagne afgesproken.'

Cabrillo ging rechtop zitten. 'Nou, vertel het maar.'

'Hij wil dat alles zonder medewerking van de Saoedi's gebeurt,' zei Overholt. 'Het spijt me, maar dat is de enige manier waarop we denken dat we een kans van slagen hebben.'

Cabrillo ademde diep uit, en de zucht was door de telefoon goed hoorbaar. 'We hebben nog zes dagen tot de hadj, wanneer Mekka en Medina door twee miljoen pelgrims worden overspoeld. En nu wilt u dat ik me daar met een team tussen meng?'

'Om te beginnen moet u Hickman zien te vinden,' zei Overholt, 'en uitzoeken waar de meteoriet zich bevindt. Wanneer hij die al voor de Steen van Abraham heeft verwisseld, moet u ze weer omwisselen. Daarna moet u in de Al-Haram- en de Al-Nabawi-moskeeën de springladingen zoeken en onschadelijk maken, zodat ze tijdens de hadj niet tot ontploffing kunnen worden gebracht. En tot slot moeten u en uw mannen ervoor zorgen dat u ongemerkt Saoedi-Arabië uitkomt.'

'Ik praat niet graag over zaken als u uw fantasie zo de vrije loop laat,' zei Cabrillo, 'maar beseft u wel wat dit de Verenigde Staten gaat kosten?'

'Een bedrag met zeven nullen?' gokte Overholt.

'Misschien wel acht,' zei Cabrillo.

'Dus u denkt dat het kan?'

'Misschien, maar dan verwacht ik wel alle medewerking van het ministerie van Defensie en de verzamelde inlichtingendiensten.'

'Als u belt,' zei Overholt, 'zorg ik dat ze voor u klaarstaan.'
Cabrillo hing op en toetste een nummer in.

Een uur later, toen Cabrillo nog in het hotel onder de douche stond, liep Hali Kasim over het platform naar de voorkant van een hangar aan de rand van de Amerikaanse luchtmachtbasis in Qatar. Er stonden zevenendertig mannen te wachten: het totale aantal islamitische Amerikaanse militairen die gestationeerd waren in het gebied tussen Diego Garcia in de Indische Oceaan en het Afrikaanse continent. Ze waren de vorige dag allemaal met militaire vliegtuigen van hun bases naar Qatar overgebracht.

Geen van de mannen wist wat de bedoeling was.

'Heren,' zei Kasim, 'aantreden.'

De mannen stelden zich op in het gelid. Kasim bestudeerde een vel papier.

Hij keek op en richtte zich tot de mannen. 'Mijn naam is Hali Kasim. Voordat ik bij een particulier bedrijf ben gaan werken, heb ik zeven jaar als adjudant-onderofficier bij de onderwaterexplosievenopruimingsdienst van de Amerikaanse marine gediend. Per presidentieel decreet ben ik nu voor actieve dienst opgeroepen om bij deze operatie als commandant op te treden. Volgens mijn gegevens is William Skutter de hoogste hier aanwezige officier, een kapitein van de luchtmacht. Kapitein Skutter, melden alstublieft.'

Een lange, magere, donkere man in een blauw luchtmachtuniform deed twee stappen naar voren.

'Kapitein Skutter,' zei Kasim, 'is mijn tweede man. Komt u naar voren en stel u op voor het peloton.'

Skutter liep naar voren, draaide zich op zijn hakken om en stelde zich naast Kasim op.

'Kapitein Skutter zal u naargelang uw rang in verschillende teams indelen,' zei Kasim. 'Maar eerst wil ik u uitleggen waarom juist u bent geselecteerd om hier vandaag te verschijnen. In de eerste plaats bent u allemaal in dienst van het Amerikaanse leger, en in de tweede plaats, en dat is met name voor deze missie van belang, bent u volgens uw militaire identiteitspapieren allemaal islamiet. Is hier iemand aanwezig die geen moslim is? Zo ja, meldt u zich dan.'

Niemand verroerde zich.

'Heel goed, heren,' zei Kasim, 'we hebben u nodig voor een speciale missie. Als u me wilt volgen naar de hangar, daar hebben we wat stoelen opgesteld, zodat ik u in alle rust het een en ander kan uitleggen.'

Gevolgd door Skutter en de mannen liep Kasim de hangar in. Er stonden een paar schoolborden op een podium met een aantal klaptafels waarop diverse wapens en apparatuur lagen uitgestald. Voor het podium stonden enkele rijen zwarte plastic klapstoelen opgesteld en een grote koelautomaat met vers drinkwater.

De mannen zochten allemaal een stoel op en Kasim en Skutter liepen naar het podium.

49

Zelfs in een zo sterk op tradities georiënteerd land als Saoedi-Arabië heeft de moderne wereld toch zijn invloeden die het verleden verdringen. De Moskee van de Profeet in Medina is daar een voorbeeld van. Bij een ingrijpende restauratie, die van 1985 tot 1992 duurde, zijn aanzienlijke veranderingen en aanpassingen doorgevoerd. Het terrein is vijftien keer zo groot geworden en beslaat nu een totale oppervlakte van ruim 165.000 vierkante meter. Door deze uitbreiding is het mogelijk geworden dat er zich bijna driekwart miljoen mensen tegelijkertijd op het terrein bevinden. Er zijn drie nieuwe gebouwen toegevoegd, plus een reusachtig plein met een marmeren vloer waarin schitterende geometrische patronen zijn ingelegd. Het silhouet wordt gedomineerd door zevenentwintig ingenieus wegschuifbare koepels boven evenzoveel binnenplaatsen, plus zes grote mechanische paraplu's die naargelang de weersomstandigheden over nog twee enorme binnenplaatsen kunnen worden uitgevouwen.

Zes minaretten van bijna honderdtien meter hoog omgeven het complex; alle voorzien van een reusachtige, zo'n vijf ton wegende koperen spits. Grote delen van het complex zijn met tegelmozaïeken en gouden randen versierd en in een uitgekiende belichting van schijnwerpers en andere lampen zijn alle architectonische details ook in het avondlijk duister goed zichtbaar.

Alle technische installaties zijn volledig gerenoveerd. Er zijn roltrappen aangebracht om de pelgrims naar de hogere niveaus te brengen en er is een gigantische airconditioning ingebouwd. De motoren van het koelsysteem, een van de grootste ter wereld, pompen per minuut zo'n 65.000 liter ijskoud water door een buizenstelsel onder de vloer van de begane grond.

Het hele systeem wordt bestuurd vanuit een controlecentrum dat zich op ruim zes kilometer afstand van het complex bevindt.

De restauratie van de Moskee van de Profeet en de bouw van de bijgebouwen rond de Kaaba in Mekka heeft de regering van Saoedi-Arabië volgens ruwe schattingen zo'n twintig miljard dollar gekost. De belangrijkste aannemer van het enorme bouwproject rond de Moskee van de Profeet was een bedrijf dat eigendom is van de familie van Osama bin Laden.

De leider van de Indiase huurlingen keek nog eens op het blad met instructies. Voordat hij in Rabigh aan boord van het schip was gegaan, had Hickman hun uitgelegd dat hij per se wilde dat de tombe van Mohammed in de Grote Moskee werd vernietigd. Het feit dat Bin Laden van de restauratie had geprofiteerd, maakte hem razend, en Hickman wilde dat het hele heiligdom volledig van de aardbodem werd weggevaagd.

Als ze daarin slaagden, wachtte de Hindoes een bonus van tien keer de afgesproken beloning.

Tot dan toe hadden ze voor hun werk één miljoen dollar aan goud gekregen – een vorstelijk bedrag in hun eigen land. Zelfs gedeeld door twaalf was het voor ieder van hen voldoende om de rest van hun leven in welstand te kunnen rentenieren. Met de extra tien miljoen die hun in het vooruitzicht was gesteld, zouden ze ronduit rijk zijn.

Het enige wat ze moesten doen, was te zorgen dat ze in Medina kwamen en daar het ondergrondse tunnelstelsel met de buizen van het koelsysteem in te gaan om er op de plaatsen die op de plattegrond waren aangekruist springladingen aan te brengen. Daarna moesten ze teruggaan naar Rabigh.

Hickman had geregeld dat daar een ander schip lag dat hen naar Port Soedan aan de overkant van de Rode Zee zou brengen.

Daar zou een vliegtuig voor hen klaarstaan met het goud en een aantal bewakers. In Port Soedan moesten ze drie dagen wachten. Nadat de Moskee van de Profeet op de ochtend van de tiende januari, het begin van de hadj, daadwerkelijk was vernietigd, zou het vliegtuig hen met het geld naar India terugbrengen. Dat de eindafrekening pas plaatsvond nadat het werk was uitgevoerd, was iets wat Hickman al decennia eerder had geleerd.

De belangrijkste sleutel tot succes blijkt altijd weer het feit dat je nooit op slechts één manier van aanpak mag vertrouwen. Het Iraanse gijzelingsdrama in 1980 had die waarheid weer eens bewezen. De president wilde er zo min mogelijk helikopters bij inzetten, en toen het eerste toestel het begaf, ging de hele missie voor de bijl.

Wanneer het erom gaat of je met één wapen of duizend wapens ten strijde moet trekken, kies dan altijd voor het grootst mogelijke aantal. Systemen kunnen weigeren, bommen kunnen blindgangers zijn en geweren kunnen blokkeren.

Kasim en Skutter waren zich daar allebei heel goed van bewust.

'Het grootste gevaar vormen momenteel de drie containers in Ar-Riaad,' zei Skutter. 'U hebt inmiddels vastgesteld dat ze inderdaad zijn aangekomen. Zodra ze worden geopend – en dat gebeurt onherroepelijk ergens vóór het begin van de hadj, en dat is volgens ons het moment waarop de eigenlijke aanslag zal plaatsvinden – is voor ons verder ingrijpen nauwelijks nog mogelijk.'

'Al bij de eerste besmettingsverschijnselen zal Saoedi-Arabië krachtige maatregelen nemen,' bevestigde Kasim.

De beide mannen stonden in de hangar voor een prikbord waarop een kaart hing. Op een tafel lagen de Qatarse paspoorten en pelgrimspapieren voor Kasim en de zevenendertig teamleden. Regeringsambtenaren in dienst van de emir hadden er de hele nacht aan gewerkt. Omdat ze echt waren en geen vervalsingen, zouden ze bij controles door de Saoedische autoriteiten te allen tijde als geldig worden erkend. Omdat burgers van Qatar normaal gesproken zonder meer een visum voor Saoedi-Arabië kregen, konden ze nu zonder problemen het koninkrijk binnen.

'Eerst sturen we twee teams van elk vier man op pad,' vervolgde Kasim. 'Dan hebben we dertig man over om naar Mekka te gaan.'

Skutter wees op een luchtfoto die de NSA naar Kasim in Qatar had gefaxt. Op de foto was het overslagterrein van de luchtvrachtterminal op het vliegveld van Ar-Riaad te zien. 'Aan de hand van registratienummers die uw mensen in Engeland hebben achterhaald, kunnen we vaststellen dat de containers hier staan.'

Skutter omcirkelde de drie containers met een markeerstift.

'Dat is verdomde handig, zeg,' zei Kasim. 'Met sjablonen hebben ze de registratienummers op de bovenkant van alle containers gespoten, zodat de kraanmachinisten ze kunnen herkennen. Het scheelt ons een hoop tijd dat we nu niet ter plekke tussen die enorme massa hoeven te zoeken.'

'Als de twee teams daar zijn aangekomen,' vroeg Skutter, 'wat moeten ze dan doen?'

'De containers veiligstellen en verwijderen,' zei Kasim. 'Zodra vaststaat dat ze nog verzegeld zijn, moeten ze op vrachtwagens geladen en naar de woestijn worden gebracht totdat we weten wat de volgende stap zal zijn. Ofwel ter plekke vernietigen, of ze naar een veilige opslag brengen.'

'Ik heb alle persoonsgegevens doorgekeken,' zei Skutter, 'en gezien dat we nog een adjudant-onderofficier hebben, een zekere Colgan. Hij is bij de inlichtingendienst van het leger en heeft ervaring als geheim agent.'

'Colgan?' zei Kasim. 'Dat klinkt Iers.'

'Hij is tijdens zijn schoolopleiding tot de islam bekeerd,' zei Skutter. 'Zijn cv is voorbeeldig en voorzien van de opmerking dat hij evenwichtig en ordelijk is. Ik denk dat hij dit heel goed aankan.'

'Prima,' zei Kasim, 'zeg hem wat er van hem verwacht wordt en stel met hem zijn team samen. Daarna zet je ze op het eerstvolgende vliegtuig naar Ar-Riaad. Volgens de mensen van de emir vertrekt er om zes uur 's middags een lijnvlucht.'

'Uitstekend,' zei Skutter.

'En dan hebben we de moskeeën in Mekka en Medina nog,' zei Kasim. 'Ik leid het team naar Mekka en jij doet Medina. We hebben allebei veertien man tot onze beschikking, en ons belangrijkste doel is om alle springladingen die Hickman heeft laten aanbrengen op te sporen en onschadelijk te maken. We gaan ernaartoe, doen ons werk en zorgen dat we ongezien weer wegkomen.'

'Wat doen we als Hickman de meteorieten al heeft omgewisseld?'

'Daar wordt door collega's van mijn organisatie momenteel al hard aan gewerkt,' antwoordde Kasim.

De leider van de Hindoes keek uit het raam van de woning in Rabigh. De zon stond laag boven de horizon en het zou spoedig donker worden. Van Rabigh naar Medina was ruim 320 kilometer, ofwel een rit van bijna vier uur. Daar aangekomen hadden ze toch een paar uur nodig om de omgeving te verkennen en de buiten de moskee gelegen ingang naar het ondergrondse gangenstelsel te vinden, die Hickman op de plattegrond had aangekruist.

Het aanbrengen van de springladingen zou vrij snel kunnen gaan. Als het meezat, waren ze binnen een uur het gangenstelsel weer uit.

Daarna was het weer vier uur terug naar Rabigh. Als ze de volgende ochtend, 6 januari, rond zonsopgang op de boot naar Soedan wilden zijn, zouden ze stevig moeten doorwerken.

Nadat hij de kist met explosieven nog eens had gecontroleerd, gebaarde de leider dat hij kon worden ingeladen. Acht minuten later reden ze de weg op naar Medina.

Hanley merkte dat Overholts toezeggingen deze keer geen holle frasen waren geweest. Hij kreeg alles wat hij vroeg. En snel.

'De verbinding is klaar, we gaan nu zenden,' zei Overholt door de telefoon tegen Hanley. 'Open de lijn en controleer of de beeldkwaliteit goed is.'

Hanley gebaarde naar Stone, die de beelden op een monitor liet verschijnen. De webcams registreerden haarscherp de schepen die aan beide zijden in en uit het Suezkanaal voeren.

'Schitterend,' zei Hanley.

'Wat hebt u verder nog nodig?' vroeg Overholt.

'Heeft uw dienst een moslimagent in Saoedi-Arabië?'

'Zes stuks,' antwoordde Overholt.

'We willen weten of de meteoriet al is verwisseld of niet,' zei Hanley.

'Zelfs onze mensen komen niet onder dat doek door,' zei Overholt. 'Het bouwwerk wordt constant door vier lijfwachten bewaakt.'

'Maar in de Al-Haram-moskee kunnen ze wel komen, toch?' zei Hanley. 'Laat ze proberen met een geigerteller zo dicht mogelijk bij het doek te komen. Als ze daar dan op hun knieën vallen om te bidden, moeten ze radioactieve straling kunnen vaststellen in het geval de meteoriet uit Groenland zich daarbinnen bevindt.'

'Goed idee,' zei Overholt. 'We gaan direct aan de slag, en zodra we iets weten, hoort u dat van ons. Nog iets?'

'We hebben zo gedetailleerd mogelijke satellietfoto's van beide moskeeën nodig en als het even kan ook de constructietekeningen, blauwdrukken en alles wat u op dat gebied te pakken kunt krijgen.'

'Ik zal het zo spoedig mogelijk bij elkaar laten zoeken en u het hele pakket via een satellietverbinding opsturen,' zei Overholt.

'Prima,' zei Hanley. 'Het plan is dat de Corporation zich in de persoon van Hickman probeert in te leven en dan handelt zoals hij zou doen. Zodra we alle documenten hebben, stellen we ons team samen en beredeneren we wat we zouden doen als we de opdracht hadden om de moskeeën te vernietigen.'

'Ik blijf gedurende de hele operatie in mijn kantoor,' zei Overholt. 'Dus zodra u iets meer weet – of iets nodig hebt – dan hoor ik dat graag onmiddellijk van u.'

'Bedankt,' zei Hanley. 'We gaan deze klus klaren, reken daar maar op.'

Nadat hij in Tel Aviv was geland, had hij een auto gehuurd en was direct naar de Rotskoepelmoskee in Jeruzalem gereden. Hij was er door de poort bij de Al-Aksa-moskee naar binnen gegaan en doorgelopen naar het binnenplein rond de Rotskoepelmoskee. Het hele complex, waarin zich een park met fonteinen en diverse heiligdommen bevinden, beslaat een oppervlakte van ruim 140.000 vierkante meter. Op het plein krioelde het van de toeristen en andere bezoekers.

Cabrillo liep het koepelvormige gebouw in en bekeek de door schijnwerpers verlichte rots.

Het was duidelijk te zien dat dit ooit de top van de heuvel was – een ruwe, spits toelopende steenformatie, omgeven door een bezichtigingsplatform – maar het was de historische achtergrond en niet zozeer de rots op zich die deze plek zo heilig maakte. Hoe je het ook wendde of keerde, de rots zelf zag er in geen enkel opzicht anders uit dan duizenden rotsen in de omgeving.

Cabrillo verliet de koepel en liep door een ondergrondse gang naar de Musalla Marwan.

De Musalla Marwan ligt onder het plein in de zuidoosthoek van het complex. Deze enorme ondergrondse ruimte wordt ook wel Salomo's Stallen genoemd, en is een koepelvormige hal die door lange muren met zuilen en bogen in tweeën is gedeeld. Het is voor het grootste gedeelte een vrije ruimte die door gelovigen gebruikt wordt voor het vrijdagsgebed.

Hier, in deze koele omgeving, voelde Cabrillo het verleden tot in zijn botten. Eeuwenlang hadden hier miljoenen stervelingen contact met hun god gezocht. Afgezien van het geluid van kletterend water uit een verafgelegen bron was het er stil en Cabrillo was zich pijnlijk bewust van de afgrijselijke omvang van Hickmans plannen. Op ditzelfde moment bevond zich ergens een man die zodanig van haat bezeten was dat hij drie van dit soort heilige plaatsen van de aardbodem wilde vagen. De koude rillingen liepen hem over de rug. Miljoenen mensen hadden in deze omgeving gevochten en waren er gesneuveld, en het voelde aan alsof hun geesten heel nabij waren.

Cabrillo draaide zich om en liep terug naar de uitgang.

Hoe misdadig het plan dat Hickman had uitgedacht ook was, het zou hier beginnen, en het was aan hem en de Corporation om daar tijdig een stokje voor te steken. Hij liep over de stenen trap terug naar de binnenplaats. Een droge wind waaide hem tegemoet. Hij liep terug naar de poort.

Op een vliegveld bij Port Said in Egypte kwam Pieter Vanderwald in een oude Douglas DC-3 tot stilstand. Het toestel had een lang en nuttig leven als vrachtvliegtuig over het hele Afrikaanse continent achter de rug. De tweemotorige DC-3 is een legendarisch vliegtuig. In de loop der jaren zijn er duizenden van gebouwd, het eerste in 1935, en er zijn er nog honderden in bedrijf. De militaire versie van het toestel, de C-47, werd op grote schaal ingezet tijdens de Tweede Wereldoorlog, in Korea en zelfs in Vietnam, waar ze behalve als transporttoestel zelfs als gunship dienstdeden. Ze worden ook wel Dakota, Skytrain, Skytrooper of Doug genoemd, maar stonden toch voornamelijk als Gooney Bird bekend.

De Gooney Bird waarin Vanderwald vloog, lag in feite al met één been in zijn graf. Vanderwald had het voor de sloop in Zuid-Afrika bestemde toestel zonder geldig luchtwaardigheidsbewijs voor een appel en een ei gekocht. Om eerlijk te zijn verbaasde het hem zelfs dat het toestel de vlucht naar het noorden had volbracht. Als het oude toestel het nu nog één vlucht volhield, mocht het daarna een waardige dood sterven.

De DC-3 is een zogenaamde *tail dragger*, wat wil zeggen dat het met een staartwiel is uitgerust, en op de grond schuin achterover helt. De cockpit zit hoog in de neus, met erachter een cabine voor vracht of passagiers. Het toestel is ruim negentien meter lang met een spanwijdte van bijna dertig meter. Het heeft twee stermotoren met een vermogen van 1475 pk elk, een vliegbereik van 3500 kilometer en een kruissnelheid van rond de driehonderd kilometer per uur. Met uitgeklapte vleugelkleppen kan het vliegtuig voor de landing zo sterk afremmen dat het haast in de lucht lijkt stil te hangen.

In een tijd waarin vliegtuigen zo slank en glad als messen zijn, lijkt de DC-3 zo plomp als een aambeeld. Het solide, betrouwbare toestel vergt weinig onderhoud en doet zonder veel omhaal zijn werk. Het is een bestelwagen op een parkeerplaats vol Corvettes.

Vanderwald zette de motoren af en schoof het cockpitraampje open.

'Blokkeer de wielen, en bijtanken,' riep hij naar de Egyptenaar die hem naar deze plek op het platform had geleid. 'En kijk de olie na. Er komt straks iemand die het toestel overneemt.'

Daarna liep Vanderwald van de cockpit de schuin aflopende bagageruimte in, klapte het trapje uit en liep er vanaf het platform op. Twee uur later zat hij in Cairo te wachten op een vlucht terug naar Johannesburg. Zodra het geld naar zijn rekening was overgemaakt, zat zijn deel erop.

Net toen Cabrillo bij zijn huurauto terugkwam, ging zijn gsm over.

'De Hawker heeft zojuist de Middellandse Zee bereikt, en het ziet ernaar uit dat hij op Rome aankoerst.'

'Bel Overholt en zeg hem dat ze het vliegtuig meteen na de landing in Rome in beslag nemen,' zei Cabrillo. 'Misschien is Hickman tot inkeer gekomen en trekt hij zich terug.'

'Dat betwijfel ik,' zei Hanley.

'Ik ook,' zei Cabrillo. 'Eerlijk gezegd denk ik dat eerder het tegengestelde het geval is.'

‘Zou hij zijn vlucht aan het voorbereiden zijn?’

Cabrillo dacht een ogenblik na. ‘Dat denk ik niet, volgens mij werkt hij aan een zelfmoordaanslag.’

Het was even stil. ‘We zullen er in ieder geval rekening mee houden,’ zei Hanley ten slotte.

‘Ik heb een afspraak met mensen van de Mossad,’ zei Cabrillo. ‘Ik bel je wel weer.’

De zon ging onder toen het oude parelvissersschip met Hickman aan boord de Golf van Suez aan de noordkant van de Rode Zee invoer. Gedurende de ruim achthonderd kilometer lange tocht vanuit Rabigh hadden ze langzaam maar gestaag doorgevaren, en het schip zou geheel volgens schema nog die avond de ingang van het Suezkanaal bereiken. Het schip was nogal krap bemeten en Hickman had de lange uren afwisselend doorgebracht op de kleine brug bij de stuurman en op het achterdek, waar de lucht niet zo was verpest door de rook van de dunne sigaartjes die de stuurman voortdurend opstak.

De Steen van Abraham lag in zeildoek gewikkeld op het dek naast Hickmans enige bagage: een tas met wat schone kleren, de noodzakelijke toiletspullen en een ringband, waarin hij gedurende de reis af en toe had gelezen.

‘Dit is alles wat ik heb,’ zei Huxley, toen ze de controlekamer binnenkwam. ‘Ik heb de foto’s meegenomen die Halpert en de anderen in Maidenhead hebben gemaakt, heb het gasmasker weggehaald en heb vervolgens met een biometrisch computerprogramma een compositietekening gemaakt.’

Hanley pakte de diskette aan en liep naar Stone, die hem in de hoofdcomputer stak. Op de monitor verscheen een gezicht.

‘Nou zeg,’ zei Hanley, ‘hij lijkt absoluut niet op wat je zou verwachten.’

‘Het is maf,’ vond ook Hanley, ‘maar het is wel logisch. Als ik net als Hickman een kluizenaar was, zou ik er ook zo normaal en onopvallend mogelijk uit willen zien, zodat je altijd overal in de menigte op kunt gaan.’

'Ik denk dat dat met alle geruchten die over Howard Hughes rondgingen, ook zo was,' zei Stone, 'geruchten waren het, meer niet.'

'Ga eens door, Stoney,' zei Huxley.

Met een paar muisklikken liet Stone een driedimensionaal beeld van een man op het scherm verschijnen.

'Dit is een reconstructie van zijn bewegingen,' zei Huxley. 'Ieder mens heeft een uniek bewegingspatroon. Weet je waaraan de beveiligingsmensen van casino's valsspelers herkennen?'

'Nee,' antwoordde Stone.

'Aan hun manier van lopen,' zei Huxley. 'Een mens kan zich vermommen, zich ouder maken en zelfs bepaalde maniertjes instuderen, maar niemand denkt eraan om ook de manier waarop hij loopt of staat te veranderen.'

Stone klikte een paar maal met de muis, waarop de figuur op het scherm begon te lopen, zich omdraaide en zijn armen bewoog.

'Stuur hier een kopie van naar Overholt,' zei Hanley. 'Dan kan hij dit aan de Israëlische autoriteiten doorgeven.'

'Ik kan er ook een directe link bijdoen met de webcams bij het Suezkanaal,' suggereerde Stone.

'Goed idee,' zei Hanley.

Terwijl Hanley de beelden van Hickman bekeek, stapten er acht mannen uit het lijntoestel dat zojuist vanuit Qatar op het vliegveld van Ar-Riaad was geland. Ze kwamen zonder problemen door de douane en nadat ze hun bagage hadden opgehaald en zich voor de uitgang van de aankomsthal hadden verzameld, stapten ze in een witte Chevrolet Suburban, die het ministerie van Buitenlandse Zaken van een medewerker van een oliemaatschappij had geleend.

Vervolgens reden ze naar een betrouwbaar pand, waar ze de avondschemering afwachtten.

'Wat u voorstelt, kunnen we vanavond doen,' zei het hoofd van de Mossad, de Israëlische inlichtingendienst, 'maar niet met honden. We zullen het met agenten moeten doen die met chemische detectoren werken. Honden in een moskee is uitgesloten.'

'Waar liggen de problemen?' vroeg Cabrillo.

'Een paar jaar geleden zijn er, nadat onze premier de Rotskoepelmoskee had bezocht, nog wekenlang rellen geweest,' zei hij. 'We zullen dit snel en onopvallend moeten doen.'

'Kunnen uw mensen het hele complex voor hun rekening nemen?'

'Meneer Cabrillo,' antwoordde de man, 'Israël heeft vrijwel wekelijks met bomaanslagen te maken. Wanneer zich inderdaad explosieven in de Haram Al-Sharif bevinden, dan weten we dat morgen voor zonsopgang.'

'En u maakt alles onschadelijk wat u aantreft?' vroeg Cabrillo.

'Of we verwijderen het,' antwoordde hij, 'wat veiliger is.'

'Mannen, ga zitten,' zei Kasim.

De achtentwintig overgebleven mannen zochten ieder een stoel op. Skutter stond naast Kasim bij het schoolbord. 'Wie van u heeft nog nooit op een motorfiets gereden?'

Tien mannen staken hun hand op.

'Het zal voor u even doorbijten zijn,' zei Kasim, 'maar we hebben een aantal rij-instructeurs gevonden die u een spoedcursus zullen geven. Als we hier klaar zijn, gaat u meteen naar buiten om te oefenen. In een uur of vier moet u de basistechniek van het motorrijden onder de knie kunnen krijgen.'

De tien mannen knikten.

'Het zit zo,' vervolgde Kasim. 'Met een normale lijnvlucht komen we Saoedi-Arabië niet in. Het risico dat we opvallen en worden tegengehouden is gewoon te groot. Hiervandaan naar Mekka is het een kleine 1300 kilometer, en dat over slechte woestijnwegen zonder benzinestations. Hierop hebben we het volgende gevonden: de emir heeft een vrachtvliegtuig voor ons geregeld dat ons naar Al-Hodeida in Jemen zal brengen, en vandaar is het zo'n achthonderd kilometer naar Djedda in Saoedi-Arabië, over een goed geasfalteerde weg langs de kust van de Rode Zee. De emir heeft de Jemenitische autoriteiten omgekocht en hier in Qatar een hele motorfietsenzaak leeggekocht. Die motoren hebben een paar voordelen: om te beginnen kunnen we van de weg af en met een wijde boog door het open terrein om de Saoedische grenspost heen rijden. Het tweede voordeel is het benzineverbruik. Er is onderweg een aantal steden waar we kunnen tanken, maar die liggen nogal ver uit elkaar. De motorfietsen hebben een actieradius waarbij dat geen probleem is. Het derde voordeel is het belangrijkste. We rijden allemaal op een eigen motor, en als een van ons door de douane of de politie wordt aangehouden, is dat niet meteen het einde van de missie.'

Kasim keek de mannen aan.

'Zijn er nog vragen?'

Er kwam geen reactie.

'Mooi,' zei Kasim, 'dan kunnen de mensen die nog moeten oefenen met kapitein Skutter mee naar buiten gaan. De motoren en instructeurs staan al klaar. De anderen kunnen nu wat rust nemen, we vertrekken vanavond om tien uur.'

Vanderwald depte wat eau-de-cologne onder zijn neus. De eerste etappe van de terugreis ging van Cairo naar Nairobi in Kenia en het vliegtuig was stampvol. In de benauwde ruimte stonk het naar zweet en het lamsvlees dat bij de maaltijd was opgediend.

Terwijl Vanderwald op zijn stoel was ingedommeld, naderden twee mannen zijn huis in een buitenwijk van Johannesburg. Ze slopen naar de achterkant, waar ze behoedzaam en kundig het ingewikkelde beveiligingssysteem uitschakelden, de achterdeur openden en naar binnen gingen. Vervolgens doorzochten ze grondig en systematisch het hele huis.

Twee uur later waren ze klaar.

Een van de mannen pakte de telefoon. 'Ik bel de centrale,' zei hij, 'dan kunnen ze het belgedrag nakijken.'

Nadat hij een nummer in Langley, Virginia, had ingetoetst,

toetste hij nog een code in en wachtte op de pieptoon. De CIA-computer registreerde het nummer en zocht vervolgens in de hoofdcomputer van de Zuid-Afrikaanse telefooncentrale naar een overzicht van alle in- en uitgaande gesprekken die de afgelopen maand via dit toestel waren gevoerd. Dat zou een paar uur duren.

'Wat nu?' vroeg de andere man.

'Laten we onder het wachten om beurten proberen wat te slapen.'

'Hoelang moeten we hier blijven?'

'Tot hij thuiskomt,' zei de eerste man, terwijl hij de koelkast opendeed, 'tenzij iemand anders ons voor is en hem al eerder te grazen neemt.'

50

De Indiase huurlingen bereikten het luik dat toegang gaf tot het ondergrondse gangenstelsel van het koelsysteem in de Grote Moskee van Medina. Het luik bevond zich op een open plek vlak bij een flatgebouw aan de rand van een braakliggend terrein dat als parkeerplaats werd gebruikt.

Het was vrijwel leeg, alleen aan de kant van het flatgebouw stonden een stuk of zes auto's.

De aanvoerder van de Hindoes parkeerde de vrachtwagen naast het luik, knipte met een draadschaar het hangslot open en ging zijn mannen voor langs de ijzeren ladder die de gang inliep. Toen ze in de gang stonden, reden de chauffeur en nog een man die achtergebleven was de vrachtwagen achteruit over het luik.

De betonnen gang was ruim één meter tachtig hoog en er liepen diverse buizen doorheen, waarop in het Arabisch was aangegeven waartoe ze dienden. De buizen lagen in steunen op de bodem en erlangs liep een smal gangpad voor onderhoudswerkzaamheden. Het was er donker en koel, en er hing een muffe geur van vochtig beton en aarde. De leider knipte zijn zaklamp aan en de anderen volgden hem.

In een rij liepen ze in de richting van de moskee.

Ze waren zo'n anderhalve kilometer gevorderd toen ze bij de eerste splitsing kwamen. De leider keek op zijn GPS-apparaat. Door de betonnen omgeving waarin ze zich bevonden, was het signaal te zwak en hij pakte de plattegrond die Hickman hem had meegegeven erbij.

'Jullie gaan die kant op,' fluisterde hij, terwijl hij vijf man aanwees. 'Die gang loopt met een boog verder en vormt uiteindelijk een rechthoek. Breng de springladingen aan zoals we hebben afgesproken en aan het einde van de gang komen we elkaar dan weer tegen.'

De aangewezen groep liep de rechtergang in, terwijl de leider met zijn groep naar links ging. Zevenenveertig minuten later kwamen ze op het verste punt weer bij elkaar.

'Nu wisselen we,' zei de leider. 'Jullie gaan onze gang in en controleren ons werk en wij gaan via jullie gang terug.'

Met hun zaklantaarns zwaaiend liepen ze in tegengestelde richting de gangen weer in.

In beide gangen waren op zes plaatsen met breed plakband dikke bundels bijeengebonden dynamietstaven aan de buizen bevestigd. Op al die plaatsen was de springstof van een digitale tijdklok voorzien.

Het display van de eerste tijdklok gaf 107 uur, 46 minuten aan. De klokken waren afgesteld op twaalf uur 's middags van de tiende januari, wanneer er zo'n miljoen pelgrims in de moskee zouden zijn. De explosieven die de Hindoes hadden aangebracht, waren krachtig genoeg om de moskee volledig in puin te leggen. De zwaarste lading die ze hadden aangebracht, bestond uit een dubbele C6-kneedbom plus dynamiet en bevond zich recht onder de plek waar zich volgens de plattegrond het graf van Mohammed bevond.

Als de springstof zoals gepland tot ontploffing kwam, waren over minder dan vijf dagen de belangrijkste voortbrengselen van een eeuwenlange geschiedenis van de aardbodem weggevaagd.

Door de gangen liepen ze terug naar het luik. De leider klom de ladder op, wrong zich door het luik en kroop onder de vrachtwagen vandaan. Daarna tikte hij op het raam bij de bestuurder, die het raampje opendraaide.

'Rij eens een stukje naar voren,' zei hij.

Toen ze allemaal waren ingestapt, pakte de leider een nieuw hangslot dat hij had meegebracht, en sloot het luik weer keurig af.

Vier minuten later reden ze in het vale schijnsel van een smalle maansikkel de weg terug naar Rabigh op.

Om zes uur die ochtend riep Hanley de agenten van de Corporation bijeen in de vergaderruimte van de *Oregon*. Het schip voer op halve kracht in wijde cirkels voor de kust van Tel Aviv. Hanley zag op een monitor de Robinson voor de boeg van het schip opduiken.

'Daar is de chef,' zei hij, op het scherm wijzend. 'Hij zal het overleg leiden. Kijk voordat hij hier is jullie aantekeningen nog even door. Daar op tafel staan koffie en broodjes klaar. Wie wat wil eten, moet dat nu doen, want als Cabrillo eenmaal begonnen is, wens ik geen storingen meer.'

Hanley liep naar de controlekamer voor het laatste nieuws. Stone gaf hem wat er nog was binnengekomen en toen hij de controlekamer weer uitkwam, liepen Cabrillo en Adams net langs.

'Iedereen is in de vergaderzaal,' zei hij, hen achternalopend.

Bij de vergaderruimte aangekomen, opende Cabrillo de deur, waarop de drie mannen naar binnen gingen. Adams, die zijn vliegenierskleding nog aanhad, ging aan tafel zitten. Hanley stelde zich naast Cabrillo op, die bij het podium ging staan.

'Goed om jullie hier allemaal bij elkaar te zien,' begon Cabrillo, 'met name Gunderson en zijn team. Mooi dat ze jullie uiteindelijk hebben laten gaan,' zei hij, terwijl hij Gunderson glimlachend aankeek. 'We hebben iedereen nu hard nodig. Ik kom net uit Tel Aviv, waar ik met de Mossad heb gesproken. Zij hebben vanochtend vroeg een groot team naar het complex rond de Rotskoepelmoskee gestuurd om naar explosieven te zoeken. Er is niets gevonden. Geen conventionele springladingen en ook geen nucleaire of biologische wapens. Maar ze hebben wel een videocamera aangetroffen die daar niet hoorde. Hij hing verstopt in een boom in een tuin rond een van de gebouwen.'

De aanwezigen luisterden zwijgend.

'De camera had een draadloze verbinding met een ontvanger die de beelden via een kabel doorgaf naar een aangrenzend gebouw. De Mossad trof voorbereidingen om dat gebouw in te gaan toen ik vertrok. Nieuws over hoe dat is afgelopen kunnen we ieder moment verwachten.'

De groep knikte.

'Het merkwaardige van de camera was dat hij omhooggericht stond, naar de lucht recht boven de Rotskoepel. Dit wijst er volgens mij op dat Hickman van plan is om de Steen van Abraham, als hij die inderdaad al in bezit heeft, in te zetten bij een soort luchtaanval waarbij de steen en de Rotskoepel worden vernietigd. Die aanval wil hij filmen, om de beelden vervolgens aan de hele wereld te tonen.'

Het bleef stil in de zaal.

'De situatie in Mekka en Medina is als volgt,' vervolgde Cabrillo. 'Kasim en een luchtmachtofficier leiden twee teams die geheel zijn samengesteld uit Amerikaanse soldaten die moslim zijn. Zij gaan ter plaatse op zoek naar springladingen. Ik heb Pete Jones in Qatar achtergelaten voor het onderhouden van de contacten met de emir, die ons zijn volledige medewerking heeft toegezegd. Ik geef nu het woord aan de heer Hanley, die hier iets uitgebreider op in zal gaan.'

Cabrillo liep van het podium weg en Hanley stapte naar voren. Cabrillo liep naar de tafel, pakte een koffiekan en schonk twee koppen in, waarvan hij er een aan Adams gaf, die hem met een knikje bedankte.

'Zoals u allemaal weet, zijn Mekka en Medina de twee heiligste plaatsen van de islam. Dat is ook de reden waarom ze verboden zijn voor niet-moslims. Kasim is in ons team de enige islamiet, en daarom de aangewezen persoon om deze operatie te leiden. De emir heeft voor ons een vrachtvliegtuig geregeld plus een groot aantal motorfietsen, die samen met de leden van Kasims team naar Jemen zijn overgebracht. Daar zijn ze vanochtend in alle vroegte aangekomen, waarna ze via een wadi, ofwel een droge rivierbedding, heimelijk de grens met Saoedi-Arabië zijn overgestoken. Volgens de laatste berichten zijn ze al voorbij de Saoedische stad As-Sabja. Voor het laatste stuk zullen ze in normale lijnbussen overstappen om zo onopvallend mogelijk bij de moskeeën te komen, waar ze zich zullen verspreiden om de explosieven te zoeken.'

'Hoe staat het met de containers?' vroeg Halpert.

'Zoals u weet,' vervolgde Hanley, 'heeft het team in Maidenhead daar sporen van een gif aangetroffen, waarvan wij vermoeden dat het op de bidkleedjes in de containers is gespoten. Kasim heeft acht mensen met een lijnvlucht naar Ar-Riaad gestuurd en zij hebben inmiddels postgevat rond het terrein waar de containers zijn opgeslagen, in afwachting om naar Mekka te worden gebracht. Simpel gezegd hebben we daar even pauze. Als de containers op tijd waren aangekomen, waren ze hoogstwaarschijnlijk nu al geopend en was het gif al vrijgekomen. Maar Hickman was zo laat met zijn levering dat ze de vrachtwagens al voor andere doeleinden hadden ingezet. Volgens het schema dat de NSA uit de computer van de hadj-organisatie heeft gefilterd, is het transport naar morgen, de zevende, verschoven. Het plan is nu dat ons team ter plaatse zelf de containers ophaalt en ermee richting Mekka rijdt. Ergens halverwege Ar-Riaad en Mekka zullen wij ze dan moeten vernietigen of uit het land zien weg te halen.'

Op dat moment ging de telefoon in de vergaderruimte. Cabrillo liep ernaartoe en nam op. 'Oké,' zei hij, en stak de hoorn terug in de houder. Hanley keek hem vragend aan.

'Dat was Overholt,' zei Cabrillo. 'Zijn agent heeft bij het doek rond de Kaaba radioactieve straling waargenomen. Hickman is er dus inderdaad in geslaagd de meteorieten te verwisselen.'

In Londen was Michelle Hunt de afgelopen dagen in een hotelkamer aan een intensief verhoor door CIA-agenten onderworpen. Ze was moe, maar bleef meewerken. Inmiddels raakte de CIA er eerlijk gezegd steeds meer van overtuigd dat ze weinig kon doen om hen te helpen. Het idee om haar Hickman te laten bellen, hadden ze al meteen vanaf het begin laten varen. Zelfs als hij een mobiele telefoon bij zich had, zou hij zien dat ze niet van haar vaste nummer belde en onraad ruiken.

Ze hadden een vliegtuig gecharterd om haar terug te brengen naar de Verenigde Staten, en dat zou over een uur vertrekken. Ze had hun enig inzicht in Hickmans leven gegeven, dat was zo'n beetje het enige wat ze voor hen had kunnen doen.

Maar daarin was ze wel uiterst gedetailleerd geweest. Ze hadden haar over van alles en nog wat vragen gesteld en zij was daar steeds uitgebreid op ingegaan. De dienstdoende agent wilde nog een paar kleine dingetjes van haar weten, waarna hij zijn verslag kon afronden.

'Nu nog eens helemaal terug naar het begin,' zei de agent. 'Toen u hem voor het eerst ontmoette, was hij naar Los Angeles gevlogen om een olieveld te bekijken dat hij wilde kopen. Dat heb ik toch goed begrepen?'

'Ja,' antwoordde Michelle Hunt. 'Die dag hebben we elkaar ontmoet in Casen's, waar we allebei lunchten. Ik had van een vriendin voor mijn verjaardag een bon voor een gratis lunch gekregen, want zelf kon ik me zoiets in die tijd absoluut niet veroorloven.'

'Wat gebeurde er toen?'

'Hij kwam naar mijn tafeltje, stelde zich voor en ik heb hem toen uitgenodigd om bij me te komen zitten,' zei Hunt. 'We zijn er de hele middag gebleven. Hij moet de eigenaar van dat restaurant hebben gekend, want toen de lunchtijd voorbij was, hebben ze ons daar rustig laten zitten. Om ons heen begonnen ze de tafeltjes voor de avondmaaltijd te dekken, maar tegen ons zeiden ze niets.'

'Hebt u daar 's avonds ook gegeten?'

'Nee,' zei Hunt. 'Hal had ondertussen geregeld dat we samen voor het invallen van de duisternis naar het olieveld konden vliegen zodat hij het kon bekijken. Ik neem aan dat hij indruk op me probeerde te maken.'

'Dus u bent over dat olieveld gevlogen en hebt het vanuit de cabine door het raam bekeken?'

'Niet door het raam,' zei Hunt. 'Het was een tweedekker. Ik zat in de stoel achter hem.'

'Wacht eens even,' zei de agent, 'was het een twoseater?'

'Een oude Stearman, als ik het me goed herinner,' antwoordde Hunt.

'En wie vloog?' vroeg de agent.

'Nou, Hal natuurlijk,' zei Hunt, 'wie anders?'

'Is de heer Hickman piloot?' vroeg de agent.

'Nou, toen in ieder geval wel,' antwoordde Hunt. 'Als Howard Hughes iets deed, wilde hij dat ook.'

De agent snelde naar de telefoon.

'Dit maakt het geheel nog een graadje lastiger,' zei Hanley. 'Nu moeten we Hickman niet alleen zien te vinden, maar ook nog ongemerkt de Steen van Abraham terugleggen. De president heeft ons aangeraden de Saoedische regering hier als het even kan volledig buiten te houden.'

Op dat moment lichtte een van de honderd-inchbeeldschermen in de vergaderzaal op. Het beeld was verdeeld in twee helften, en aan de linkerkant verscheen het hoofd van Stone. 'Het spijt me,' zei hij, 'ik weet dat u niet gestoord wilde worden, maar dit is belangrijk. Bekijk dit eens.'

Nu flitste ook de rechterhelft op.

'Dit zijn beelden van de webcams die de CIA bij de sluizen van het Suezkanaal heeft geplaatst. Deze beelden zijn van nog geen kwartier geleden.'

De camera zoomde in op een oud werkschip. Een stel bemanningsleden was druk in de weer met de meertouwen. Op het achterdek stond een man koffie te drinken. Hij keek op en staarde een moment onbewust recht in de lens.

'Ik heb hier de reconstructie van mevrouw Huxley overheen geprojecteerd,' zei Stone.

Zwijgend zagen alle aanwezigen in de vergaderzaal hoe het 3D-beeld over het gezicht van de man schoof. De gelaatstrekken kwamen volmaakt overeen. Wanneer de man op het schip bewoog, schoven de gereconstrueerde beelden met hem mee.

'Dit,' zei Stone, 'is Halifax Hickman.'

'Waar is het schip nu, Stoney?' vroeg Cabrillo.

Op de linkerkant van het scherm was te zien hoe Stone in de controlekamer op een andere monitor keek. 'Dat is zojuist de sluis uitgevaren en komt nu in de buurt van Port Said.'

'George...' begon Cabrillo.

'De Robinson zal nu wel volgetankt zijn. We kunnen meteen vertrekken,' zei Adams, terwijl hij overeind kwam.

Vier minuten later steeg de helikopter van het platform op. Van de huidige locatie van de *Oregon* was het zo'n 320 kilometer naar Port Said. Maar de Robinson zou Egypte nooit bereiken.

51

Vanderwalds vliegtuig had rugwind en ze kwamen een halfuur eerder aan.

Er was geen noemenswaardig verkeer; het zou nog zeker een uur duren voordat de eerste forenzen daar verandering in brachten, en nog geen vijftien minuten nadat hij uit het toestel was gestapt, stond hij voor zijn huis. Hij pakte de post uit de brievenbus die bij de stoep stond, klemde het stapeltje onder zijn arm en liep met zijn reistas naar de voordeur.

In het halletje zette hij de tas neer en legde de post op een tafeltje. Toen hij zich wilde omdraaien om de deur dicht te doen, dook er een man achter hem op en vanuit de gang naar de keuken klonken voetstappen.

'Goedemorgen, klootzak,' zei de eerste man, terwijl hij een pistool met geluiddemper op het hoofd van Vanderwald richtte.

Meer zei de man niet. Zwijgend liet hij de loop van het wapen zakken en schoot Vanderwald in beide knieën. Vanderwald zakte in elkaar en begon te gillen van de pijn. De tweede man was nu ook in de hal en hurkte naast zijn hoofd. 'Een verklaring graag voor deze factuur voor een DC-3 die we in je computer hebben gevonden.'

Twee minuten en twee gerichte schoten later hadden de mannen de informatie die ze hebben wilden.